Ann A. McDonald

Ann A. McDonald, née dans le Sussex, a étudié la philosophie, la politique et l'économie à l'université d'Oxford avant de devenir journaliste spécialisée en musique et divertissement. Elle vit désormais à Los Angeles où elle travaille comme scénariste. Ses précédents romans, signés sous le pseudonyme de Melody Grace, ont été des best-sellers aux États-Unis. *La Malédiction d'Oxford* (Michel Lafon, 2017) est son premier roman traduit en France.

LA MALÉDICTION
D'OXFORD

Ann A. McDonald

LA MALÉDICTION D'OXFORD

Traduit de l'anglais (États-Unis)
par Joseph Antoine

Titre original :
THE OXFORD INHERITANCE

© 3 Arts entertainment, 2016. © Ann A. McDonald.
© Éditions Michel Lafon, 2016, pour la traduction française.
ISBN : 978-2-266-27564-4
Dépôt légal : janvier 2018

Le diable est à l'œuvre plus que jamais ;
la longue journée des hommes pour atteindre le soir,
et la tragédie du monde et la fin des temps.

Sir Walter Raleigh

Elle courait.

Traversait les tunnels, pieds nus sur le sol de pierre. Les torches embrasaient les principaux passages du labyrinthe, alors elle bifurqua, dévala des escaliers cachés, s'enfonça dans l'obscurité de couloirs sinueux, sentait l'air devenir lourd et vicié ; les portes, quand elle les poussait, lâchaient des grondements de protestation. Elle courait toujours.

La psalmodie se rapprochait, bourdonnement étourdissant dont chaque mur renvoyait l'écho, d'aussi loin qu'il provienne. C'était dans sa tête, se dit-elle. Forcément. Une ombre se cabra soudain dans les ténèbres et la fit trébucher d'effroi, tomber et s'écorcher méchamment la peau sur une pierre coupante. Mais il n'y avait pas de place pour la douleur ; pas avec ce couteau qui lui glissait des mains, pas avec ce bruit de pas qui retentissait toujours plus fort. Toujours plus proche.

Elle se précipita pour bifurquer encore et grimper une autre volée de marches. Quand elle reconnut la voûte du porche sculpté, elle faillit en crier de soulagement. Elle savait ce qu'il y avait après : une galerie latérale. Et encore après : la liberté.

9

C'est alors qu'il surgit de l'ombre.

Elle hésita, puis s'arrêta au seuil de l'entrée. Il ne prononça pas un mot, pas plus qu'il ne lui interdit le passage, mais l'adrénaline qui l'avait stimulée tout à l'heure, quand elle courait à corps perdu dans les ténèbres, lui fit soudain défaut. Elle ne ressentit plus rien qu'une douleur sourde dans les membres, tandis que montait dans sa poitrine un sanglot résigné. Ses doigts se relâchèrent. Le couteau tomba au sol.

Bien sûr qu'il l'avait retrouvée.

L'homme s'approcha et tendit le bras pour écarter les cheveux qui lui retombaient devant les yeux, en un geste si familier qu'elle sentit ses jambes céder sous le chagrin. Elle laissa échapper un sanglot ; ses pleurs brisèrent le lourd silence des catacombes. Il lui couvrit la bouche de sa main pour étouffer le bruit.

— Chut... murmura-t-il doucement contre sa joue. Tu es à moi maintenant.

Il l'empêcha de tomber puis l'accompagna lentement jusqu'à ce qu'ils s'accroupissent tous les deux sur le sol poussiéreux, elle blottie contre lui. À présent qu'elle savait la vérité, elle pouvait sentir la force noire qui émanait de lui : elle jaillissait en tourbillons du bout de ses doigts alors qu'il dessinait la courbe de son menton. Mais il y avait pire que ce sombre geste – bien pire : elle avait l'impression que quelque chose se déployait au fond de sa poitrine à elle, une agitation, un battement d'ailes qui était celui de son propre cœur obscur répondant à l'appel.

Elle résista, mais tout était joué. Il le savait.

— Chut... dit-il.

Il la berçait, plus tendrement qu'il ne l'avait jamais fait au cours de toutes leurs nuits passées ensemble.

L'agitation était un battement désormais, avec lequel se confondaient les battements de son cœur – tambour insistant. Les ténèbres montaient, prêtes à prendre leur envol, prêtes à l'engloutir complètement.

— Tu es à moi, chuchota-t-il à nouveau.

Le triomphe brillait dans ses yeux tandis qu'il anticipait la suite avec une impatience dévorante. Quand il se pencha vers ses lèvres, elle essaya désespérément d'atteindre le couteau du bout des doigts. Elle le trouva : froideur de l'acier dans la poussière couvrant le sol.

Elle consentit au baiser, tout en adressant une prière silencieuse. Puis tout vira au rouge.

– 1 –

Oxford, l'été, était une ville en état de siège. Ils venaient d'au-delà des océans, de Norvège et du Brésil, d'Inde, du Japon : on croyait voir des civilisations nouvelles ou antiques s'abattre sur les flèches des églises, envahir cours et jardins propres et luxuriants en une seule et unique armée dont le cri de guerre était un babil de langues étrangères, et dont les soldats, pour partir au combat, s'étaient dessiné sur la figure des bandes de crème solaire à l'oxyde de zinc. Toutes races et nationalités confondues, leurs régiments arboraient des casquettes de base-ball aux couleurs britanniques et des sweat-shirts souvenirs ; leurs groupes s'engageaient sur la voie qui reliait les allées paisibles et fleuries du Jardin botanique au réfectoire immense et majestueux de Christ Church College. Rassemblés sur le pavé de Cornmarket Street, ils consultaient leurs dictionnaires, dépliaient leurs plans et jouaient des coudes pour franchir les portes d'acier, en quête d'un meilleur angle pour photographier les statues et les hauts murs de grès.

Les boutiques de High Street attiraient une nombreuse clientèle à grand renfort de drapeaux miniatures, de figurines et de longs foulards tricotés, entortillés,

13

présentant en un semblant d'arc-en-ciel les couleurs officielles de l'université : bleu cassis et bleu marine, moutarde et vert chasseur. On prenait le thé au lait dans des *tearooms* désuets où les tasses raffinées heurtaient les soucoupes frangées d'or. La rivière était sillonnée de barques à fond plat que les étudiants pilotaient sur des eaux mousseuses, pendant que leurs passagers sirotaient des Pimm's dans des gobelets où flottaient des tranches de concombre et autres petites douceurs d'été, telles ces fraises achetées en barquettes aux étals dressés sur le pont.

De début mai à fin août, les vieilles rues étaient obstruées, poussiéreuses, encombrées – et plus souvent encore arrosées par de froides averses estivales qui forçaient les gens à s'abriter sous leur plan de la ville, à se réfugier sous les porches et les auvents des boutiques. Puis, quand arrivait septembre, les vastes esplanades retrouvaient soudain leur calme. La foule partait, la ville respirait. L'air s'imprégnait d'une fraîcheur nouvelle, automnale ; et le matin, à l'heure où les cloches des églises barytonnaient en chœur, des brumes humides se répandaient sur les prairies de Port Meadow.

Cette douce accalmie ne durait qu'une ou deux semaines. Les vendeuses désœuvrées s'avachissaient derrière leur caisse enregistreuse, et les jardiniers de l'université taillaient les rosiers, tondaient les pelouses en bandes bien nettes.

La fournée suivante de visiteurs arrivait trop vite. Et pour un séjour qui n'aurait rien de provisoire. Leurs manuels étaient flambant neufs, leurs bagages bourrés de gros dossiers d'inscription et leurs souliers bien cirés. Ils écarquillaient les yeux ; leurs attentes et espérances ne pesaient pas moins que les lourdes valises qu'ils traînaient derrière eux, pleines à craquer de biens achetés récemment.

L'été prenait fin, et une nouvelle génération d'étudiants voyait venir l'heure de répondre à l'appel béni du grand héritage universitaire d'Oxford.

*

Cassandra Blackwell commença par découvrir les joies de la journée de présentation.

Elle arriva en retard, son vol ayant essuyé une grosse tempête au-dessus de la Côte Est. Le temps de récupérer ses bagages à Heathrow puis de parcourir en car le trajet de deux heures qui la séparait d'Oxford, elle se présenta à la fac alors que le premier jour du trimestre était officiellement commencé. Elle savait ce qui l'attendait puisqu'elle avait lu les nombreux documents d'information. Elle n'en fut pas moins stupéfaite quand, ayant traîné sa valise sur les pavés irréguliers et franchi les portes de Raleigh College, elle découvrit une esplanade où s'agitait une mer d'étudiants qui glissaient et tournoyaient dans leurs étranges robes noires, comme des feuilles de journaux emportés par la brise britannique.

Cassie s'arrêta au milieu de l'effervescence pour mieux s'imprégner de cette scène étonnante. Les étudiants se rassemblaient sur des gradins pour la photo officielle. Mais au lieu du jean décontracté des jeunes gens de son pays, les nouvelles recrues d'ici portaient sous leur toge un costume et une chemise amidonnée. Les filles étaient en chemisier et jupe noire, avec des rubans sombres qui leur pendaient sur la nuque et de larges bandes de tissu tombant sur leurs épaules. Un genre de tenue démodée que vous vous attendiez plutôt à retrouver immortalisée sur de vieilles photos sépia jaunies par le temps. Une seule indication évoquait le XXIe siècle : l'océan de téléphones portables auxquels les étudiants se cramponnaient tout en s'alignant sous la vieille muraille couleur de miel, afin de poser pour la première photo.

Les cloches de la chapelle carillonnèrent midi sur toute l'esplanade. Cassie était en retard.

Rapidement, elle regarda autour d'elle. Des flots de gens entraient et sortaient d'un petit corps de garde situé à l'entrée. Elle y pénétra en s'inclinant, car la porte taillée dans la pierre était basse. À l'intérieur régnait le chaos. Trois files se déployaient devant le bureau, les étudiants réclamant que l'on s'occupe d'eux. Elle prit place dans l'une d'elles sans être sûre que c'était la bonne, jusqu'à ce qu'un membre du personnel – un homme à la figure tannée, coiffé d'une casquette à visière, vêtu d'un gros tricot à torsades – remarque qu'elle traînait des valises et serrait contre sa poitrine les documents d'information.

— Vous êtes en première année ? demanda-t-il.

— Oui, répondit-elle en présentant ses papiers. Cassandra Blackwell. Mon vol a eu du retard. Je viens juste d'arriver.

L'homme écarquilla les yeux.

— Vous feriez mieux de laisser vos affaires ici et de vous mettre en tenue si vous ne voulez pas rater la photographie.

— Pas la peine, essaya de plaider Cassie. Tout ce que je veux, c'est m'installer dans ma chambre.

Mais l'homme ne se laisserait pas convaincre aussi facilement :

— Passez-moi votre valise.

Il la lui prit sans lui laisser le temps d'émettre une nouvelle objection.

— Vous avez votre *sub fusc* ?

Cassie blêmit.

— La tenue, expliqua-t-il. L'uniforme et la toge. Bon, peu importe, vous n'avez plus le temps. Une chance que vous portiez du noir.

Il fouilla dans un carton et en tira une robe pareille à celles qu'elle avait vues dehors.

— Celle-ci vous ira. Je vais voir quelle chambre vous est attribuée. Cassie, c'est ça ?

Elle fit oui de la tête.

— Moi, c'est Rutledge. Venez me voir après, quand vous en aurez fini avec la présentation. Dépêchez-vous !

Il la mit dehors, avant d'être de nouveau happé par l'agitation ambiante.

Cassie sortit en enfilant la toge. Elle fut aussitôt entraînée vers une place dans le groupe au dernier rang. Les étudiants s'écartèrent pour la laisser passer, mais sans même lui accorder un regard, en continuant de bavarder et de plaisanter, énervés par la tension du premier jour, trop accaparés par leur propre excitation pour pouvoir seulement s'intéresser à elle.

Excitée, Cassie l'était aussi, mais son impatience ne lui tournait pas la tête. Elle était simplement curieuse de faire connaissance avec ce monde inconnu. Mais elle éprouvait aussi un sentiment d'imposture, comme si l'un de ses nouveaux condisciples, en y regardant de plus près, risquait de lire sur son visage ses véritables intentions – la vraie raison de sa présence parmi eux, le plan secret qui était le sien pour cette année.

— En place ! Tout le monde ! En place, s'il vous plaît !

Elle eut à peine le temps de prendre la pose. Déjà le photographe et son assistant commençaient à faire la chasse aux retardataires aux abords de la foule.

— Ça va, comme ça ? demanda la fille à côté de Cassie.

Elle se bagarrait avec son ruban qu'elle nouait et renouait autour de sa nuque en essayant de faire une boucle. Elle avait de grands yeux d'oiseau et ses doigts étaient agités de tremblements nerveux. Toute rouge, elle semblait à bout de souffle.

Cassie se demanda si c'était bien à elle que cette fille s'adressait. Oui, aucun doute.

— Laisse-moi faire.

Elle attacha rapidement le ruban.

— Merci, dit la fille, ravie, avant de bredouiller : J'en ai rêvé toute ma vie. Après tout ce temps, ça arrive enfin. L'université d'Oxford.

Elle avait prononcé ces mots dans un souffle, doucement, comme si sa prière venait d'être exaucée.

— N'est-ce pas merveilleux ?

Cassie leva les yeux vers le drapeau de Raleigh faseyant au loin sur le rempart. Elle l'avait vu en photo ainsi que dans des brochures en papier glacé. Elle l'avait même vu de ses propres yeux des années auparavant. Mais aujourd'hui, il lui semblait bien plus grand, plus impressionnant qu'autrefois. Soudain, le flash du photographe les éblouit ; leur vision s'emplit d'étincelles noires et dansantes. Cassie cligna des yeux, étourdie par le voyage et le décalage horaire, et par toutes les années qu'elle avait passées à programmer son entrée ici, à Raleigh College, le saint des saints.

Tous ses efforts avaient enfin porté leurs fruits : les intrigues, les mensonges, les sacrifices, les prises de risque.

— Si, répondit-elle doucement, et elle ajouta en écho : C'est merveilleux.

Le flash explosa de nouveau, aveuglant chacun malgré l'éclatant soleil de l'après-midi.

2

Les prises de vue durèrent une heure, interrompues par les jeux bruyants d'un groupe de garçons, et de cinglantes rafales de vent qui envoyaient les feuilles tourbillonner dans la cour. Mais enfin on en vint à bout. Cassie aurait voulu récupérer ses affaires et aller s'écrouler dans sa chambre, mais elle fut entraînée loin du corps de garde.

— Maintenant, c'est l'heure du Master's Tea, lui annonça un étudiant plein d'énergie qui consultait un bloc à pince. Le Thé du président.

— J'ai voyagé toute la journée, répondit Cassie, assaillie de fatigue. Je vais d'abord aller prendre une douche, et on verra après.

Il la dévisagea, stupéfait.

— C'est dans le programme. Ça ne prend que cinq minutes. On est obligés d'y aller.

Cassie ouvrit la bouche pour protester puis ravala sa phrase. Elle devait faire preuve de la même impatience que les autres. Le groupe se rassemblait déjà sur le chemin pavé.

— Alors, va pour le thé, dit-elle.

— Ses appartemets sont à l'autre bout du campus. Neil te montrera.

Il hochait la tête en direction d'un autre étudiant à l'air serviable qui portait le foulard rouge de Raleigh.

« Appartements » pour « résidence ». Un mot à retenir. En tant qu'Américaine débarquant en Angleterre, Cassie se heurtait aux particularités de la langue, mais elle avait déjà compris que l'université d'Oxford était un monde en soi. Ses collèges répondaient dans toute la ville à un système fédératif qui possédait ses règles propres, sa culture et même son langage. Il avait suffi à Cassie de tendre l'oreille aux propos de ses nouveaux camarades pour apprendre que Rutledge et son équipe servaient de concierges : le corps de garde, c'était leur loge. Mais dans cette cacophonie, nombre de mots demeuraient pour elle un mystère, alors que les autres étudiants les utilisaient couramment : *junior common room* signifiait « foyer », et *buttery*, « buvette » ; on disait *pidges* pour « boîtes aux lettres », et *tutes* pour « tutorat » ; le premier trimestre se nommait *Michælmas*, et le troisième, *Trinity*.

Cassie leur emboîta le pas, suivant les allées qui s'entrecroisaient sur l'esplanade plantée de fleurs. Neil avait pris la tête du groupe.

— Le collège n'a pas été fondé seulement par sir Walter Raleigh, claironnait-il. Tout un cercle d'influents professeurs et de savants de l'époque s'est penché sur son berceau. Ils représentaient l'avant-garde de la vie culturelle élisabéthaine. Le célèbre astronome Thomas Harriot, l'auteur dramatique Christopher Marlowe… tous se réunissaient ici même pour débattre des idées nouvelles et partager leurs travaux visionnaires.

21

Cassie connaissait l'histoire. Sans être le plus ancien des collèges oxfordiens ni le plus riche, Raleigh n'en possédait pas moins son particularisme. Sir Walter l'avait fondé au début des années 1500 en tirant un parti financier des pillages de navires de l'Armada espagnole. Le collège se situait aux confins de la ville, tel un petit royaume, avec ses bâtiments en grès et ses pelouses vallonnées qui s'étendaient jusqu'aux berges marécageuses de la rivière Cherwell. Les prospectus en papier glacé que Cassie avait parcourus vantaient les vastes salles et les gazons bien entretenus, la bibliothèque aux chaleureuses boiseries, les résidences étudiantes richement meublées, les cloîtres à ciel ouvert et les murailles sculptées, qui protégeaient de l'agitation urbaine. Mais à présent qu'elle était sur place, face à l'indéniable et traditionnelle beauté de ces lieux splendides, elle en avait le souffle coupé.

— N'oubliez pas, continuait leur guide, que l'Église, à l'époque, tenait la recherche scientifique d'une main d'acier. Fonder une université semblait une entreprise révolutionnaire. Ce groupe ne fut pas épargné par les complots et les trahisons.

— Comme cette société secrète ? intervint une étudiante.

On s'esclaffa autour de Cassie qui ne voyait pas ce que cette réflexion avait d'amusant. Le guide remarqua qu'elle était perdue.

— Sir Walter Raleigh et ses compatriotes ont fait l'objet de nombreuses spéculations, expliqua-t-il. Même Shakespeare s'est moqué d'eux en les baptisant l'École de la Nuit ! À cause des robes noires qu'ils portaient, paraît-il, lors de leurs réunions.

— Mais enfin... grommela un étudiant à côté de Cassie. Ta société secrète, si tout le monde en parle, c'est qu'elle n'est plus secrète.

— Cela veut-il dire que tu ne prêteras pas serment au Bullington ? lui demanda son ami avec un sourire en coin.

— N'allons pas jusque-là...

Et il éclata de rire.

Cassie, restée à l'écart, s'émerveillait des remparts et de ces édifices qu'il lui semblait déjà connaître par cœur. Le groupe, après avoir traversé le campus, atteignit la résidence du président, un imposant édifice élisabéthain presque entièrement en grès d'époque autour duquel ondulaient des pelouses semées de rosiers. Le temps n'avait pas altéré l'architecture des lieux, et l'intérieur n'était pas moins majestueux : vaste escalier s'élevant d'un coin du foyer, murs habillés d'une épaisse tapisserie vert chasseur, tapis profonds, guéridons anciens.

— On est arrivés, annonça Neil. Bonne chance, et rappelez-vous : surtout on déstresse car ici, à Raleigh, nous formons une famille.

Une famille. Cassie avait encore ce mot en tête en pénétrant dans une pièce majestueuse, déjà occupée par une vingtaine de première année. Cramponnés à leur assiette de fromage et de crackers, ils discutaient anxieusement en faisant attention de ne pas renverser leur verre de vin sur les sofas de brocart. C'était leur première occasion de rencontrer les professeurs et l'encadrement. Ces derniers faisaient connaissance avec leurs nouveaux étudiants, qui avaient intérêt à saisir leur chance de faire bonne impression.

Alors que ses camarades faisaient la queue pour tenter d'approcher un professeur, Cassie se dirigea vers le buffet. Elle avait grand besoin de se mettre quelque chose sous la dent tant son ventre criait famine, après cette longue journée passée à consommer les plats lyophilisés de la compagnie aérienne et les friandises des distributeurs. Ayant trouvé un sofa inoccupé, elle s'y enfonça.

— Chavez était argentin, non ?

Un garçon venait de se laisser tomber lourdement à côté d'elle. Grassouillet et en sueur, des taches sombres ornaient ses aisselles.

— Vénézuélien, répondit-elle.

Il plissa les yeux.

— Je viens de passer dix minutes à discuter avec le professeur Kenmore de la nationalisation de l'industrie argentine !

Il pâlit. Il avait commis une bourde.

— Mon Dieu !

Il laissa Cassie en plan pour traverser la pièce, non sans bousculer une étudiante au passage ; la fille chancela et son thé éclaboussa le tapis couleur crème, y laissant une tache foncée.

Les conversations s'interrompirent, et chacun se félicita intérieurement de ne pas être la cause de cette maladresse.

Cassie, percevant les tensions et les regards angoissés, se sentit une étrange parenté avec ces inconnus fébriles. Elle avait beau être plus âgée qu'eux, avoir vécu des expériences qu'ils ne pouvaient même pas imaginer, ils partageaient tous aujourd'hui le même besoin de s'intégrer, de prouver leur appartenance à cet univers. Même s'ils étaient là pour des raisons différentes, le défi n'en était pas moins grand pour chacun d'entre eux. Leur avenir était en jeu.

Cassie avait fini son assiette. Elle s'efforça de se mêler à la foule. Elle étudiait la rangée de portraits à la mine sévère accrochés au mur, quand une voix rocailleuse prononça derrière elle :

— Kit Marlowe.

Elle se retourna et tomba nez à nez avec le président en personne. Il portait un costume bleu à rayures démodé. Sa crinière blanche et ses rides épaisses lui donnaient une mine austère. Il enchaîna :

— Un des amis les plus chers de Raleigh, bien entendu. Nous avons dans les archives de la bibliothèque l'édition originale de ses pièces de théâtre. Vous êtes la bienvenue, si vous souhaitez y jeter un coup d'œil. Malheureusement, nous sommes tenus de les protéger, de crainte qu'elles ne se détériorent. Aussi vous sera-t-il interdit de les feuilleter, comme vous pourriez en avoir l'intention.

Il leva la main.

— Mais on ne nous a pas présentés. Sir Edmund Castle.

— Cassandra Blackwell.

Le président avait la poignée de main vigoureuse, et son expression était amicale.

— D'après votre accent, dit-il, vous devez être dans notre contingent d'étudiants étrangers.

— En effet. Je fais une année à l'étranger. Je viens de Smith.

— Une excellente université.

Il continuait de lui secouer la main.

— Bienvenue, bienvenue… Comment trouvez-vous la maison ?

— Je la trouve… un peu écrasante…

Elle s'empressa d'ajouter :

— Mais elle est tellement belle ! Et un fabuleux témoin de l'Histoire.

— La plus élégante d'Oxford, approuva le président. Mais je ne suis peut-être pas impartial. Vous savez, j'ai moi-même fait mes études ici, il y a des lustres. Et j'y ai aussi enseigné.

Cassie hochait la tête. Raleigh l'obsédait depuis des années, et il ne lui restait pas grand-chose à apprendre sur le sujet. Sir Edmund s'était distingué en tant que mathématicien. Il avait publié plusieurs livres avant de quitter Oxford, attiré par les gratifications du secteur privé. Il avait fait fortune dans les fonds spéculatifs, avant d'être anobli pour services rendus à l'économie nationale ; finalement, il était revenu à Raleigh où il coulait une retraite dorée consistant à faire fructifier le capital de la fac et à jouer les maîtres de maison chaque fois qu'une personnalité venait en visite.

— J'ai lu votre livre sur la théorie des jeux, lança Cassie pour nourrir la conversation. J'ai trouvé ça fascinant.

— Vraiment ? Vous êtes mathématicienne vous-même ?

— Non, répondit-elle hâtivement. Je l'ai lu par curiosité, en faisant des recherches sur Raleigh.

— Vous êtes très sérieuse, dit-il en la jaugeant avec intérêt. Et qu'est-ce qui vous amène sur nos rivages, mademoiselle Blackwell ? Ce n'est pas la porte à côté, et les étudiants étrangers doivent affronter une rude concurrence pour se tailler une place ici.

Cassie prit une profonde inspiration. Elle s'était préparée à répondre à cette question qui lui avait été maintes fois posée au moment de déposer sa candidature, et quand elle avait interrogé d'anciens élèves à Boston.

— Un vieux rêve. Mes parents ont un peu voyagé en Angleterre dans leur jeunesse. J'ai été bercée par certaines histoires autour de cette ville et de ses collèges.

Elle ajouta avec un rire désinvolte :

— Je crois qu'ils avaient accroché un calendrier d'Oxford au-dessus de mon lit avant même que j'apprenne à lire.

— Eh bien ! gloussa sir Edmund, ils doivent être très fiers de vous.

— Ça, vous pouvez le dire.

Elle souriait tendrement, comme visitée par un souvenir.

— Leur séjour ici est déjà programmé.

Sir Edmund se détourna et son regard s'arrêta. Il reprit en élevant la voix :

— Tremain ! Venez, que je vous présente quelqu'un du groupe des Américains. Cassie, voici Matthew Tremain. C'est lui qui s'occupe de vous autres, les étudiants étrangers. De la pastorale et du reste.

L'homme qui les rejoignit devait avoir dépassé la quarantaine. Rien chez lui ne rappelait le style raffiné de sir Edmund. D'apparence, il semblait prudent et distrait, avec sa barbe de trois jours et sa tignasse de cheveux bruns. Sa chemise à rayures froissée dépassait d'un pantalon de velours élimé.

— Ravi de vous rencontrer.

Cassie lui tendit la main. Le professeur la saisit après avoir bataillé un moment pour ne pas renverser sa tasse de thé et son assiette de gâteaux.

— Blackwell, Blackwell, dit-il en la fixant d'un regard curieux. Ah ! oui… Smith. Vous êtes en PPE…

Il usait du vocabulaire d'Oxford pour « Philosophie, Politique, Économie », le cursus que suivait Cassie.

— Je vous aurai en philosophie ce trimestre. J'ai laissé une note là-dessus dans votre *pidge*.

— *Pidge* ? répéta-t-elle, entendant pour la deuxième fois ce mot bizarre.

— Pour *pidgeon hole*, expliqua sir Edmund. Pigeonnier. J'ai oublié l'effet que ça fait aux oreilles étrangères. Les casiers en bois dans la loge du gardien. On dit *pidge* pour « courrier ».

— Ah ! très bien.

Elle ajouta ce mot à sa collection personnelle d'expressions typiquement oxfordiennes.

— Le professeur ici présent est une institution à Raleigh, enchaîna sir Edmund. Il a été mon étudiant, jadis. Ça fait combien de temps déjà… ?

— Bientôt vingt-cinq ans, répondit Tremain.

Et Cassie aurait juré avoir perçu dans sa voix une note de résignation.

— Un bon étudiant, lui aussi, enchaîna sir Edmund, à part qu'il attendait toujours la dernière minute pour rendre ses travaux. Quand aviez-vous glissé vos copies sous ma porte dix minutes avant la séance de tutorat, déjà ?

Il avertit Cassie :

— Ne comptez pas vous en sortir avec cette méthode.

Tremain soutint un moment le regard de Cassie avec une expression de légère impatience. Il était évident que ces anecdotes avaient été rabâchées bien souvent. Néanmoins, sir Edmund continuait de vouloir se souvenir.

— Comme le temps passe… dit-il, en poussant un soupir théâtral. J'ai l'impression que la semaine dernière encore, je corrigeais vos copies, vous demandais d'arrêter de faire tout ce boucan au bar. Nous serons tous enterrés d'ici peu. Qu'est-ce que vous en dites, Tremain ? Vous ne croyez pas qu'ils devraient nous creuser une tombe dans un coin du campus, histoire que nous n'allions pas ailleurs ?

— Bonne idée, approuva Tremain.

— Les choses ont beaucoup changé, depuis que vous étiez étudiant ? voulut savoir Cassie.

— Eh bien, il n'y avait pas Internet, répondit-il d'un ton caustique. C'est déjà une chose. En tout cas, pas comme aujourd'hui. Ceux qui voulaient plagier un livre étaient obligés de le recopier eux-mêmes, au lieu de se contenter d'un copier-coller sur Wikipédia.

— Non, insista-t-elle, je voulais parler de la vie étudiante, de la culture.

Tremain sourit faiblement, presque d'un air chagrin.

— Rien ne change jamais vraiment à Oxford. Particulièrement ici.

Il se tourna brusquement vers sir Edmund :

— Nous devrions faire le tour des invités. Mademoiselle Blackwell, nous pourrons peut-être reprendre cette conversation, et passer en revue quelques aspects de la vie universitaire.

Sir Edmund échangea une nouvelle poignée de mains avec elle.

— Un plaisir. J'espère que votre passage chez nous se révélera profitable. N'oubliez pas d'aller jeter un coup d'œil aux manuscrits de Marlowe, mais attention : pas touche !

Ils s'éloignèrent. Tremain, pressé de prendre ses distances, se dirigea vers l'autre bout de la salle. Sir Edmund, quant à lui, atterrit dans un autre groupe d'étudiants et commença de serrer des mains. Cassie s'attarda un instant encore avant de se glisser hors de la pièce, le cerveau en ébullition.

À sa droite, l'entrée principale du foyer retentissait d'éclats de rires guindés ; aussi préféra-t-elle prendre à gauche, et s'enfoncer plus profondément dans le bâtiment où elle erra d'un pas léger sur les parquets lustrés. Loin de la réception, le calme régnait dans les couloirs. Elle explora les pièces l'une après l'autre, et tomba sur des toilettes équipées d'une vasque en porcelaine, ainsi que sur une salle destinée aux banquets officiels – une table dressée pour seize, couverte d'épais sets de cuir, où étaient alignés des chandeliers allumés. Cassie avait l'impression de visiter un musée. Pourtant elle était bien chez quelqu'un, dans un endroit conçu pour vivre et travailler au milieu de ces fantômes ornés de brocart, témoins d'un temps révolu. Au bout d'un couloir, elle poussa une lourde porte en chêne ouvrant sur une pièce obscure que dominait un vaste bureau d'acajou. Une bibliothèque s'élevait jusqu'au plafond. Certainement le cabinet de travail de sir Edmund.

Cassie hésita un instant au seuil de cette pièce probablement interdite. Quelqu'un, dans le groupe, ne tarderait pas à remarquer son absence. Mais la curiosité l'emporta : elle entra, laissant derrière elle la porte entrebâillée, afin d'entendre si quelqu'un venait.

C'était un vaste bureau aux murs lambrissés, orné de sombres tableaux dans leurs cadres dorés. Cassie s'approcha de la table jonchée de papiers et d'un assortiment de stylos à plume. Le bois était protégé par un sous-main de cuir noir. Cédant à ses vieilles habitudes, Cassie fourragea brièvement dans les papiers, sans rien trouver d'autre qu'une banale correspondance administrative : des notes concernant une négociation salariale avec les gardiens, une étude sur la structure des cloîtres. Elle laissa courir ses doigts sur les veines du bois et les liasses de documents. En émanait un parfum de santal. Il y avait aussi une autre senteur plus forte, plus âcre : la légère odeur de tabac qui imprégnait l'atmosphère.

C'était un autre monde. À Smith, université qui avait aussi son histoire, les bâtiments les plus anciens n'avaient pas plus de cent cinquante ans, et ils étaient éclipsés par les nouvelles salles de cours et résidences étudiantes. Ici, entre ces murs de grès, résonnaient des échos vieux d'au moins un demi-millénaire. Cassie se dirigea vers la bibliothèque qui occupait le mur derrière elle et supportait des livres reliés : des éditions originales, des livres massifs. Shakespeare, Wordsworth, Wilde. À l'extrémité, elle trouva les archives de Raleigh, une collection de volumes remontant jusqu'à l'année 1952, aussi intacts que s'ils sortaient de l'imprimerie, avec leur dos parfaitement rigide.

Elle fit courir son doigt sur le cuir gaufré jusqu'à l'année 1994. Tirant le gros livre du rayon, elle l'emporta près de la fenêtre afin d'y jeter un coup d'œil. Elle feuilleta les rapports de l'aumônier, les comptes rendus concernant les projets immobiliers, les campagnes de financement, les résultats obtenus par les étudiants, et les hommages rendus aux membres décédés. Elle tournait les pages avec impatience. Mais quand elle fut parvenue à la liste des étudiants admis en première année, elle n'y trouva aucune mention de ce qu'elle cherchait.

Elle entendit un bruit de pas – un pas lourd, posé, qui venait du vestibule sans précipitation. Elle referma aussitôt le volume. Elle le remettait à sa place dans le rayon quand on poussa la porte. Un homme étrange apparut sur le seuil.

Cassie se pétrifia. Il était âgé, avait peut-être dans les soixante-dix ou quatre-vingts ans. Il portait un costume noir impeccable. Ses cheveux formaient une crinière blanche et son visage se creusait de rides profondes, mais c'est son regard noir et perçant qui la fit frissonner jusqu'aux os.

— Que faites-vous ici ? C'est privé.

— Je sais, se hâta de répondre Cassie. Je suis désolée. Je cherchais les toilettes.

Il ne fit pas un geste. Seul son regard passait de Cassie à la table, et inversement.

— Je me suis laissé distraire par les lieux, reprit-elle en s'éloignant de la bibliothèque. L'originalité de l'architecture… cette beauté.

L'homme la toisa, et Cassie remercia le ciel de porter la toge d'étudiante, comme n'importe quelle nouvelle recrue.

— Vos camarades partent pour la cérémonie, répondit-il d'un ton glacial.

— Merci.

Elle fit plusieurs pas en direction de la sortie.

— Je suis sûre qu'il y en aura d'autres, dit-elle. Ici, il doit y avoir des discours en latin chaque semaine.

Elle avait tenté une plaisanterie, histoire de faire retomber la tension, mais l'homme, manifestement, n'était pas d'humeur.

— Vous trouvez ça drôle ? rétorqua-t-il d'une voix cassante. Vous croyez que nous défilons en toge sans raison ? Notre histoire, c'est tout pour nous.

Il la fixait d'un air dur, inflexible.

— C'est la tradition qui fait de nous ce que nous sommes, et si vous vous estimez au-dessus de tout cela, peut-être n'êtes-vous pas au bon endroit.

Elle se mordit la langue. Alors les cérémonies, les photographies, le thé officiel, c'était de l'Histoire ? Une pièce en costume, plutôt. Ils faisaient tous semblant, dans leurs beaux habits. Pendant ce temps, dehors, derrière les murs de grès, le monde moderne continuait de tourner en se fichant pas mal de leurs robes sombres et autres rituels.

Mais plutôt que de répliquer, elle se força à paraître désolée :

— Je vous prie de m'excuser. Je comprends, pour la tradition. Ça compte énormément pour moi aussi. Je ne voulais pas vous offenser.

L'homme pinça les lèvres.

— Je suis là pour ça, assura Cassie. La tradition familiale. L'Histoire. J'imagine que je dois encore être sous le coup du décalage horaire, dit-elle avec un sourire. Je suis désolée, je me suis mal fait comprendre.

Pendant un moment, il resta immobile. Cassie sentait des picotements sur sa peau et son cœur battait la chamade. Enfin, l'homme secoua brièvement la tête.

— Votre groupe s'en va. Vous feriez mieux de le rejoindre.

Elle sentit les yeux de cet homme sur son dos tout le temps où elle parcourut le long couloir. Heureusement, on emmenait le groupe vers la sortie. Une nouvelle fournée allait le remplacer. Cassie se glissa dans la queue. Quand ils furent sous le froid soleil, son pouls battait à tout rompre.

Le groupe vira sur la droite, longeant les pelouses, mais Cassie partit dans la direction opposée. Elle passa par les cloîtres puis emprunta un couloir menant à l'ombre d'un bosquet de saules. Derrière se dressait l'enceinte de l'établissement. Un petit jardin entouré d'un muret de pierre débordait de pensées et de chrysanthèmes tardifs – véritable oasis privée, protégée de l'agitation estudiantine.

Elle s'y arrêta, silencieuse, et respira les fraîches senteurs d'herbe coupée et de fleurs. Elle avait commis une erreur, en s'introduisant ainsi dans le bureau de sir Edmund. Pourquoi avoir pris un tel risque ? C'était son premier jour, et elle se faisait déjà remarquer – elle courait le danger d'avoir à dévoiler ses secrets, secrets qu'elle était venue démêler et qui avaient exigé un long voyage.

En dépit de tout ce qu'elle disait de sa famille restée en Amérique – une enfance tournée vers le rêve oxfordien et son prestige, l'enthousiasme de ses parents, leur soutien –, sa vie passée ne ressemblait en rien au tableau idyllique qu'elle avait brossé pour l'université.

Son enfance n'avait pas été bercée par des histoires d'excellence universitaire. Et le chemin qui l'avait menée à Raleigh n'était pas semé de roses.

Elle ne leur avait raconté que des mensonges.

3

Raleigh se couvrait de brume quand Cassie, ayant fermé son gilet à capuche, s'éloigna de sa nouvelle résidence étudiante et bifurqua dans l'allée. La veille, après le Thé, elle s'était sentie trop fatiguée pour faire autre chose que monter son sac dans sa chambre, s'écrouler sur son lit et dormir. Elle s'était réveillée de bonne heure, et ses membres pleins d'une énergie nouvelle réclamaient une activité que seul un jogging matinal pouvait leur fournir.

Dehors, il n'y avait personne. Le campus était calme et silencieux dans la clarté de l'aube. Cassie parcourut d'un pas vif les allées bien entretenues. Fit des étirements. Puis elle longea le mur d'enceinte jusqu'à trouver un chemin vers la rivière. Elle commença à courir. Ses baskets martelant le sol, elle pénétra plus profondément dans les verdoyantes pelouses du domaine universitaire.

Elle atteignit sa vitesse de croisière et se sentit libérée de ses tensions, une première depuis son embarquement à l'aéroport de Boston. Elle adorait ce moment de la journée. Il lui offrait le temps de réfléchir, un espace dédié à elle seule. Un calme d'un genre particulier qui tombe généralement sur les villes le matin de bonne heure et Cassie remarqua qu'Oxford ne dérogeait pas à la règle. Cet instant paisible était seulement perturbé par le doux chant des oiseaux et le faible grondement de la circulation au loin, au-delà des murs. C'était le tout début d'octobre, le brouillard descendait sur les pelouses mouillées de rosée, et Cassie n'avait d'autre compagnie qu'une volée de cygnes glissant avec grâce sur les eaux sombres de la rivière.

Ayant atteint les portes donnant sur l'arrière du domaine, elle fit demi-tour et emprunta les sentiers pittoresques qui sillonnaient les gazons impeccables. Ses foulées s'allongèrent sur le chemin qui suivait la rivière. Après les jardins, on pénétrait enfin dans la pleine nature et les bois.

Une certaine journée venteuse lui revint en mémoire : celle qui était à l'origine de sa présence ici, qui l'avait expédiée à l'autre bout du monde. À chaque nouvelle foulée, les années s'effaçaient, ces années durant lesquelles son foyer se résumait au contenu de son sac de voyage, quand elle gagnait juste assez pour payer son loyer mensuel ; quand Oxford n'était encore qu'une ville lointaine, une destination aussi arbitraire qu'une épingle plantée au hasard sur une vieille carte froissée.

Puis le colis était arrivé.

Cassie l'avait trouvé posé devant sa porte, par un matin glacé, trois ans plus tôt. Les timbres étrangers se décollaient tout seuls et le tampon d'Oxford était sali, effacé. Les étiquettes se superposaient au gré des réacheminements successifs car le colis, avant d'atteindre sa destinataire, avait visité d'autres appartements et les crimes du passé.

Sa mère.

Tournant entre ses doigts l'enveloppe abîmée, Cassie s'était demandé comment ce paquet avait pu finalement atterrir chez elle. Elle se trouvait alors à Providence, Rhode Island. Elle louait une chambre au-dessus d'un restaurant polonais, dans une atmosphère enfumée aux relents de paprika. Elle payait son loyer en liquide à une vieille toute ratatinée, vêtue d'un gilet trop large, qui manifestait sa désapprobation en pinçant la peau de ses poignets décharnés et laissait à sa porte des Tupperware de bouillon aux boulettes de viande. Cassie ne fréquentait personne d'autre que cette *babula* aux petits soins pour elle. Elle ne figurait pas sur les listes électorales. Elle n'avait ni carte de crédit ni carte de fidélité. Elle enfermait tout son argent dans une boîte de pêche glissée au-dessus de son lit, sous la gaine de ventilation. Si elle refusait qu'il y ait une quelconque trace de ses faits et gestes, c'était suite à une décision mûrement réfléchie. En l'occurrence, elle était persuadée que le monde ignorait tout de son existence.

Erreur.

Tu ne pourras pas toujours cacher la vérité. S'il te plaît, reviens et finis-en une fois pour toutes.

Le message était simple, rédigé en petites majuscules, glissé dans le colis avec une collection d'articles mystérieux.

Cassie s'était laissée tomber sur la dernière marche de l'escalier. Elle avait sorti son pendentif, la seule chose lui venant de sa mère qu'elle fût capable de garder. Joanna était morte depuis presque dix ans désormais, et le camée en quartz rose s'était ébréché. Son motif bizarre, torsadé, plaqué or, s'effaçait et se brisait en morceaux. Mais Cassie ne pouvait se résoudre à le jeter. C'était le seul fil qui la reliait à son passé. Le bijou constituait aussi une mise en garde, un avertissement sur ce qui risquait de lui arriver si elle se montrait imprudente.

Du bout des doigts, elle effleura le pendentif craquelé et s'interrogea sur le sens du message. Sa mère avait vécu seule, à la dérive. Cassie ne l'avait jamais vue écrire une simple lettre, ni même mentionner quiconque avec qui elle eût été en contact. Et si elle avait eu des amis, nul doute qu'ils avaient eu vent de son décès.

Dix ans, c'était long.

Que signifiait le message ? Après tout, devait-elle s'en soucier ? Elle avait mis des années à poncer sa vie pour la débarrasser de ses aspérités. Voulait-elle vraiment exhumer maintenant de douloureux souvenirs, déranger des fantômes qu'elle venait à peine de réussir à maîtriser ?

La réponse semblait aller de soi.

C'était non.

Cassie avait remis la lettre dans le colis puis rangé le tout au fond d'un placard. Elle avait ignoré les questions qui pourtant avaient continué de lui tourner dans la tête jusqu'à la fin de la semaine. Elle avait écarté les interrogations lancinantes qui chuchotaient entre ses pensées. Chaque minute était abreuvée d'écrans, de pages et du bruit qui jaillissait en continu de ses écouteurs. Mais le problème persistait. Bientôt elle se réveilla à trois heures du matin couverte de sueurs froides, obligée de chasser les ténèbres et les rêves désespérants où elle se retrouvait enfermée dans la maison de son enfance, cherchant à travers les ombres et se ruant vers quelque chose qui toujours restait hors d'atteinte. Elle courut, fit résonner ses pas avant l'aube dans les rues désertes et sombres de la ville. Mais le poème de sa mère émit ses murmures jusque dans l'air imprégné de brouillard, ces strophes et ces sonnets qu'elle connaissait par cœur sans jamais les avoir appris. Pour tordre le cou à sa curiosité, elle essaya les médicaments, l'herbe et les étrangers dont elle croisait, dans les bars, les regards brillants. Sans résultat.

Après dix nuits blanches à la suite, la grisaille hivernale s'en alla enfin. Quand les cerisiers fleurirent sur les collines dominant la ville, Cassie sortit le colis de son obscure cachette. Sa quête commençait.

*

Un bruit arracha Cassie à ses souvenirs. Un jogger approchait. Il venait en sens inverse sur le sentier dans le bois de Raleigh. Il avait presque trente ans. De beaux cheveux dépassaient d'un bonnet de laine. Il portait un survêtement noir et des écouteurs dont les fils se faufilaient hors de son tee-shirt.

Cassie se rabattit complètement sur le bord du sentier pour le laisser passer, mais l'homme ralentit et retira un des écouteurs.

— Faites attention, plus loin, dit-il avec un sourire amical. Le sol est encore gelé.

Elle le remercia d'un hochement de tête mais attendit qu'il ait disparu derrière le virage suivant avant de ralentir à son tour, puis de s'arrêter. Elle reprit son souffle, son cœur battait à tout rompre. Non loin, les cloches sonnèrent au-dessus des prés : cinq, six, sept. Cassie regarda devant elle la courbe engageante du sentier. Elle aurait volontiers couru une heure de plus, loin de tout ce qui l'attendait – la bibliothèque, la première séance de tutorat. Mais elle avait du travail.

Le mystérieux colis l'avait conduite ici pour une raison précise, et elle n'avait pas de temps à perdre.

4

Elle était logée à Carlton Hall, un imposant édifice situé à l'arrière de l'université. Il tenait plus de la maison de maître que de la résidence étudiante. Cassie y entra et monta vers le deuxième étage en empruntant une volée de longues marches grinçantes. Le reste du monde s'éveillait et le bâtiment résonnait de lointains bavardages : ses camarades attaquaient leur journée. Ces bruits lui étaient parvenus dès le seuil franchi. Il faudrait composer avec les autres pour le partage de l'espace et l'utilisation de la salle de bains – elle vivait seule depuis si longtemps.

Au deuxième étage, elle prit le couloir et s'arrêta soudain. Sa porte était entrouverte et sa valise jetée à l'extérieur n'importe comment, avec d'autres affaires. Ses livres et son manteau étaient abandonnés par terre sans égard.

Elle se précipita à l'intérieur. C'était trois fois plus grand que son studio à Providence : un salon, une chambre séparée avec parquet verni et murs bleu pâle ornés d'une corniche blanche. Un élégant assortiment de bagages trônait sur le sol, là où reposait encore, une heure plus tôt, sa valise à elle. Un blouson de cuir souple était accroché au dossier de la chaise de bureau. Dans la chambre, des draps et des taies attendaient de remplacer la literie fournie par l'université. Cassie y fit courir ses doigts. Du coton doux, fin, délicat. Cher.

Il y eut du bruit dans l'entrée. Une jeune femme pénétra dans la chambre, les bras chargés de sacs. Elle lança :

— Attention avec cette boîte, Hugo. Il y a des lampes anciennes dedans.

Elle se tourna et s'immobilisa quand elle vit Cassie près du lit.

— Excusez-moi.

Elle souleva un sourcil et toisa Cassie d'un œil glacial.

— Qui êtes-vous ?

Cassie se raidit. Elle en avait soupé, des riches. Difficile de faire autrement quand on vit à Cambridge, à New Haven ou à Providence. Ils y étaient représentés sous une dizaine d'espèces : vieilles fortunes auxquelles on ne faisait plus attention, expatriés à la richesse insolente, gamins débraillés qui croyaient pouvoir planquer leur nom de famille en s'habillant dans les friperies et en fumant des cigarettes indonésiennes. Mais toujours les trahissaient cette assurance qui imprégnait chacune de leurs syllabes, ce sentiment de supériorité acquis en prépa et lors des voyages d'été, dans une vie tout entière bercée par une merveilleuse certitude, à savoir que tout – les diplômes, les emplois, les amours, les plaisirs – leur revenait de droit.

Cette fille était de cette race. Belle au sens aristocratique, anguleuse, elle arborait des yeux d'un bleu pénétrant et une chevelure brillante, avec un balayage blond. Elle portait un jean slim de couleur noire avec une vieille veste en daim. Elle se faisait les yeux au crayon, mais ses boucles d'oreilles étaient des perles et les sacs de cuir qu'elle tenait au bout des bras étaient faits main, impeccablement dessinés.

Cassie, elle, était toute décoiffée. Et elle transpirait dans son sweat-shirt et son legging. Mais elle tint bon.

— Je crois que vous vous êtes trompée de chambre. C'est la mienne.

La fille jeta un regard vers la lourde porte en bois et ses lugubres chiffres en bronze.

— Cinq cent quatre-vingts. Désolée, c'est vous qui vous êtes trompée.

Elle posa ses sacs sur le sol.

— Il va falloir des tapis ! lança-t-elle en direction du couloir. Et dis à Parker d'apporter le petit meuble, celui qui...

Elle se tut, prise d'impatience.

— Hugo ? Hugo !

N'obtenant pas de réponse, elle lâcha un soupir d'exaspération et proposa à Cassie :

— Vous voulez que je vous aide pour le reste de vos affaires ? Au bureau, ils vous trouveront une autre chambre.

— Non, merci, répondit Cassie, têtue. Celle-ci me convient.

Elle alla tranquillement s'asseoir dans le petit fauteuil près de la fenêtre d'où l'on voyait les prés luxuriants, ensoleillés, s'étendre jusqu'à la rivière.

Elle n'aurait pas dû faire d'histoires, mais c'était plus fort qu'elle. Elle avait appris ce que voulait dire défendre son territoire dans sa première famille d'accueil, où les enfants se disputaient chaque mètre carré. Elle n'allait sûrement pas renoncer à ses prétentions sur ces vastes parquets flamboyants et dorés, ni sur ces murs aux couleurs fraîches et apaisantes.

La fille considéra Cassie de nouveau et perçut chez elle une grande détermination. Son froncement de sourcils s'adoucit puis elle afficha un large sourire. Soudain, son visage se métamorphosa pour adopter une expression chaleureuse, voire amicale.

— Je suis vraiment désolée ! s'exclama-t-elle. Où ai-je la tête ? J'ai trimballé des affaires toute la journée pour m'installer. Je ne vous ai même pas demandé votre nom.

Cassie se présenta, tout en restant sur ses gardes.

— Ravie de vous connaître, sourit la fille. Moi, c'est Olivia, Olivia Mandeville. Je suis désolée de vous causer tous ces soucis.

Olivia eut un rire harmonieux.

— Vous êtes une étudiante étrangère ? reprit-elle.

Cassie plissa le front :

— En quoi c'est important ?

— C'est important, car ici ce sont les chambres des anciens, des troisième année.

Et Olivia s'excusa d'un haussement d'épaules.

— Il y a eu un tirage au sort organisé pour les chambres, l'an dernier. Mes amis et moi avons tiré celles du Carlton. Les étudiants étrangers vont avec les nouveaux à Hartwell, derrière, près des cuisines.

Elle se détourna pour brailler par la porte ouverte :

— Hugo !

Sa voix résonna, forte et désagréable, avant de se perdre dans le labyrinthe de parquets grinçants et d'escaliers poussiéreux. Dans l'atmosphère, au-dessus de ses bagages, flambèrent des particules de poussière dorée, comme si même les vibrations produites par Olivia étincelaient d'une touche de richesse.

*

Il apparut que les instincts territoriaux de Cassie ne correspondaient pas à la politique officielle de Raleigh en matière de résidence étudiante. Elle retourna à la loge du gardien, où Rutledge lui confirma qu'Olivia était dans son bon droit.

— Voyons ce qu'il nous reste… fredonna-t-il en cliquant pour explorer les fichiers de son vieil ordinateur. Je pourrais vous mettre avec les autres nouveaux, si vous voulez, mais ils peuvent se montrer bruyants.

Une expression de lassitude tomba sur son visage ridé.

— C'est la première fois qu'ils quittent papa et maman, dit-il.

Cassie fit la grimace. Elle imaginait déjà les nouveaux faisant la fête jusqu'au bout de la nuit.

— Vous n'avez pas autre chose ?

— Si.

Rutledge lui tourna le dos pour prendre une clef dans le casier.

— Tenez. Dans les combles. Vous ne serez pas seule, mais c'est un joli petit appartement. Et l'autre fille est en master, elle a l'air gentille.

— Je le prends, dit Cassie avec gratitude, impatiente d'en finir avec cette histoire.

— Je peux vous aider à porter vos bagages, si vous le souhaitez, proposa Rutledge.

— Ça ira, merci, dit Cassie pour couper court.

Sur le seuil, elle s'arrêta et se tourna vers lui :

— Si je voulais faire des recherches sur Raleigh, où devrais-je me rendre pour commencer ?

Rutledge réfléchissait.

— Quel genre de recherches ?

— Les trucs de base, précisa Cassie avec un haussement d'épaules désinvolte. L'histoire de l'université, les anciens de la fac, ce genre de choses.

Rutledge l'observa un moment en plissant les yeux, et Cassie sentit passer comme un malaise. Puis l'homme reprit une expression normale.

— Eh bien, vous avez la bibliothèque. Le mieux, c'est d'attaquer par là. Mais si vous voulez des informations sérieuses, il faudra descendre aux caveaux.

— Aux caveaux ? répéta Cassie.

— Sous les cloîtres, répondit Rutledge en hochant la tête. Tôt ou tard, tout finit par être classé là. Il est question de recruter un archiviste, d'installer un bon système de sauvegarde, mais en l'état actuel des choses, tout ce qui s'est passé ici au cours des derniers siècles se trouve quelque part dans les caveaux.

— Merci, sourit Cassie. J'irai voir.

*

Sa nouvelle chambre – la bonne, espérait-elle – se situait dans l'aile ouest, un bâtiment d'angle où se succédaient des salles d'étude aux murs lambrissés, vides pour la plupart, et des escaliers grinçants. L'endroit ne comprenait pas d'autre chambre d'étudiant. C'était calme, silencieux. Cassie grimpa deux volées de marches en traînant ses bagages. En haut, elle trouva un couloir puis une porte carrée renforcée de barres de fer.

— Bonjour !

Cassie débloqua la porte avec précaution et passa la tête dans l'entrebâillement.

— Il y a quelqu'un ?

Rutledge l'avait prévenue qu'elle partagerait l'appartement avec une fille plus âgée, une étudiante nommée Genevieve DuLongpre. Ne voyant aucun signe de vie, elle entra en poussant ses affaires. Elle laissa tomber son chargement sur la table et soupira, soulagée. Puis elle étudia les lieux plus en détail.

C'était sans conteste beaucoup moins imposant que le Carlton Hall. La grande salle à manger hexagonale était meublée d'une longue table et de chaises dépareillées. À l'autre bout de la pièce, deux canapés esquintés et moisis regardaient une cheminée en brique nue. Le plancher était recouvert de tapis usés jusqu'à la corde. Un étroit petit couloir conduisait d'un côté à une cuisine tout en longueur, et de l'autre, à la salle de bains, deux pièces habillées de carreaux démodés verts et moutarde. Les plafonds bas, mansardés, épousaient la forme des combles. Et même si la salle à manger présentait un mur percé de fenêtres, l'ensemble était oppressant – déconseillé aux claustrophobes.

Cassie décida néanmoins que c'était confortable.

La porte d'une des chambres était restée ouverte sur un désordre de notes éparses et de sweat-shirts jetés sur la moquette. Cassie transporta ses affaires dans l'autre chambre. Petite, là aussi. Encore une pièce mansardée, occupée d'un côté par des étagères encastrées et de l'autre, par un lit et un bureau. Elle ouvrit en grand pour aérer, et la lumière se fraya un passage entre les gargouilles perchées à hauteur du toit. De la rue en contrebas montaient des rires étouffés et le ronronnement de la circulation. Mais d'ici on voyait la ville de très haut, et on était tranquille.

Elle défit rapidement ses bagages et récupéra un épais dossier au fond de sa valise. Elle se prépara un café filtre, trouva dans le buffet un paquet de biscuits et alla s'asseoir à la grande table baignée par une lumière de mi-journée. Ouvrant son dossier, elle en disposa devant elle les éléments familiers, telle une voyante étalant ses tarots.

D'abord le billet.

Tu ne pourras pas toujours cacher la vérité. S'il te plaît, reviens et finis-en une fois pour toutes.

Puis le reste du contenu du mystérieux colis.

Un talon de ticket : un aller Plymouth-New York en bateau, au printemps 1995.

Un pendentif de quartz rose, le même que celui dont elle ne se séparait jamais.

Et une photo. Sa mère avec une allure incroyablement jeune, en chemisier blanc et longue jupe noire, un ruban noir autour du cou. Elle souriait, le visage éclairé d'un rire adolescent. Avec une autre fille, elles étaient coincées entre deux garçons portant le même costume de cérémonie, la robe trois quarts jetée sur leurs épaules d'où partaient des rubans de tissu blanc flottant dans la brise.

Cassie avait passé ici son premier après-midi pareillement vêtue, entourée des mêmes garçons. Elle aurait reconnu l'endroit où la photo avait été prise, même si rien n'y avait été griffonné au dos d'une écriture familière.

Raleigh College, 1994.

Elle regarda fixement cet élément de preuve, comme elle l'avait fait cent fois depuis l'ouverture du colis.

Séparément, c'étaient des fragments, un mystère. Mais réunis ?

Cassie avait en vain essayé de faire correspondre ces faits nouveaux avec l'histoire de sa vie. Sa mère, Joanna, n'avait jamais fait allusion à l'université, ni jamais dit avoir quitté l'Amérique un jour. Elle était pourtant venue étudier en Angleterre, avait été inscrite à Raleigh, une des facs les plus prestigieuses, les plus élitistes du monde. Elle avait parcouru ces allées pavées, peut-être grimpé les escaliers de ce même bâtiment. Et elle n'en avait jamais dit mot à Cassie.

Cassie n'avait oublié aucun des cruels et furieux sarcasmes, aucune des implorations sanglotées de sa mère. Quatorze années durant, elle avait subi la vindicte maternelle, enduré les reproches pour toutes les occasions manquées, tous les rêves sacrifiés. Sa mère eût-elle fait ne serait-ce qu'une allusion à sa vie d'avant, Cassie aurait pu savoir. Mais ce secret, Joanna l'avait emporté dans la tombe.

*

« Spéciale » : ainsi qualifiaient-ils sa mère, Joanna. Fragile. Ils auraient employé les mêmes mots pour parler d'un papillon rare ou d'un vase précieux. Mais Cassie ne voyait pas ce qu'elle avait de fragile. Les crises de colère explosives de Joanna avaient marqué son enfance. Quand c'était fini, sa mère gisait au sol, vidée de ses larmes. Joanna n'avait que vingt ans à la naissance de Cassie. Pas de famille pour l'entourer. Elle ne parlait jamais du père de Cassie ; elle disait seulement qu'il était parti et qu'« on était beaucoup mieux sans lui ». Cassie avait passé toute son enfance à marcher sur des œufs, à rester sur ses gardes, et à faire son possible pour préserver la paix.

Mais il y avait toujours quelque chose qui échappait à sa vigilance. Le lait avait tourné dans le frigo, un bouton se détachait de son chemisier d'écolière – sa mère s'emportait au moindre prétexte et cédait à une angoisse inexplicable qui se déchaînait et se répandait dans toute la maison. Ensuite, elle passait des heures à enrager contre les sacrifices qu'elle avait dû faire, à pleurer la grande poétesse qu'elle aurait été si elle n'avait pas été obligée de s'atteler comme une bête à des tâches domestiques qui la rabaissaient. Cassie avait eu tôt fait d'apprendre à se protéger de cette fureur. Au moindre changement d'humeur, elle courait se cacher dans la salle de bains, la seule pièce de la maison fermant à clef. Blottie derrière la porte, réduite à une boule de peur, elle comptait en haletant. Cinq cents. Six cents. Il fallait parfois compter jusqu'à mille avant que le calme revienne. Quand enfin elle pouvait sortir de sa cachette, en général après des heures, elle avait mal à la tête et l'estomac vide. Et il n'y avait plus personne – et c'était pire encore quand une assiette de sandwichs au fromage l'attendait dans la cuisine, sur le comptoir, et que les yeux de sa mère révélaient une affreuse expression de honte et de culpabilité.

Mais Cassie préférait encore se ronger les ongles d'angoisse, ou même succomber à de fiévreux cauchemars, plutôt que de subir ce qui venait après les crises : de longs mois de léthargie pendant lesquels sa mère se laissait complètement aller. Elle restait sur le canapé. Tout ce que pouvait faire Cassie, c'était lui apporter des toasts de pain sec et des couvertures. Comme elles déménageaient très souvent, personne ne remarquait que les mots d'excuse à l'école étaient signés d'un vague gribouillis, et que la présence de Joanna aux réunions parents-profs était aléatoire dans le meilleur des cas.

Finalement, un mélange de médicaments et de maturité aplanit les crises les plus extrêmes, et les journées noires de Joanna – elle les appelait ainsi, avec un rire nerveux – n'avaient plus lieu qu'une ou deux fois par an. Leur cinquième et dernier déménagement les conduisit dans une ville au beau milieu de l'Indiana, dans une rue bordée d'arbres. Sa mère rangea ses livres de poésie pour ne plus y toucher, trouva un travail et, même, se maria. Cassie en venait presque à croire que les choses reprendraient un cours normal, quand les rêves fiévreux firent leur réapparition. Un matin, Joanna se coupa les veines dans leur baignoire à l'émail craquelé. Elle s'était saignée à mort. Geste fatal aggravé par le flacon de pilules à moitié vide posé à côté d'elle.

Sa brève stabilité avait bel et bien disparu. Le mari tint quelques mois puis mourut à son tour, ivre, dans la maison en flammes. Cassie fut prise en charge par les services sociaux. Après avoir été trimbalée de famille d'accueil en famille d'accueil jusqu'à l'âge de seize ans, elle s'échappa du système. Vinrent des années d'hôtels miteux, de dîners réduits à une tasse de café. Elle passait fébrilement d'une ville à l'autre, présentant de fausses cartes d'identité. Pour tenir, elle prenait des cachets. Et ces cercles concentriques la rapprochaient chaque jour davantage du destin de sa mère. Jusqu'à ce qu'elle découvre une valeur bien plus lucrative que beaucoup d'autres.

Le savoir.

C'était simple, et de loin plus facile qu'aucun de ses autres crimes. Elle avait toujours eu un esprit vorace, engloutissant idées neuves et nouveaux systèmes avec le même appétit que ses camarades de classe absorbaient leurs dessins animés du dimanche. Quelques heures de travail devant son ordinateur lui suffisaient pour reproduire une carte d'étudiant, après quoi elle était libre : elle se glissait dans le flux des premier cycle quand ils franchissaient les portes du campus, travaillaient au fond de la cafétéria, s'installaient au cinquième rang d'un amphi, ou écoutaient les divagations ésotériques d'un professeur parlant de théories astronomiques, physiques, mathématiques. Elle vendait des devoirs écrits de fin de semestre aux fainéants privilégiés, trop heureux de sous-traiter leurs études à cent mille dollars à quelqu'un qui avait vraiment la passion d'apprendre et pouvait aller jusqu'à passer les examens à leur place, quand la sécurité ne se montrait pas trop pointilleuse. Tous les avantages de la fac sans l'inconvénient des règles, des notes et de l'arbitraire. Cassie n'était qu'une personne de plus, un visage anonyme dans une foule qui en comptait des milliers.

Puis elle ouvrit ce fameux colis. Elle comprit alors que les quelques douloureuses vérités sur lesquelles elle avait bâti son existence n'étaient en fait pas du tout des vérités, mais une fiction imaginée par une femme dont Cassie, manifestement, ne savait rien.

*

Cassie considérait à présent les éléments de ce puzzle comme s'ils allaient se disposer pour former une image nette.

Oxford. Un voyage en mer. Cinq mois après, la naissance de Cassie.

Mille fois, elle avait contemplé cette photo, et là encore elle avait l'impression de la découvrir. La Joanna de ce cliché semblait portée par l'apesanteur, la jeunesse, l'innocence. Or la mère de Cassie n'avait jamais rien montré de tel. Le temps que Cassie soit assez grande pour pouvoir remarquer des expressions dans les yeux de sa mère, cette joie s'en était allée pour céder la place à des éclats d'amertume où se lisaient le ressentiment et la frustration là où il y avait eu une promesse, l'échec là où l'espoir avait brillé.

Cassie scrutait la photo et se perdait dans ce sourire étranger quand le bruit d'une clef dans la serrure l'arracha à sa rêverie. Elle remit aussitôt les papiers dans leur dossier. La porte s'ouvrit sur un elfe au corps mince dont les cheveux blonds, tressés, s'enroulaient en couronne. Un foulard imprimé de couleurs vives était noué négligemment autour de sa gorge pâle. Elle croulait sous le poids d'un sac pendu à son épaule, de livres et d'un carton contenant un repas à emporter. Cassie s'empressa de l'aider.

— Salut ! dit la fille essoufflée au regard lumineux. Tu dois être ma nouvelle coloc ! Rutledge m'a dit qu'il y avait eu un malentendu. Bienvenue à la mansarde ! Je suis Genevieve. Tu peux m'appeler Evie.

— Cassie.

Elle aida Evie à se débarrasser de ses affaires.

— Une semaine comme ça et je te jure qu'on aura toutes besoin d'un corset ! reprit Evie en déposant sa montagne de livres.

D'un coup de pied, elle expédia ses talons qui allèrent rejoindre un tas de souliers dans un coin.

— Une part de moi-même est tentée de récupérer un de ces Caddies de grand-mère et de le traîner derrière moi quand je vais à la bibliothèque !

Elle s'effondra sur une chaise près de la table et ouvrit la boîte contenant son repas avec un soupir de satisfaction. De la vapeur s'éleva d'une barquette de frites molles, de fromage et de sauce aux senteurs de curry.

— Chez Ahmed, expliqua Evie en piquant une bouchée à l'aide d'une fourchette en plastique. Je ne devrais pas, mais j'y vais tous les soirs chercher ma dose.

— Ahmed ?

Evie écarquilla les yeux.

— Tu ne connais pas ? Oh, tu dois y aller ! C'est pratiquement une institution ici, à Raleigh. Un camion qui vend des kebabs. Même si tu ne devrais jamais y toucher, aux kebabs. On ne sait pas ce qu'il met dedans. Tu as intérêt à avoir l'estomac solide.

Elle mordit dans sa nourriture et son visage fondit de plaisir. Elle poussa le carton vers Cassie.

— Vas-y ! Goûte.

Cassie, prudemment, piqua un morceau et goûta. C'était mou et fort en même temps.

— C'est bon, non ? demanda Evie. Une fois, Ahmed s'est disputé avec Rutledge, en bas, à la loge, à cause du bruit. Il a dû aller s'installer à l'autre bout de la ville pendant un mois. Ça a déclenché un tollé. Des lettres ont été envoyées. Le JCR, le Junior Common Room, autrement dit l'association étudiante, a pris sa défense dans un communiqué. Pour finir, je crois que le président en personne a dû le supplier de revenir. Sinon, c'était l'insurrection.

53

Cassie mâchait lentement. Sa coloc lui plaisait. Il y avait une douceur naturelle dans son bavardage en cascade, et son regard bleu scintillait de vie.

— Alors, et toi ?

Evie levait vers Cassie un œil plein de curiosité.

— Je dirais que tu es un peu trop vieille pour être en premier cycle. Tu as bifurqué vers une spécialisation ?

Cassie réfléchit.

— Pas vraiment. J'ai commencé tard. Je… J'ai arrêté l'école après le lycée. J'ai pris le temps de trouver ma voie.

Le temps et les ressources. La première fois qu'elle avait ouvert le colis, elle s'était précipitée vers Oxford : elle avait rassemblé ses maigres économies, sauté dans un avion et trouvé un motel en périphérie de la ville où s'établir le temps de partir en chasse et de fouiller le passé de sa mère.

Mais elle n'avait rien trouvé.

Elle n'avait même pas su par où commencer, ni ce qu'elle cherchait. Puis elle avait eu la possibilité de voir Raleigh de plus près en participant à une visite organisée : elle avait suivi un groupe de touristes le long des allées réservées au public, sans accéder aux résidences étudiantes ni à rien d'utile, en restant étrangère à l'essentiel.

Alors elle avait attendu son heure. Elle avait commencé par retourner aux États-Unis où elle s'était inscrite à Smith, une fac qui proposait une formation destinée aux adultes hors normes et des échanges avec Oxford. Cassie avait étudié, collectionné les bonnes appréciations et les bons bulletins jusqu'à l'année de master. Raleigh avait alors accepté sa candidature.

— Tu es revenue dans le monde universitaire après tout ce temps ? C'est génial, dit Evie sur le ton du bavardage, sans cesser de mastiquer. Et courageux, de te coltiner de nouveau tous ces gamins. Moi, je ne pourrais pas.

Cassie se rappelait les pages de notes aperçues tout à l'heure, éparpillées sur le sol.

— Tu fais quoi, comme études ? Tu es en dernière année, c'est ça ?

Evie s'anima :

— Histoire et littérature élisabéthaine. Un vrai méli-mélo. Je fais ma thèse sur sir Walter Raleigh et la renaissance intellectuelle dans cette université.

Cassie essayait de se rappeler sa visite de la veille.

— Tu veux dire, cette fameuse société secrète dont tout le monde parle ?

Evie rit.

— Ça peut sembler bizarre, mais les théories du complot, en fait, ne sont pas vraiment tirées par les cheveux. Les idées qui circulaient à l'époque, c'était de l'hérésie, de la trahison. Alors ils étaient obligés de rester discrets. Mais il n'y avait ni messes noires ni crimes rituels. Ils se réunissaient juste pour discuter philosophie.

— Dingue, fit Cassie, pince-sans-rire.

— J'étais inquiète en déposant mon sujet, avoua Evie. Je pensais qu'il avait été traité des milliers de fois. Mais il est apparu qu'une poignée d'étudiants, pas plus, avaient vraiment effectué des recherches. La plupart des archives et des documents n'ont pas été ressortis depuis des années. Si bien qu'en ce moment, je passe presque toutes mes journées dans les caveaux.

— Tu veux dire qu'ils font partie de la bibliothèque ? demanda Cassie, négligemment.

Evie fit oui de la tête.

— Mais ne t'inquiète pas. L'essentiel du catalogue est en accès direct au rez-de-chaussée. Il n'y a que nous autres, les thésards, qui soyons bannis et expédiés dans les caveaux.

Elle bâilla, et son portable vrombit bruyamment sur la table. Elle avait reçu un texto. Elle le lut et se leva d'un bond.

— Merde ! Je suis en retard. Des amis font une petite fête à Carlton Hall. Tu devrais venir…

Cassie secouait la tête.

— Merci, mais je suis crevée.

— Comme tu veux. Dors bien. Et si tu as des questions, n'importe quoi, n'hésite pas.

Evie enfila son blouson.

— Je sais que cet appart peut être assez étouffant. Au début, je me sentais écrasée.

— Merci.

Cassie regarda Evie se remettre une couche de rouge sur les lèvres. Elle franchit la porte alors que les cloches, dehors, sonnaient minuit.

Seule à nouveau, Cassie laissa ses pas l'entraîner vers la fenêtre. Raleigh, de ce côté, était sombre et tranquille. Les lourdes portes étaient fermées. De vieux spots allumés le long des murs projetaient des ombres mouvantes qui semblaient danser. Cassie surprit un mouvement du côté des cloîtres. Quelqu'un apparut et traversa la cour, tache noire glissant sur les pavés sombres. Peut-être un étudiant consciencieux qui se rendait à la bibliothèque, ou un prof qui rentrait d'une soirée. L'ombre disparut. Tout était calme à nouveau.

Cassie ressortit la photo de sa mère. Elle n'avait pas de temps à consacrer aux fêtes et aux soirées. Elle était là pour une seule raison. Presque vingt-cinq ans avaient passé depuis le jour tacheté de soleil où la photo avait été prise, et même si Cassie n'était pas assez naïve pour s'imaginer qu'elle allait retrouver ici d'anciennes camarades de sa mère, elle savait qu'un endroit comme Oxford n'était pas du genre à vous laisser disparaître facilement : associations d'anciens élèves, clubs, listes d'adresses et ventes de charité. Cassie n'était pas une hacker de génie, mais elle savait pister un homme rien qu'à partir de son nom d'utilisateur censé être confidentiel ; ces gens qui n'essayaient même pas de se cacher étaient pour elle bien plus faciles à trouver.

Il lui suffisait d'un nom, un nom seulement ; alors elle saurait qui était son père.

5

Cassie ayant passé l'essentiel de son existence à courir d'une ville à l'autre, d'un appartement à l'autre, elle n'avait aucun mal à se sentir partout chez elle. Elle ne mit pas longtemps à s'installer dans ce logement sous les toits et à concentrer son attention sur le début des cours. Mais elle avait eu tort de croire que la pompe et les cérémonies officielles laisseraient la place à une conception plus conventionnelle et plus détendue de la vie universitaire. L'inscription officielle se termina par un dîner de bienvenue donné dans le Grand Hall, une salle dont les boiseries s'élevaient jusqu'au plafond, et où de longues rangées de tables étaient servies par un personnel mutique. Puis les invitations continuèrent d'arriver jour après jour dans son courrier, flyers colorés et cartons la conviant à de nouvelles mondanités.

Les départements organisaient leur pot de rentrée, l'association étudiante proposait des soirées, les associations sportives ou autres battaient le rappel de quelque réjouissance : l'avalanche d'obligations ne fit que croître tout au long de la semaine. Même sa nouvelle coloc lui laissait le soir des invitations à la rejoindre en ville. Mais Cassie campait sur ses positions. Du bout du canapé, elle voyait Evie filer à une heure bien avancée, dans un frou-frou de soie et de robes habillées, avec ses hauts talons qui claquaient sur le pavé quand elle passait sous la fenêtre.

Heureusement, grâce au système d'enseignement tutoriel en vigueur à Oxford, Cassie avait tout le loisir de se consacrer à sa mission hors cursus. Les étudiants de Raleigh n'étaient pas notés sur leur assiduité aux cours, sur les interrogations surprises ou les examens : ils jouissaient d'une grande latitude personnelle. Ils apprenaient par petits groupes de deux ou trois, et rencontraient un professeur chaque semaine pour discuter de leurs écrits, lesquels étaient composés à partir d'une bibliographie. Il n'y avait pas de cours magistraux, seulement un séminaire de temps en temps ; même les leçons étaient optionnelles.

Cassie était sûre de pouvoir fournir sans difficulté le travail exigé dans le cadre de ses tutorats, tout en disposant de temps pour enquêter sur le passé de sa mère. Au cours du trimestre d'automne, elle étudierait l'économie sous la direction du professeur Kenmore et la philosophie avec le professeur Tremain, cet homme débraillé rencontré le premier jour au Thé du président. Il lui avait déjà envoyé une convocation pour une première séance avec le mot « Obligatoire » écrit en gras. Le vendredi, à dix-huit heures, elle repoussa de mauvaise grâce les dossiers de sa mère puis traversa le campus.

Le bureau du professeur Tremain se situait au nord d'un ensemble de cloîtres à l'air libre, battus par un vent qui sifflait, grondait et s'insinuait sous l'épaisse parka de Cassie – elle fut parcourue de frissons. Elle prit l'escalier menant au premier étage. Elle poussa une porte et se retrouva dans une pièce lambrissée, mal éclairée, bondée, dont les canapés élimés et les chaises anciennes étaient déjà occupés par des étudiants. Tous les regards se tournèrent vers elle, qui pénétra dans la pièce en rougissant.

— Entrez ! lui lança le professeur Tremain depuis son bureau.

Il était habillé exactement comme l'autre soir lors du thé de bienvenue : veste en tweed aux coudières de cuir usées, vieux pantalon de velours côtelé. Il l'encouragea d'un hochement de tête, puis reprit :

— Je parlais des ressources affectées aux recherches. Vous devriez maintenant vous être familiarisés avec les bibliothèques…

Il se tourna vers le groupe :

— Raleigh n'en manque pas, et il y a aussi les collections de l'Ashmolean pour les documents les plus anciens. Le fait de ne pas avoir trouvé les livres dont vous aviez besoin ne pourra être invoqué comme excuse en cas de devoir médiocre.

Pendant que le professeur parlait citations et notes de bas de page, Cassie regarda autour d'elle. Ses camarades, qui semblaient déjà se sentir chez eux, se serraient les uns contre les autres sur les canapés, faisaient circuler des tirages papier et s'empruntaient leurs stylos comme s'ils se connaissaient depuis toujours.

Et c'était le cas, bien entendu. Elle faisait figure d'intruse. Les autres étudiaient ensemble depuis un an, voire davantage. À dix-neuf ou vingt ans, ils étaient en deuxième année et tous lui semblaient incroyablement jeunes. Parfaitement décontractés, aussi, tandis que Tremain, d'un ton rébarbatif, les entretenait des ressources disponibles.

Une fille au chignon torsadé bien net leva la main :

— Il y a des textes particulièrement recommandés ?

Tremain la gratifia d'un regard approbateur.

— Nous commencerons le trimestre avec Descartes et ses *Méditations*. Mais vous devez vous préparer aussi pour la suite. Chacun de vos tuteurs vous remettra une liste, mais je puis vous dire qu'il y aura de l'éthique, peut-être Kant ou Rousseau. Familiarisez-vous avec Warnock, Soteriou…

Les étudiants prirent des notes en l'écoutant citer une dizaine de références. Cassie se sentit un peu mal à l'aise. Elle peina pour noter une bibliographie mentionnant des auteurs qui lui étaient inconnus ; elle avait peut-être sous-estimé la quantité de travail qu'elle aurait à fournir pour rester à jour.

Le professeur Tremain se tut un instant et considéra la petite salle mal éclairée.

— Les dissertations devront faire à peu près trois mille mots. Si vous en écrivez moins de deux mille, c'est que vous n'avez pas assez approfondi vos lectures. Les notes de bas de page ne comptent pas. Nous attendons de vous une argumentation rationnelle, convaincante, sur les principaux concepts exposés dans les livres, et elle doit conduire à une conclusion originale.

Il leur adressa un sourire ironique.

— Attention, vous vous dites peut-être qu'ayant survécu à la première année, vous n'avez plus qu'à voguer tranquillement vers la sortie. Je regrette d'avoir à vous informer que vous risquez de rencontrer des eaux agitées au moment d'aborder des textes plus difficiles. Mais ne vous inquiétez pas : je suis là pour vous aider, dans la mesure du possible. Si vous avez des questions sur la bibliographie, allez-y. Ce n'est pas un piège. Nous sommes tous là pour apprendre.

Cassie laissa échapper un bref soupir de soulagement. Tremain produisit une autre liasse de photocopies et commença à les distribuer.

— Voici les livres à lire la première semaine. J'ai indiqué au dos votre groupe de tutorat et les rendez-vous. Ça suffira pour aujourd'hui. Je revois tout le monde la semaine prochaine pour le premier tutorat.

Cassie baissa les yeux vers sa bibliographie. Les autres rangeaient leurs affaires et se répandaient dans l'escalier. Sur le document de Tremain, elle figurait dans un groupe comprenant un Sebastian et une Julia. Ils devaient présenter le vendredi matin à huit heures leur devoir traitant de Descartes et de ses méditations sur le corps et l'esprit. Ça semblait assez simple. Son éducation disparate avait permis à Cassie d'acquérir les notions philosophiques de base. Pondre une dissertation en un rien de temps ne serait pas un problème. Le professeur d'économie lui avait déjà envoyé par e-mail les sujets des autres devoirs, et là encore il s'agissait de questions basiques – cela consistait à passer en revue les principaux concepts utilisés par la macro- et la microéconomie : avec un bon accès Internet et un moteur de recherche, elle répondrait à la question.

Elle fourra la liste au fond de son sac et rejoignit dans le cloître le groupe de ses camarades.

— C'est le moment de s'envoyer une pinte, gémit un grand maigre aux cheveux rouge carotte.

Il y eut des rires.

— Ta gueule de bois d'hier soir est déjà passée ? lui demanda la fille au chignon tressé.

Tous se dirigeaient nonchalamment vers le bar de la fac.

— T'as dégueulé dans les rosiers.

— Ça fera de l'engrais, chérie. C'était pour leur bien.

Cassie tourna les talons et s'en alla. Elle traversa la cour en direction des hautes tours de la bibliothèque, édifice majestueux offrant au regard ses ornements, ses fenêtres à meneaux et ses rangées de vitraux. Elle tira la lourde porte d'entrée et s'arrêta sur le seuil, le temps que ses yeux s'accommodent dans la pénombre. La bibliothèque s'élevait sur trois niveaux. La salle de lecture principale accueillait le bureau de prêt et une rangée d'ordinateurs neufs. Un escalier latéral conduisait à la salle de lecture dont tous les murs se couvraient d'autres étagères – antiques rayonnages supportant des volumes reliés endurcis par les ans. Encore au-dessus, dans les combles, se trouvait la mezzanine avec sa terrasse qui épousait la circonférence de la pièce, et dont les livres montaient toujours plus haut, jusqu'au plafond où se croisaient les poutres épaisses.

Cassie consulta un plan fixé au mur. L'entrée des caveaux se situait au fond de la grande salle. Elle s'y rendit et aboutit à une porte de bois épaisse, entrebâillée. Elle descendit un obscur escalier en colimaçon jusqu'à une autre porte, fermée celle-là, et équipée – modernité surprenante – d'un lecteur de carte à puce.

Contrariée, Cassie se rappela intérieurement à l'ordre : elle aurait dû se douter que ce ne serait pas facile, et que l'accès aux archives serait réservé aux personnes ayant des raisons légitimes de consulter les vieux dossiers de l'établissement. Et ce n'était pas du tout son cas. Elle étudia soigneusement l'accès à ces salles de lecture, se demandant s'il n'y avait pas un moyen de le forcer. Ces systèmes de sécurité avaient beau recourir aux cloches et aux sonneries, en général on pouvait les craquer à l'aide d'une simple bande magnétique et d'un équipement électronique trouvé dans le commerce. Elle photographia le système de la porte avec son smartphone puis remonta au rez-de-chaussée, dans la salle de prêt.

Explorant en détail les rangées de volumes, elle fit une autre découverte importante : tout un rayon occupé par des annuaires de l'université, semblables à ceux qu'elle avait vus dans le cabinet de sir Edmund. Elle tira plusieurs gros volumes correspondant à l'époque où sa mère devait avoir fréquenté Oxford ; pour les étudier, elle avisa un box libre dans un coin sombre.

Les années passaient, chaque page offrant un instantané d'une période différente. Cassie explorait les annuaires méthodiquement. Elle consultait les listes d'étudiants postérieures à la promo 1992. La proportion d'étudiants de première année était toujours faible à Raleigh, et cette année-là, l'université n'en avait admis que quatre-vingt-cinq. Aucune Joanna Blackwell n'y était inscrite – pas plus qu'en 1990, 1991, 1993, 1994 ou 1995. Tandis que Cassie, dans son coin, parcourait de nouveau les pages sous le faible éclairage d'une lampe en fer-blanc, sa déception se mua en curiosité.

Pourquoi le nom de sa mère ne figurait-il pas dans ces pages ? Quand bien même elle avait compté parmi les étudiants étrangers, comme Cassie aujourd'hui, elle aurait dû être enregistrée, à l'instar de tous les élèves venus d'ailleurs. Cassie élargit le champ de sa recherche aux annuaires des autres universités. Elle travailla jusqu'à la nuit tombée, mais elle ne trouva aucune trace de sa mère dans la poussière de ces pages jaunies.

Joanna Blackwell était un fantôme, un produit de l'imagination.

Cassie s'étira. Ses yeux étaient secs, fatigués après ces heures passées à déchiffrer des petits caractères. Mais surtout, elle était frustrée. Elle avait cru que, sur place, quand elle aurait accès aux dossiers, les réponses lui tomberaient facilement sous les yeux.

Elle replaça les gros volumes en rayon puis s'arrêta au bureau central. Une femme âgée en cardigan gris, à la permanente blond cendré, rangeait les livres rendus.

— Comment puis-je accéder aux archives qui se trouvent dans les caveaux ? lui demanda-t-elle.

La bibliothécaire leva les yeux.

— Les caveaux sont en accès limité, expliqua-t-elle. Il y a trop de manuscrits fragiles. On ne peut pas laisser les gens les tripoter toute la journée. Il faut être inscrit à la faculté et déposer une demande de pass.

— Oh…

Cassie avait dû faire une drôle de tête, car la bibliothécaire s'était tue un instant.

— Vous pouvez aussi demander à consulter des documents, et nous vous les apporterons. Que cherchez-vous ?

— Rien de spécial, se hâta de répondre Cassie. Je me posais juste la question.

Par chance, la bibliothécaire ne put l'interroger davantage, car à cet instant les alarmes hurlèrent, déclenchées par les capteurs de l'entrée.

— Vous avez démagnétisé ? cria la bibliothécaire d'un ton impatient.

Cassie se dépêcha de filer.

Dehors, il faisait noir et froid. Dans les allées du campus, des étudiants se dirigeaient vers le réfectoire, ou allaient dîner en ville. Cassie ferma sa parka et regagna la mansarde. Ses pensées l'absorbaient profondément. L'information était forcément là, quelque part. Elle n'avait pas cherché au bon endroit, voilà tout. Sa mère avait peut-être été inscrite dans un autre collège d'Oxford. Peut-être était-elle venue à Raleigh simplement pour faire la fête avec des amis. Ou bien existait-il une raison simple pour laquelle elle ne figurait pas dans l'annuaire… Une erreur de l'administration, ou de l'imprimeur. Cassie allait devoir creuser davantage – autrement dit, accéder aux caveaux.

6

— Bonjour.

De bonne heure le lendemain matin, Cassie s'arrêta un instant en sortant de sa chambre. Non seulement Evie était réveillée, mais elle avait les yeux grands ouverts, et elle attendait dans le séjour en nouant les lacets de ses chaussures de jogging.

— Je me suis dit que j'allais venir avec toi, dit-elle. Ça ne te dérange pas ? Je n'ai pas fait d'exercice depuis si longtemps que j'en ai les muscles atrophiés, je te jure.

— Pas de problème, répondit Cassie sans enthousiasme.

Elle préférait courir seule, afin de pouvoir réfléchir. En même temps, elle avait décliné les propositions d'Evie toute la semaine…

— Je veux dire… Bien sûr, avec plaisir, dit-elle en fermant sa veste de survêtement avant d'ajouter : Ce n'est pas très intéressant. Juste un aller-retour aux prairies.

— Crois-moi, j'en ai grand besoin, dit Evie en riant. Histoire de suer quelques cocktails et de me nettoyer l'organisme.

— Tu étais encore de sortie hier, non ? demanda Cassie.

Evie poussa un gémissement.

— Rentrée trop tard. Je n'aurais même pas dû y aller. Mais quelqu'un faisait une fête, après on a eu faim et sans s'en rendre compte on s'est retrouvés à faire la fermeture du bar. Comme d'hab' !

Elles descendirent l'escalier et sortirent par la porte de derrière.

— Tu es déjà allée jusqu'au Jardin botanique ? demanda Evie.

Cassie secoua la tête.

— Ce n'est pas loin. Tout de suite après Magdalen College. On pourra revenir par la rivière. C'est bien et c'est calme.

— Je te suis.

Elles commencèrent à courir et trouvèrent bientôt un rythme régulier. La rue les mena jusqu'au pont qu'elles franchirent pour atteindre le point où la rivière s'éloignait de Raleigh. C'était la direction opposée à celle que Cassie avait coutume de prendre, un parcours moins solitaire que son circuit habituel. Elles dépassèrent des musées et des espaces verts. La ville était drapée dans un silence matinal. Les chants des oiseaux et le doux clapotis de la rivière étouffaient le bruit de la circulation lointaine.

Tout en courant, Evie bavardait. Elle racontait son enfance dans les banlieues arborées au nord de Hampstead, sa scolarité dans le privé, son extraordinaire mère française. Elle avait suivi un premier cycle en histoire et littérature à Cambridge, avant de déménager à Oxford pour sa thèse. Ses parents étaient retraités désormais. Ils se la coulaient douce dans un vignoble du sud de la France. Elle, pendant ce temps, était ravie de mener une existence consistant à faire une thèse, à explorer les

68

archives élisabéthaines et à descendre des gimlets secs dans des bars élégants.

Un récit à mille lieues de Cassie qui, pourtant, appréciait le bavardage agréable d'Evie, le côté glamour de ses anecdotes. Elle se sentait dans la peau d'un anthropologue à qui l'on décrirait une tribu lointaine. Contrairement aux autres étudiants, Evie ne se vantait pas, sur un ton vaniteux, de ses demeures à l'étranger et de ses spectaculaires vacances. Elle était simplement amicale. Et le récit de sa vie s'agrémentait de questions sur celle de Cassie. Laquelle éludait autant que possible et s'en tenait à son histoire sur la fascination exercée sur elle, depuis toujours, par Oxford.

— Ça ressemble à ce que tu avais imaginé ? demanda Evie.

Elles faisaient une pause près du Jardin botanique. Des allées bien tracées sillonnaient les pelouses impeccables. Les serres dressaient devant la rivière leurs élégantes baies vitrées derrière lesquelles poussait une végétation luxuriante mêlée de plantes exotiques aux couleurs vives.

— Oxford ? répondit Cassie qui reprenait son souffle. Je ne sais pas encore. Je me suis raconté tellement d'histoires dans ma tête. Je doute que la réalité puisse correspondre à ce que j'avais imaginé.

C'était vrai. Elle s'était représenté Oxford comme un lieu mythique où les réponses allaient surgir, l'endroit où elle découvrait enfin la vérité sur sa mère. Au lieu de quoi... Bon, c'était une ville, une belle ville ancienne, mais une ville réelle, semblable à n'importe quelle autre, avec ses ombres et ses mystères, le bruit de la circulation, ses pluies d'automne, ses rues encombrées de touristes.

— Ça ne cadre jamais tout à fait avec ce qu'on pensait, n'est-ce pas ? reprit Evie doucement.

Cassie la regarda, surprise d'avoir perçu une note de déception dans la voix d'Evie qui ajouta avec un haussement d'épaules timide :

— C'est mon diplôme. Je m'attendais à un travail… pas facile, mais évident. Je pensais que ce serait comme d'habitude, que je saurais exactement comment m'y prendre. Les choses m'ont toujours paru évidentes. Mais là… Mes questions restent sans réponse.

Cassie lui sourit gentiment.

— Ce qu'il te faut, dit-elle, c'est un plan. Travaille avec méthode et tu trouveras. Avance étape par étape.

Elles revenaient vers l'université. Elles couraient à petites foulées le long de la rivière quand elles virent approcher une silhouette familière à Cassie – le jeune homme qu'elle avait déjà croisé. Le vent ébouriffait ses cheveux bruns, ses oreilles étaient rougies par le froid. Il adressa à Cassie un large sourire et lança :

— Encore vous ! Vous me harcelez, ou quoi ?

Cassie ne répondit rien. Elle attendait qu'il passe son chemin. Mais il ralentit sa course puis se mit à courir à reculons.

— Je m'appelle Charlie, dit-il à Cassie en la fixant de ses yeux bruns brillant de plaisir. Je me suis dit que l'heure était venue de me présenter.

Evie prit les devants :

— Moi, c'est Evie. Elle, c'est Cassie.

— Vous êtes étudiantes ? voulut savoir Charlie en courant avec elles.

— En troisième cycle, répondit Evie. À Raleigh.

— Super, dit-il d'un ton moqueur. Vous savez, je cherche une copine de jogging…

Son regard restait fixé sur Cassie.

— Si vous avez peur de ne pas pouvoir suivre, je promets de ralentir.

Il affichait un large sourire prétentieux.

Cassie n'avait aucun besoin de ce que ce type avait en tête. Les histoires d'amour, les rendez-vous galants étaient pour elle des concepts étrangers, elle avait d'autres soucis. Elle le fusilla du regard, allongea le pas, prit de la vitesse et le lâcha en arrivant au pont. Evie la rattrapa un peu plus tard.

— Qu'est-ce qui t'a pris ? demanda-t-elle, essoufflée. Il était sympa.

— Ça ne m'intéresse pas, dit Cassie en rougissant.

— Excuse-moi, se hâta d'ajouter Evie. Je croyais que vous aimiez courir ensemble, vous les joggers. Il avait l'air de t'apprécier.

— Crois-moi, les mecs, c'est la dernière de mes préoccupations en ce moment.

— Alors je n'en dis pas plus, dit Evie en faisant le geste de se coudre les lèvres. Mon Dieu ! voilà pourquoi je ne fais pas d'exercice. Ça me donne faim. Tu ne veux pas qu'on s'arrête chez Harvey ? On s'achèterait des petits pains.

— Si, bien sûr.

Cassie essayait de se détendre ; elle se retourna pour voir si Charlie était bien parti.

— Ça me va.

*

La brochure d'information comportait une liste de bibliothèques extérieures à la fac auxquelles Cassie avait accès pour ses travaux. Après s'être douchée et changée, elle résolut d'aller voir si elle pourrait y trouver des indices sur sa mère. Elle gagna le centre-ville, les abords de Brasenose Lane et la Radcliffe Camera – la Rad Cam, comme on l'appelait – dont le dôme XVIIIe abritait des archives universitaires. Elle se servit de sa carte d'étudiante de Raleigh pour obtenir un pass de lecteur et remplit le formulaire en indiquant les dossiers dont elle avait besoin.

— Les registres officiels de chaque université ? s'étonna l'employé.

Il la regardait derrière ses lunettes dernier cri à montures noires. Il avait la vingtaine. Ses cheveux étaient plaqués en arrière et il avait des taches de peinture sur les doigts. Il fronça les sourcils sur ce que notait Cassie de son écriture cursive.

— 1992…

— 1993 aussi, enchaîna-t-elle. Et 1994. Ça pose un problème ?

— Non, répondit-il.

Il soupira pourtant d'un air accablé.

— Attendez ici. J'envoie la première livraison dans une minute.

Cassie passa la journée planquée dans la salle du haut, traçant méthodiquement sa route dans les volumes que le bibliothécaire lui faisait parvenir, non sans soupirer du même air las à chaque nouveau formulaire. Les gens ici étaient plus âgés qu'à Raleigh : c'étaient des étudiants en fin de cursus ou des enseignants avec leurs lunettes en demi-lune et leurs coudières de cuir élimées. Ils dressaient devant eux des barricades de livres, protégeant leur coin de table des regards indiscrets, de sorte que Cassie n'eut aucun mal à s'intégrer à eux : elle n'était qu'une lectrice de plus penchée sur ses vieux dossiers jaunis, sous la clarté du soleil.

Elle s'accorda seulement une pause déjeuner et traversa la place pour aller s'acheter quelque chose dans un café au rez-de-chaussée d'une ancienne église. Elle mangea dans la cour intérieure, à l'ombre des arbres, parmi les touristes qui sirotaient leur thé au lait. Des groupes de retraités aux cheveux bleus bavardaient en humant le parfum de leurs tartes au citron. Une figure se détacha dans cet océan de visages étranges : celle du professeur Tremain. Il était absorbé dans une discussion de l'autre côté de la cour. Il la vit et lui fit signe ; il faillit en renverser son thé.

Curieux homme, songea Cassie en lui retournant son salut. Un vestige, un être incongru habillé de tweed, concentré et distrait, comme transporté depuis un monde vieux de cinquante ou cent ans. Mais là encore, c'était Oxford – ses éternelles rues pavées, ses antiques réverbères en fer forgé, équipés d'un système électrique moderne.

Un lieu particulier, hors du temps, une ville coupée du reste du monde dont les ruelles désertes épousaient la forme d'une enceinte rongée par les âges, vestige des débuts de l'université. C'était tout juste si Cassie savait encore dans quel siècle elle vivait ; mais un groupe de premier cycle jaillit de quelque pub caché dans une rue reculée, et le charme fut rompu par leurs vêtements à la mode et le bourdonnement de leurs smartphones.

Il était étrange pour Cassie d'imaginer sa mère vivant ici. Elle avait probablement aimé ça : l'agitation du centre-ville, le choc de la rencontre entre l'ancien monde et le nouveau, les alignements de maisons style Tudor et de vieilles murailles, les bâtiments modernes abritant des bureaux, les rues sinueuses dévorées par la circulation, les tours et tourelles à l'horizon. Imaginer sa mère en ces lieux, immergée dans la littérature et les traditions... cela relevait du rêve. C'était improbable et elle le savait ; c'est pourtant avec l'espoir de voir apparaître le nom de Joanna qu'elle tournait les pages des vieux registres en essayant de l'apercevoir – ce sourire, cette lueur.

Que lui était-il arrivé pour que lui soit enlevé ce potentiel immense, pour qu'elle se retrouve à ce point brisée, si pleine de colère et de chagrin ? Son délicat ADN avait-il abrité une bombe à retardement, causé l'inévitable explosion ? Les fils de l'instabilité avaient-ils été noués en elle si profondément qu'ils avaient refait surface un jour, quand il était trop tard ?

Un ADN qu'elles partageaient. Cassie frissonna et se replongea dans ses livres. Mais ces pensées ne la lâchaient plus. Elle savait depuis longtemps que sa mère lui avait légué un héritage trop lourd ; non pas ses cheveux blonds, non pas son regard bleu, non pas cette voix à la tonalité parfaite, mais plutôt cette noirceur obsédante gisant sous la surface. Ce poison qui courait dans ses veines. La maladie de sa mère s'était traduite par des épisodes maniaques, un tempérament instable, une marche sur le fil du rasoir le long de vertigineux abîmes.

Chez Cassie, cela avait pris une autre forme.

Elle était encore enfant lorsque les symptômes apparurent. Des crises de colère, comme disaient les enseignants d'un ton désapprobateur. Sauf que Cassie ne pouvait pas lutter. La fureur s'emparait d'elle en un rien de temps. Alors éclatait une violence terrible, impossible à dominer. Les gens, pour la qualifier, usaient d'une expression désinvolte : une rage aveugle. Mais Cassie, au fond d'elle-même, savait bien de quoi il retournait. Elle se perdait elle-même, emportée par une fureur chauffée au rouge qui exigeait de sortir, puis quelque chose craquait avant de disparaître en la laissant à l'état d'épave.

Ça la terrifiait, de perdre ainsi le contrôle. Elle redoutait de finir comme sa mère, voire pire. Plus dure, plus dangereuse. Quand une nouvelle crise la prenait, sa mère se contentait de crier, de pleurer, mais Cassie, elle, voulait mettre en pièces la terre entière.

Sa mère connaissait les symptômes. Elle avait évité les médecins et les traitements jusqu'à ce qu'il ne soit plus possible d'ignorer l'étendue des dégâts. Mais au lieu de laisser Cassie prendre des drogues qui risquaient, jurait-elle, de la rendre insensible au monde, Joanna lui enseigna ses propres mécanismes de défense, en les présentant comme un jeu. Se cramponner au pendentif magique et compter. Les imaginer toutes deux allongées sur le trampoline sous le soleil d'été. Se protéger derrière ses pensées. Se dissimuler derrière les nombres. Maintenir la fureur à distance.

Cassie savait que le pendentif n'était rien d'autre qu'une pierre ébréchée, et les chiffres une technique de méditation conçue pour résister au stress, mais elle n'avait rien d'autre à sa disposition. Alors elle se concentrait furieusement là-dessus, s'enfermait derrière les murs de ses chants entonnés à voix basse jusqu'à se sentir de nouveau en sécurité, jusqu'à ce que la crise passe.

Mais ça ne fonctionnait pas toujours. Des incidents éclatèrent, impliquant de petites brutes, l'un quand elle avait huit ans, un autre dans le bus scolaire quand elle en avait douze. Des os cassés, des yeux au beurre noir, une expédition aux urgences, et la petite Cassie au milieu de tout ça, indemne et coupable sans remords. Ils la retirèrent de l'école – c'était la solution la plus sûre. Elle découvrit qu'il lui était plus facile de garder le contrôle d'elle-même loin des bagarres quotidiennes avec les autres enfants, des provocations et des incompréhensions. Une vie calme, une vie simple : voilà tout ce que Joanna voulait pour elles deux.

Mais ça ne s'était pas passé comme prévu.

*

L'après-midi touchait à sa fin, et Cassie n'avait rien trouvé. Ayant rangé ses affaires, elle quitta le silence de la bibliothèque. Après toutes ces heures passées enfermée dans un box, ses muscles réclamaient du mouvement à grands cris. Plutôt que de rentrer à Raleigh, elle prit la direction opposée et explora le centre-ville. Les rues sombres fourmillaient de gens qui faisaient des courses et d'employés pressés courant pour prendre les transports en commun. À Raleigh, tout le monde avait beau se comporter comme si la faculté était le cœur battant de l'univers oxfordien, il existait bel et bien un autre monde derrière les murs de grès. Cassie découvrit un marché couvert où abondaient les souvenirs pour touristes et les produits locaux, où l'on pouvait acheter pour trois fois rien un porte-clefs ou un morceau de viande servi par le boucher du coin. Plus bas, après St Giles' Café, dans le quartier Jericho, elle vit qu'un cinéma d'art et essai proposait des films étrangers, sur un petit écran encadré de rideaux de velours, et découvrit aussi l'étal minuscule d'un marchand de glaces où se pressaient des étudiants insoucieux de la froidure.

Fatiguée par sa promenade, Cassie reprenait le chemin de Raleigh quand les nuages crevèrent. La pluie s'abattit sur les rues pavées. Elle courut s'abriter sous l'auvent de la boutique la plus proche. Elle haletait, gelée par l'averse. Après avoir secoué son manteau et regardé autour d'elle, elle s'aperçut qu'elle avait échoué devant une librairie à l'ancienne portant le même nom qu'elle : Blackwell.

— Vous entrez ou vous sortez ? rouspéta un homme qui essayait de passer en ouvrant son parapluie.

Cassie pénétra dans la boutique, un commerce à l'opposé des immenses chaînes à l'américaine. Installée dans une enfilade de maisons de guingois, elle abritait sous ses poutres des milliers de volumes. Cassie, se rappelant qu'elle avait un devoir à rendre, prit une brassée de livres d'économie et monta s'installer dans le salon de thé qui occupait l'étage. Elle sirota un café en regardant la pluie tomber derrière les fenêtres à croisées. Autour d'elle, étudiants et touristes répandaient leur agitation dans un décor accueillant.

Elle s'absorbait dans les théories sur les préférences micro-économiques quand il y eut du mouvement à la table voisine. C'était l'employé de la Rad Cam. Elle le reconnut tout de suite, avec sa coiffure rétro et ses lunettes cerclées de noir légèrement embuées par le froid. Il retira son manteau et le mit à sécher sur le dossier d'une chaise. Après avoir marqué son territoire en étalant sur la table un assortiment de carnets à dessin et de crayons, il traversa la salle pour aller se chercher un café. Cassie trouva ironique qu'après une journée de travail passée entre des rayonnages de livres, il vienne ici, où il y avait davantage encore de livres… Mais c'était Oxford, sans doute. La patrie des bibliophiles. À la Radcliffe Camera, elle avait vu toute la journée des rats de bibliothèque se pencher sur les pages d'un ouvrage ancien en prenant une profonde inspiration, comme s'ils entraient en prière. L'écran tactile, très peu pour eux ! Tout comme cet autre sacrilège : le livre électronique, qui s'achetait en un clic et s'effaçait tout aussi vite.

Elle se replongea dans son traité et prit des notes en vue du tutorat programmé le lendemain. Elle fut alors interrompue par un choc soudain. Sa table trembla : l'employé de la Rad Cam venait de la heurter et son café se renversa sur le livre de Cassie. Elle se leva d'un bond en jurant :

— Connard !

Le bibliothécaire lâcha sa tasse et s'empara d'une poignée de serviettes en papier. Cassie tamponna rapidement la table, jusqu'à ce que le café soit essuyé et qu'il n'en reste plus qu'une légère trace.

— Ouf… soupira Cassie, soulagée.

— Désolé, dit-il sans une once de regret. Vous n'auriez pas dû laisser traîner votre sac.

— Alors c'est ma faute ! s'exclama Cassie, indignée. Vous m'auriez coûté… cinquante-six livres !

L'étiquette sur la couverture la laissait bouche bée.

— Bienvenue dans l'arnaque de l'édition universitaire, dit le bibliothécaire d'un ton sarcastique.

Il prit le siège à côté d'elle et considéra d'un œil affligé sa tasse à moitié vide.

— Merde ! dit-il. Il ne manquait plus que ça. Après avoir dû aller chercher tous les registres de la fac à l'autre bout de la bibliothèque.

Il dénoua son écharpe et se détendit contre le dossier de la chaise. Il posa sur Cassie un regard sérieux.

— Vous savez, ces vieux livres, chaque fois que vous en demandez un, je suis obligé d'aller jusque dans les sous-sols. Soixante-sept marches à descendre et à monter.

Cassie ouvrit la bouche pour protester, mais elle se tut. Ses yeux brillaient d'un éclat sardonique. Elle poussa vers lui son assiette contenant les restes d'un cookie.

— On oublie tout ?

— Je pourrais répondre que mon pardon ne s'achète pas à si vil prix, mais ce serait mentir.

Il coupa un morceau de gâteau au chocolat et offrit à Cassie son autre main :

— Elliot.

— Cassie, répondit-elle.

Une nouvelle fournée de jeunes étudiants s'amassa à la table voisine. Ils étaient équipés de leurs manuels et de sacs en plastique débordants d'écharpes et de tee-shirts de la fac. Elliot lâcha un soupir exagéré et rapprocha sa chaise de celle de Cassie.

— S'il vous plaît, maintenant dites-moi ce que vous êtes venue chercher ici. Si j'ose me permettre…

— Pas grand-chose, répondit Cassie en haussant les épaules. L'histoire de la ville m'intéresse, c'est tout.

— Très bien, cultivez le mystère, dit Elliot en lui faisant les gros yeux. Tant que vous ne m'envoyez pas chercher les éditions complètes de la collection Harlequin.

Cassie rit.

— Il y a des gens qui font ça ?

— Et comment ! dit Elliot en levant brièvement les yeux au ciel. Nous sommes une bibliothèque de dépôt légal, donc nous avons tous les livres qui paraissent. Il y a cette étudiante de troisième cycle qui jure ses grands dieux qu'elle vient faire des recherches. Mais elle ne fait rien d'autre que passer sa journée à lire en mâchouillant ses mèches de cheveux. Bon, tant qu'elle ne fait que ça.

Cassie se détendait.

— Vous êtes étudiant ici ? demanda-t-elle.

— J'étais… dit Elliot que l'idée n'emballait guère, visiblement. Les beaux-arts. Comme vous voyez, ça m'a donné tous les outils nécessaires pour me placer sur le marché du travail. J'ai mon diplôme depuis plusieurs années, mais je n'ai pas encore fait ce qu'il fallait pour aller voir ailleurs.

— Oxford est une belle ville, commenta Cassie en hochant la tête.

— Elle a ses attraits…

Le regard d'Elliot se laissa attirer par un garçon dans un coin. Le garçon avait les joues rouges et la tête d'un première année. Il était drapé dans son écharpe noire et blanche – les couleurs de Magdalen. Il croisa les yeux d'Elliot et se détourna aussitôt en rougissant plus encore. Elliot regarda Cassie avec un petit sourire amusé.

— Encore un trimestre et il dansera sur les tables de la vieille caserne de pompiers, dit-il.

Comme elle semblait ne pas comprendre, il expliqua :

— Un club gay. Près de Park End. Vous débarquez, c'est clair.

Il se tut un instant et la regarda à nouveau.

— Laissez-moi deviner. Vous êtes au collège Wadham… Non, à Saint-Hilda. Et vous faites une thèse affreusement barbante sur les théories féministes, ou un truc du genre.

— Je suis à Raleigh, rectifia Cassie.

— Vraiment ? dit Elliot en traînant sur les syllabes. Alors veuillez m'excuser de ne pas avoir ôté ma casquette, milady.

Il mima une courbette en s'abaissant autant que le permettait la disposition des sièges. Cassie éclata de rire.

— Donc ce n'est pas juste moi ? demanda-t-elle. Je croyais que tout le monde ici était, vous savez…

— Snob et rupin ? compléta Elliot. Oui, nous le sommes tous. Mais les étudiants de Raleigh sont de la haute. Que du sang bleu. Dites-moi, c'est vrai qu'ils servent du caviar tous les soirs dans le Grand Hall ? Et qu'ils virent aussi sec les domestiques qui osent les regarder dans les yeux ?

— Je ne sais pas. Ça ne m'intéresse pas vraiment, tout ça.

Voyant qu'Elliot était déçu, elle chercha dans sa mémoire de quoi alimenter d'autres ragots.

— Au Thé du président, dit-elle, ils servaient du sauternes comme si c'était de la limonade. J'ai compté au moins douze bouteilles.

Elliot en gloussait de plaisir.

— Les fumiers, dit-il sur un ton amusé. Je suis jaloux seulement parce que je n'ai pas pu y entrer. Mais c'était une bénédiction, j'imagine. Dieu sait que je ne suis pas arrogant, comme eux tous.

— Vraiment ? dit Cassie, moqueuse.

Elliot poussa un grognement joyeux.

— Erreur, se reprit-il. Certains d'entre vous ne sont pas arrogants du tout.

*

Elle resta une heure de plus au café, à profiter de la chaleur ambiante et de l'excellent connaisseur de la ville qu'était Elliot. Elle apprit que chaque collège avait son propre caractère, sa propre réputation : l'opulence de Christ Church, le sérieux scientifique de Merton, le socialisme de Wadham. Et puis il y avait Raleigh, le comble de l'aristocratie. La stupéfaction envieuse d'Elliot disait à elle seule que Raleigh était le collège le plus vénéré de tous – et le plus méprisé aussi. L'esprit de caste de ses élèves était proverbial. Ils fréquentaient peu les clubs et les bars d'Oxford. Ils préféraient prendre le train ou leur voiture pour se rendre à Londres où ils jouissaient des clubs privés dont il fallait être membre, où ils rencontraient des gens de leur milieu, loin du tout-venant estudiantin.

Cassie consulta sa montre.

— Il faudrait vraiment que je rentre, dit-elle, mais je vous reverrai demain à la bibliothèque.

— Mes pauvres mollets s'impatientent déjà, répliqua Elliot. Vous savez, vous devriez me dire ce que vous cherchez dans ces archives. Je ne me contente pas d'avoir une jolie gueule, je suis tout à fait capable de m'orienter dans un catalogue. Je pourrais vous être de quelque utilité.

— On verra, répondit Cassie en riant pour éluder la question. Bonne soirée.

Elle rentra à Raleigh. Elle était partagée : dire à Elliot ce qu'elle cherchait lui simplifierait beaucoup la vie ; dans le même temps, elle ne pouvait s'empêcher de penser au secret qui enveloppait la mystérieuse existence de sa mère durant cette période – sans oublier le ton menaçant du mot qu'elle avait reçu.

Tu ne pourras pas toujours cacher la vérité.

Il existait une raison pour laquelle sa mère n'avait jamais ne serait-ce que chuchoté le nom de Raleigh. Moins il y aurait de gens informés de ses recherches, meilleures seraient ses chances de dormir la nuit.

*

Quand elle arriva à la mansarde, comme Evie se plaisait à désigner l'appartement, il n'y avait personne. Les documents et les livres de sa colocataire traînaient partout dans le séjour. Cassie bâilla et entreprit de débarrasser au moins la table basse. Elle avait encore du travail. Le premier tutorat aurait lieu vendredi et elle aurait déjà dû prendre connaissance de plusieurs textes. Certes, elle avait passé de longues heures à la bibliothèque, mais sans entreprendre le travail exigé par la fac : elle pouvait s'attendre à y passer la nuit.

Son regard se posa sur le sac d'Evie et ses classeurs qui gisaient sur le sol avec son baume à lèvres.

Et sur son pass d'accès aux caveaux de la bibliothèque de Raleigh.

7

Cassie retint son souffle et vérifia qu'Evie ne se trouvait pas dans sa chambre. Juste pour être sûre. Non, elle n'était pas là. L'appartement était silencieux.

Les battements de son cœur s'accélérèrent quand elle prit la légère carte en plastique.

Elle saisissait sa chance.

Cassie mit ses chaussures et enfila son manteau. Elle rassembla ses cahiers et sortit avec précaution. La porte claqua derrière elle.

Elle dévala l'escalier. Il était tard, plus de vingt-deux heures. Le campus était sombre et paisible. Elle fit le tour de l'esplanade pour rejoindre la bibliothèque en rasant les murs, prudente, restant dans l'ombre. Elle se sentit bientôt soulagée d'avoir pu gagner le bâtiment sans rencontrer âme qui vive.

La bibliothèque était déserte, tranquille. C'était le début du trimestre, personne n'y passait encore la nuit à bachoter. Cassie longea discrètement les rayonnages et gagna l'entrée des caveaux. Elle poussa la lourde porte et tressaillit quand les gonds grincèrent. Elle descendit les marches de pierre menant à la seconde porte. Elle sortit la carte magnétique et la fit glisser dans le lecteur en retenant son souffle.

Elle entendit un bip, puis le voyant passa au vert et la porte s'ouvrit.

Cassie se détendit. Elle frissonna en pénétrant dans un long couloir entre des murs de pierre. Des rangées de néons clignotaient au-dessus de sa tête – toujours ce mélange de modernité et d'architecture ancienne. Cassie devait se trouver sous l'esplanade à présent. Elle marchait dans la direction opposée aux cloîtres, dans un labyrinthe de caves et de tunnels creusés sous la surface, invisible et secret.

Son pas rapide résonnait sur les dalles. Parvenue au bout du couloir, elle passa le seuil d'un vestibule marquant l'entrée de la salle de lecture : une pièce tout en longueur, basse de plafond, remplie de rayonnages à l'ancienne et d'armoires.

Elle y était.

Elle alluma la lumière. Des caisers de fiches et des étagères d'archives bien alignées le long des murs. Une immense collection s'enfonçant profondément dans le souterrain. Le sol présentait une pente légère que Cassie imagina s'étendre loin et à jamais dans les ténèbres, des archives de la taille d'un terrain de football au moins, creusées sous l'université.

Elle prit son carnet et longea une allée en s'efforçant de comprendre le système de classement jusqu'à une table d'orientation où un plan répertoriait les données : les années qui intéressaient Cassie se cachaient au cœur de plusieurs rayonnages, dans des caisers portant une date et la couleur correspondante.

Assise en tailleur entre deux étagères, elle se mit au travail. Elle vérifiait le contenu de chaque caiser dont elle triait les éléments. Rutledge avait dit vrai : tout ce qui concernait la vie de l'université était archivé ici, sans souci de datation et d'ordre. Cassie trouva dans une même boîte une liasse de menus d'un dîner, un rapport de l'aumônier et des notes manuscrites prises lors d'une réunion avec le trésorier. Une autre contenait des photos d'une soirée dansante, et des copies d'étudiants non classées.

Procédant avec méthode et précision, elle poursuivit sa fouille nocturne. Elle cherchait un document mentionnant le nom de Joanna Blackwell. Mais elle ne trouvait rien. Elle se familiarisa avec la promo 1995, mais elle voyait passer encore et toujours les mêmes noms ; le seul qu'elle cherchait lui échappait.

Elle leva la tête de ses dossiers et bâilla. Elle consulta son téléphone. Il n'y avait pas de réseau dans ces souterrains, mais elle vit qu'il était une heure du matin. Elle réfléchit. Combien de temps encore pouvait-elle consacrer à cette recherche ? Impossible de rester ici indéfiniment. Evie avait des horaires erratiques et rien ne permettait de savoir à quelle heure elle rentrerait, ni quand l'idée la prendrait de fouiller dans son sac pour constater que sa carte magnétique n'y était plus.

Cassie évalua le contenu des casiers et décida qu'en deux heures elle pourrait trouver quelque chose. À condition qu'il y ait quelque chose à trouver. Elle étira ses muscles douloureux et se pencha vers le casier suivant en quête du dossier « Annuaire de la promotion ». À l'intérieur se trouvaient des photos non rangées, sans doute des vestiges de l'année. Elle considéra des visages désormais connus et passa les scènes en revue : étudiants au bar, équipes sportives, dîners officiels. Style grunge et robes longues. C'était amusant, car elle avait vu l'après-midi même des groupes d'étudiants habillés ainsi : la mode fonctionnait par cycles.

Soudain elle se pétrifia ; son sang se figea dans ses veines.

Joanna.

Photographiée par surprise dans l'uniforme sportif rouge et noir de Raleigh, une batte de hockey sur l'épaule. Elle essayait de se détourner de l'appareil et seul son visage était de face, comme si le photographe venait juste de capter son attention.

C'était bien elle. Vraiment. Le cœur de Cassie cognait lorsqu'elle retourna le tirage.

Margaret Madison. Équipe de hockey de Raleigh, X 11.

Margaret ? Elle cligna des yeux. Elle allait se plonger dans l'exploration du casier quand une porte se ferma à grand bruit dans l'épais silence des caveaux. Elle jeta autour d'elle un regard paniqué. Des pas lourds résonnaient dans le couloir aux murs de pierre, en direction de la bibliothèque.

Trop tard pour éteindre les lumières et ranger la pagaille qu'elle avait mise. Cassie glissa le cliché dans la poche de son sweat-shirt et recula vers les rayonnages. Pour ne pas être visible depuis l'entrée, elle courut se cacher derrière une longue étagère sur laquelle reposaient d'épais volumes.

Les pas s'arrêtèrent à l'entrée des caveaux. Cassie déplaça un livre et jeta un œil par l'espace entre les étagères.

C'était un des gardiens, un homme qu'elle n'avait jamais vu : peut-être la quarantaine, une figure maigre aux yeux enfoncés, la veste gonflée par une bedaine. Il explorait la salle du regard.

— Hé ho ! lança-t-il. Il y a quelqu'un ?

Cassie recula, retint son souffle. Les pas recommencèrent à claquer. De nouveau, elle jeta un œil par l'interstice entre les livres. Pourvu qu'il s'en aille. Non, il continuait à progresser dans l'allée. Il s'arrêta à la limite du secteur où Cassie effectuait ses recherches. Il vit les dossiers étalés sur le sol.

— C'est une salle réservée, dit-il d'un ton sévère. Vous feriez bien de vous montrer, maintenant. Qu'on règle le problème.

Cassie quitta son poste d'observation. La panique s'emparait d'elle. Elle se demanda si elle parviendrait à jouer la comédie qu'elle imaginait : s'en aller négligemment en mimant l'étudiante surchargée de travail, filer sans laisser au gardien le temps de la questionner. Mais il risquait de lui demander son pass. Peut-être connaissait-il Evie pour l'avoir croisée au collège. Alors Cassie serait accusée d'avoir volé le pass de sa coloc pour entrer dans une salle réservée.

Non, il valait mieux rester planquée jusqu'à ce qu'il s'en aille. Elle rabattit sa capuche et se blottit dans un renfoncement. Tôt ou tard, le gardien se lasserait de ce mystère. Il retournerait à la loge boire un café et s'occuper de ses courses hippiques. Mais à la place, il entreprit une inspection méthodique, ratissant une aile après l'autre.

Cassie garda un moment les yeux fermés. Elle essayait désespérément de trouver un moyen de s'échapper. La disposition des lieux ne lui était pas du tout favorable : aucun moyen de se précipiter vers la sortie sans être vue ; et de l'autre côté, ce n'étaient que d'interminables rayonnages s'enfonçant en pente douce dans l'obscurité.

Les pas se rapprochaient, claquaient plus fort.

Une chaleur familière envahit la poitrine de Cassie. Cette sensation d'étouffement, d'être prise au piège. Il y avait forcément une issue. Elle prit son sac, gagna l'allée latérale sur la pointe des pieds et pénétra plus avant dans les caveaux, faisant de son mieux pour marcher sans bruit sur le ciment couvert de poussière.

Plus elle s'enfonçait dans l'inconnu, plus l'air lui semblait s'épaissir, se densifier, inviolé. Soudain, un filet d'air frais passa sur son visage.

Elle s'arrêta. Le courant d'air venait du mur. Elle s'en rapprocha. La paroi était tendue d'un rideau épais. En écartant ce rideau, Cassie découvrit un passage étroit et un escalier en colimaçon taillé dans la pierre.

— Hé !

Le cri avait retenti derrière elle. Elle se retourna. À l'autre bout de la salle brillait un faisceau lumineux puissant, éblouissant. Le gardien marchait vers elle.

— Stop ! cria-t-il.

Cassie se précipita dans le passage et grimpa les marches. Le gardien la prit en chasse. Il frappait le sol de son pas lourd et respirait avec peine entre les murs qui renvoyaient l'écho de son souffle. Cassie continuait de monter, le cœur battant. Elle priait avec ferveur pour qu'il y ait une sortie là-haut. Mais l'escalier déboucha sur un long boyau.

Elle s'y engagea en courant. Le gardien peinait toujours dans l'escalier. Elle avait mis quelque distance entre elle et lui, mais elle avait l'impression maintenant de foncer tête baissée vers un cul-de-sac. Elle l'aperçut alors, au bout du couloir : une fenêtre percée dans le mur. Elle aurait voulu crier son soulagement. Au lieu de quoi elle tendit le bras pour se saisir de la poignée. Les gonds de la fenêtre étaient rouillés, grippés ; Cassie parvint cependant à ouvrir le battant et à se hisser sur le rebord.

Le froid de la nuit la saisit après l'air étouffant des caveaux. Elle jeta un coup d'œil dehors. Elle eut à peine le temps de se rendre compte qu'elle était au premier étage, au-dessus d'une ruelle pavée. Les pas du gardien se rapprochaient. Elle passa les jambes à l'extérieur et se suspendit par les mains à la pierre rugueuse du rebord. Ses jambes se balançaient dans quatre mètres de vide et d'obscurité.

Cassie prononça une courte prière et lâcha prise.

Elle toucha le sol. Le choc irradia tout son corps. Elle roula rapidement sur le côté pour absorber la chute, mais pas assez vite. Une douleur lui traversa la cheville, si violente qu'elle dut se mordre la lèvre pour retenir un cri. Elle réussit à se relever, ses paumes écorchées lui faisaient mal.

— Hé ! Vous !

La colère du gardien résonnait dans le noir.

Cassie leva les yeux et le vit penché par la fenêtre. Elle se détourna rapidement pour dissimuler son visage et partit en boitant dans la ruelle. Elle se trouvait vers l'arrière de l'université, non loin de la porte de service menant aux cuisines ; des cartons s'entassaient près des issues où patientaient les poubelles bien alignées. À chaque pas, Cassie tressaillait à cause d'un nouvel élancement de douleur qui lui remontait le long de la cheville. Mais pas question de ralentir sa course. Elle savait qu'il allait la poursuivre en faisant le tour par les caveaux, ou en empruntant quelque autre chemin.

Elle passa sous un porche puis dans une série de courettes. Elle essaya de se repérer. Les battements de son cœur cognaient jusque dans ses oreilles. Elle n'avait pas encore exploré ce secteur de l'université, éloigné des salles d'études et des chambres. Aussi perdit-elle un temps précieux dans des passages qui se révélaient sans issue.

Elle revint sur ses pas en tremblant. Une lampe brillait au sommet de la tour. Cassie se servit de cette lumière comme d'un phare pour trouver son chemin dans le dédale des ruelles. Elle déboucha enfin sur la grande esplanade.

— Attention !

La voix jaillit au moment où elle heurtait une forme haute qui la retint par le bras pour l'empêcher de tomber. Elle se recroquevilla, pensant avoir affaire au gardien en colère, mais c'était un inconnu qui la regardait fixement.

Sa respiration se calma. L'homme était blond et grand. Il avait la vingtaine. Son costume était ajusté sur son torse maigre. Éclairé en contre-jour par un lampadaire, Cassie l'aurait presque pris pour un ange. Puis il apparut dans la lumière, et cette impression s'évanouit : son allure était trop imposante, trop marquée pour répondre à une description aussi tendre. C'était plutôt un ange déchu, tout en angles, taillé à la hache, avec des yeux d'un noir absolu qui perçaient l'or pâle de son apparence. En croisant ce regard, Cassie sentit un frémissement dans la poitrine. Comme un éclair de déjà-vu.

— Où courez-vous aussi vite ? demanda-t-il en arquant les sourcils d'un air amusé.

Elle se hâta de reculer et d'inventer un mensonge :

— Je... À la bibliothèque. Mon ordi vient de planter et j'ai un devoir à rendre.

Les lèvres de l'homme dessinèrent un sourire.

— Vous êtes nouvelle, dit-il en s'attardant sur le mot.

Entendant cette voix traînante et basse, Cassie eut un frisson dans le dos.

— Ne vous en faites pas, dit-il, l'air narquois. Les tuteurs ont l'air méchants, mais ils ne vous mordront pas.

— Il faut vraiment que…

Elle fit un geste vague et jeta un regard anxieux en arrière. Elle s'attendait à voir surgir le gardien, mais l'esplanade demeurait tranquille et déserte.

Le visage de l'homme changea.

— Vous saignez, dit-il calmement.

Elle baissa les yeux vers sa main.

— Ce n'est rien, dit-elle. Une égratignure.

Sans lui laisser le temps de s'éloigner, il lui prit la main et l'ouvrit, révélant la plaie.

— Ça ira, protesta-t-elle de nouveau.

Elle était désarçonnée par ce contact, mais il la retenait. Il fit courir légèrement son pouce sur la blessure, sans quitter Cassie des yeux. Elle se détourna, prise au piège. L'espace d'un instant, elle sentit une colère ancienne s'éveiller en elle, une bouffée de chaleur brûlante. Soudain il appuya fortement sur la plaie et la douleur traversa la main de Cassie.

Elle se libéra vivement.

— Aïe !

Elle referma le poing sur la blessure qui saignait.

— Merde, qu'est-ce qui vous prend ?

— Mes excuses, dit-il d'un ton léger.

Cassie s'en allait déjà. Elle n'avait pas de temps à perdre, avec ce gardien furibard à ses trousses.

— La bibliothèque, c'est par là, ajouta l'homme en indiquant l'autre direction.

— Merci, répondit-elle aussitôt.

Elle ne dit pas un mot de plus et s'éloigna en boitant.

Sans un regard en arrière, elle traversa le campus et retrouva le chemin de l'appartement. Enfin en lieu sûr et hors de vue, elle verrouilla soigneusement la porte de la mansarde.

8

MARGARET JOANNA MADISON.

Tel était le vrai nom de sa mère. Tout ce temps passé à rechercher en vain la trace de Joanna Blackwell ! Et autant à poursuivre un mensonge. Pas étonnant qu'elle n'ait trouvé aucune mention d'elle en ligne, dans les archives ou dans les coupures de presse : la femme qu'elle connaissait comme étant sa mère avait surgi de nulle part ce jour d'avril où elle avait pris un billet pour l'Amérique, laissant à jamais sa vie passée derrière elle.

À présent qu'elle connaissait sa véritable identité, Cassie voyait s'ouvrir devant elle des boulevards de recherche : les annuaires poussiéreux qu'elle avait feuilletés se révélaient à nouveau riches de promesses. Pourtant, elle hésitait encore. Elle répugnait à se plonger dans cet imbroglio de mensonges amassés au prix de tant d'efforts. Cassie avait débarqué à Oxford avec un but précis : en apprendre davantage sur le temps que sa mère avait passé ici, percer à jour l'identité de son père. Elle avait imaginé que sa mère était partie pour l'Amérique parce qu'elle attendait un bébé, qu'elle était une élève de premier cycle faisant un mauvais choix, et mettant un océan entre elle et son erreur. Mais aujourd'hui…

Aujourd'hui, Cassie repensait au message menaçant. Quitter la fac et le pays était une chose. Mais Joanna ne s'en était pas tenue là. Elle avait changé de nom et effacé sa vie antérieure. Elle avait fait en sorte de ne laisser aucune trace. Cassie ne pouvait s'empêcher d'éprouver un certain malaise.

À quoi sa mère avait-elle voulu échapper ?

*

Passé la première semaine, alors que débutait sur les chapeaux de roues le trimestre nommé Michælmas, Cassie vit Raleigh s'installer dans ses habitudes de travail. Jusqu'ici, les première année avaient franchi en courant les portes de la fac à toute heure de la nuit – et elle entendait jusque dans la mansarde leurs bruyants retours de beuverie. Elle les voyait à présent à la bibliothèque, considérant leurs piles de bouquins d'un œil affolé, résigné. Les dernière année, qui allaient hier par le campus d'un pas confiant et nonchalant, parcouraient maintenant les allées à grandes enjambées, baissant la tête sous la menace des contrôles et des devoirs à rendre. Les associations et les clubs avaient repris leurs activités, et le jogging matinal de Cassie était moins solitaire qu'auparavant : quand elle courait le long de la rivière aux eaux gelées, elle entendait les cris des rameurs courbés sur leurs avirons. L'automne s'était emparé des terres, transformant les verdoyants feuillages en une canopée de flammes et de rouille mêlées. Le vent et les averses brouillaient les confins de la blanche esplanade. Les courants d'air qui fouettaient les allées et les cloîtres obligeaient élèves et enseignants à sortir sous la protection d'un manteau ou d'un anorak de ski, avec des gants de cuir fourrés de laine d'agneau. Cassie avait appris à ne jamais mettre le nez dehors sans s'être équipée d'un solide parapluie.

Après l'incident dans les caveaux, Cassie se concentra sur ses études et sur ses premières séances de tutorat, qui se déroulaient heureusement sans encombre ; généralement silencieuse, elle laissait ses camarades défendre leur devoir et accaparer le temps du prof. Sur le campus, elle rasait les murs. La gorge serrée, elle cherchait des yeux le gardien qui l'avait poursuivie l'autre nuit. Elle portait ce soir-là un vêtement noir des plus ordinaires, dont la capuche lui couvrait en partie le visage. Il était peu probable que l'homme ait pu même apercevoir ses traits, encore moins qu'il soit capable de la reconnaître dans la foule ; mais à chacun de ses passages devant le corps de garde, elle gardait la tête basse, fixait le pavé et ne pouvait empêcher son cœur de tambouriner.

Puis vint l'épreuve. Elle était dans le « pigeonnier », occupée à trier la liasse habituelle de tracts et d'invitations, quand il franchit l'entrée étroite, porteur d'un paquet de lettres à distribuer.

— Pardon… murmura-t-elle, le cœur au bord des lèvres.

Elle s'écarta pour le laisser passer et rejoindre une des boîtes. Il allait la reconnaître, écarquiller les yeux… prendre une mine indignée.

Mais rien de tout cela ne se produisit.

— Je vous en prie, dit-il en souriant.

L'homme posait son regard sur elle.

96

— Blackwell ? reprit-il en considérant l'étiquette sur la boîte. Je crois que j'ai quelque chose… Oui, tenez.

Il lui donna une lettre puis distribua ses autres plis.

Après son départ, elle s'adossa aux boîtes à lettres et lâcha enfin un soupir de soulagement. Toutes ces journées de tension ! Imprudente : voilà ce qu'elle avait été. Voler le pass d'Evie, se lancer tête baissée dans les caveaux sans plan ni préparation… Sa cheville la faisait encore souffrir, de moins en moins cependant, et sa paume écorchée la brûlait. Elle savait qu'elle méritait cette punition pour avoir risqué de perdre le fruit de tous ses efforts. Il lui avait fallu des années pour avoir le droit de franchir l'enceinte de Raleigh ; à présent qu'elle était dans la place, elle avait bel et bien failli tout gâcher en l'espace d'une seule nuit.

Mais le jeu en avait valu la chandelle. Elle approchait plus que jamais de la vérité concernant sa mère, et même si ce qu'elle avait fait la mettait mal à l'aise, sa curiosité était trop forte pour qu'elle l'ignore. La semaine s'étant passée sans encombre, elle rassembla ses dossiers et ce qu'elle savait désormais à propos de Margaret Madison puis retourna au centre-ville, à la Radcliffe Camera.

— Vous revoici !

Elliot faisait les cent pas au pied de l'escalier, une main enfouie dans la poche de son manteau et l'autre, habillée d'une mitaine, tenant une cigarette.

— Vous avez encore l'intention de m'envoyer monter et descendre une centaine de fois les marches des souterrains ?

— Comme ça, vous aurez les plus belles cuisses de la ville, lui fit remarquer Cassie. Si c'est une consolation…

Il rit.

— C'est déjà ça.

Tout en écrasant sa cigarette, il lui tint la porte.

— Alors, de quoi avons-nous besoin ce soir ?

— Comme d'hab', dit-elle en lui remettant ses fiches remplies à l'avance.

Il les considéra avec un froncement de sourcils.

— Vous les avez déjà sortis, ceux-là.

— Je dois les consulter à nouveau, désolée.

Elliot soupira.

— Je hais ce boulot, dit-il.

Et il disparut.

Cassie traversa la grande salle de lecture pour gagner son box préféré dans la section Histoire britannique. Une silhouette surgissant des rayonnages faillit la bousculer.

— Excusez-moi, dit-elle vivement.

Levant les yeux, elle vit le professeur Tremain, les bras chargés de livres.

— C'est entièrement ma faute, s'empressa-t-il de répondre.

Et, la regardant avec plus d'attention :

— Ah ! Mademoiselle Blackwell. Ce n'est pas vraiment votre secteur, si ? La philosophie, c'est au deuxième étage.

— Je préfère travailler ici. C'est plus calme.

— Les grands esprits se rencontrent.

Il hocha la tête, puis son regard parcourut distraitement la salle avant de revenir se poser sur elle.

— Vous avancez dans vos lectures ? Des problèmes ?

— Seulement pour trouver les livres, avoua-t-elle. À Raleigh, ils ont tous été empruntés.

— Je vois, dit Tremain en faisant la grimace. Une mauvaise habitude, chez certains étudiants. Ils les empruntent à la minute même où je fais part de la bibliographie du trimestre. Bon, vous les trouverez ici. Ou à la toute nouvelle bibliothèque de sciences sociales. C'est tout près.

— Merci. Je m'en souviendrai.

— Vous êtes déjà allée à un des cocktails ? poursuivit-il en jonglant avec les volumes qu'il portait. La communauté internationale de Raleigh est prospère, il y a beaucoup d'étudiants étrangers.

— Pourquoi pas ? Peut-être un de ces jours, mentit Cassie.

— Vous devriez. Les discussions y sont quelquefois passionnantes.

Elle approuva du chef et sourit jusqu'à ce que Tremain regarde derrière elle.

— Bon, je ferais mieux de rapporter tout ça au bureau de prêt, si je ne veux pas me faire passer un savon par ce type sourcilleux.

Il lança un regard à Elliot puis hocha la tête en regardant Cassie.

— À vendredi.

*

Quand Cassie vint chercher sa première série d'annuaires, elle trouva Elliot qui regardait son portable d'un air contrarié.

— Qu'est-ce qui ne va pas ?

— J'ai rendez-vous demain avec un garçon délicieux, un étudiant de Balliol.

— En quoi est-ce une mauvaise nouvelle ?

— L'autre bibliothécaire a démissionné hier. Personne ne peut me remplacer.

Cassie attendit, prête à saisir sa chance.

— Moi, dit-elle, je pourrais.

— Vraiment ?

Il plissa les yeux, méfiant.

— Quel intérêt pour vous ?

Elle ne répondit pas tout de suite. Elle n'avait guère envie de parcourir de nouveau cinq années d'archives universitaires. En travaillant à la bibliothèque, elle aurait accès à tout, même aux caveaux – en plus de l'aide d'Elliot. Du reste, vouloir garder le secret ainsi, c'était peut-être de la paranoïa. Presque vingt-cinq ans s'étaient écoulés depuis que sa mère avait étudié dans ces murs. La cause de son départ devait être oubliée depuis belle lurette.

Elle prit un risque :

— Il y a peut-être quelque chose que vous pourriez faire pour moi. Mes recherches concernent une ancienne étudiante d'ici : Margaret Madison.

L'affaire eut l'air d'intriguer Elliot qui haussa un sourcil.

— C'est pour ça que vous me faites courir ? Qui est-ce ?

— C'est… une amie de ma famille. Décédée il y a quelques années. J'aimerais en apprendre davantage sur ce qu'elle a fait à Oxford. Peut-être en discuter avec d'anciens condisciples.

Un bruit retentit. Tremain franchissait les portes en bataillant avec son parapluie. Elle le regarda pousser le battant. Il parvint finalement à sortir. La porte claqua derrière lui.

— Vous croyez que vous pourriez m'aider ?

— Remplacez-moi demain et vous avez l'info que vous cherchez.

— Marché conclu ! dit Cassie, réconfortée.

Et elle demanda, pleine d'espoir :

— Vous avez du temps, là, tout de suite ?

Il grogna :

— Ben voyons. J'ai cinq mille retours à traiter avant de partir. Je m'en occupe dès que possible. Jeudi, vendredi au plus tard.

Cassie ravala sa déception.

— Merci, parvint-elle à lâcher.

Elle attendait depuis des années, alors pourquoi pas deux jours de plus ?

— Vraiment, j'apprécie.

*

Cassie, désormais désœuvrée, consacra le reste de l'après-midi au devoir pour le tutorat de Tremain. Son conseil se révéla utile, car il lui permit de réunir la plupart des sources avant de regagner la mansarde. Ainsi armée, elle analysa en profondeur ses théories sur les réalités physiques et les preuves de leur existence.

En un sens, elle se sentait proche de Descartes et de sa famille philosophique. Ces hommes étaient en quête de certitudes et de vérité. Ils aspiraient désespérément à un système susceptible de déployer une certaine vision du monde, de donner du sens à toutes ses contradictions et illusions. Ces penseurs, ennemis des suppositions, étaient les soldats des faits avérés ; ils entendaient démonter pièce par pièce toutes les croyances sur eux-mêmes – et sur le monde qui les entourait – auxquelles ils avaient adhéré, afin de tout refonder plus solidement. Descartes ne se posait pas seulement la question de savoir ce qui faisait qu'il était ce qu'il était, mais ce qui faisait que le monde extérieur était ce qu'il était, s'il existait d'ailleurs vraiment un monde extérieur, et si la preuve de cette existence pouvait être établie.

Cassie éprouvait la même frustration que Descartes. L'histoire de sa vie et celle de la vie de sa mère représentaient depuis toujours un point fixe sur un horizon mouvant – le cadre fondamental de référence de tout ce qu'elle pensait savoir au sujet d'elle-même. Si tout cela n'était que mensonge, alors qui était réellement sa mère ? Qui était Margaret Madison ?

Et, plus important encore, qui cela faisait-il de Cassie ?

*

— Tu travailles sur quoi ? Ton premier devoir ?

La voix d'Evie interrompit les réflexions de Cassie. Levant les yeux, elle vit sa coloc fouiller dans le panier de linge sale. Elle portait une robe noire longue et flottante. Un enchevêtrement de colliers en or pendait à son cou.

— Ouais, soupira Cassie. J'ai mon premier tutorat de philo demain. Je crois que je suis prête, mais je ne sais pas si…

— Ne t'en fais pas pour ça, la rassura Evie. Ils en font tout un plat, de ces devoirs. Mais la vérité, c'est que ça se passe toujours bien quand tu as lu les bouquins et que tu peux en parler.

— J'espère.

Cassie pensait au professeur Tremain. Il s'était montré encourageant, mais seulement parce qu'elle n'était pratiquement pas intervenue, jusqu'ici, pendant les cours.

— Tu as besoin d'une pause ! décida Evie. Tu vis enfermée depuis des semaines. Il faut sortir. Allons prendre un verre.

— C'est gentil, mais je ne suis vraiment pas d'humeur à passer la soirée dehors.

— Dehors ? Ce n'est pas dehors, plaida Evie. Il y a une soirée au foyer étudiant. C'est juste à l'autre bout du campus.

Cassie résistait :

— Je dois mettre un pantalon ?

Evie rit.

— Allez ! Dire non, ce n'est pas une réponse. Pas cette fois. Rien qu'un verre. Ce n'est pas sain, de bosser autant. Tu as besoin de te ménager. Sinon, tu vas craquer avant les vacances de Noël.

Cassie eut un sourire.

— D'accord, dit-elle, non sans réticence.

Ce n'était pas forcément une mauvaise idée, de sortir avec Evie, de laisser un peu tomber les fantômes de sa mère et le travail qu'il lui restait à abattre.

— Un verre, alors.

*

À leur arrivée, l'ambiance était déjà chaude. Les gens essayaient de se parler par-dessus la musique, cramponnés à leur verre et à de petites assiettes de crackers et de fromage. Cassie promena sur la salle un regard plein de curiosité. En tant qu'étudiante, elle était officiellement membre de la Junior Common Room. Les premier cycle avaient leurs quartiers de l'autre côté des cloîtres : une grande salle télé meublée de vieux canapés, et une autre avec un billard et des

103

distributeurs. Cassie, une fois, y avait passé la tête pour découvrir une pièce livrée à un déchaînement de bruit et d'agitation : des ados jouant de la musique à fond ou passant leur soirée à regarder des séries australiennes.

Le local pour les étudiants plus âgés était assez exigu mais plutôt richement meublé. Les baies vitrées donnaient sur les pelouses, il y avait des fauteuils en cuir, et un coin bar équipé de comptoirs brillants où scintillaient des bouteilles d'alcool.

— Attends que je regarde qui est là…

Evie balayait l'assemblée du regard quand son téléphone bourdonna. Elle baissa les yeux et prit une expression contrariée.

— Oh, merde… Paige s'est fait larguer. Écoute, ça t'embête si je vais la voir en vitesse ? Promis, ce ne sera pas long !

Cassie ouvrit la bouche pour protester, mais Evie s'en allait déjà, le téléphone collé à l'oreille. Cassie l'entendit qui disait :

— Le fumier ! J'arrive.

Cassie fut tentée de rentrer à la mansarde mais, sur l'insistance d'Evie, elle s'était changée et même fait un brushing. Et sa coloc avait promis que ce ne serait pas long. Cassie pouvait bien patienter un quart d'heure.

La salle était noire de monde. Elle alla prendre un verre de vin rouge sur la table près du bar et se glissa entre les invités en tendant l'oreille, attrapant au vol des bribes de conversations sur la politique européenne en matière de fiscalité, ou sur la recherche biologique dans le Pacifique sud. Pour la première fois depuis son arrivée à Raleigh, elle se trouvait en présence de gens de son âge. Mais une angoisse d'un autre genre montait en elle. Elle avait affaire ici aux vrais étudiants oxfordiens : des esprits brillants venus du monde entier. Au milieu de tous ces gens sincèrement dévoués à leurs études, elle ne pouvait se défaire d'un sentiment d'imposture.

Ayant trouvé à s'asseoir sur le large rebord matelassé d'une fenêtre ouverte, elle y sirota son vin. Elle observa la foule en attendant le retour d'Evie et remarqua le peu de diversité qu'elle offrait. En fait, Oxford la choquait, de ce point de vue. Depuis les première année, qui se faisaient photographier le jour de l'inscription, jusqu'aux passants dans les rues, ce n'était qu'une mer de visages à la peau blanche. Comme les prestigieuses universités de la Côte Est, Oxford était la demeure de vieilles élites. C'était évident, en dépit des brochures pleines de discours pompeux sur l'ouverture à la diversité et à l'intégration.

— Bienvenue à Raleigh…

Cassie se retourna. Un homme aux cheveux blonds lui souriait. Il avait presque la trentaine. Il faisait sérieux dans sa chemise rayée et son pantalon de velours.

— Je m'appelle Miles. D'où venez-vous exactement ?

Sa question posée, il mordit largement dans son cracker. Des miettes dégringolèrent sur sa chemise. Il les essuya en rougissant.

— De Smith, répondit-elle.

La figure de Miles s'éclaira.

— Ah ! le Massachusetts. J'ai fait un semestre à Harvard, en tant que chargé de recherche avec le professeur MacIntyre. Vous ne le connaissez pas, j'imagine.

Elle secoua la tête.

— Non, désolée.

— Tant pis.

Il mordit à nouveau dans le cracker, provoquant une autre avalanche de miettes qui atterrirent cette fois sur la moquette.

— Et qu'est-ce qui vous amène ici ? Moi, je fais mon post-doctorat en droit international.

— Je suis en dernière année, expliqua Cassie. J'ai été prise à Raleigh comme étudiante étrangère.

Il écarquilla les yeux.

— Impressionnant !

Il arrêta une femme qui passait et l'attira dans leur conversation.

— Devi, ce n'est pas la personne dont tu parlais, la fille qui a obtenu une bourse cette année ?

La femme, originaire d'Asie du Sud-Est, haussa un sourcil et toisa Cassie. Ses cheveux noirs étaient coiffés en une tresse lâche ramenée en arrière. Elle portait une robe fuseau bleu marine qui lui donnait un air sévère.

— Félicitations, dit-elle froidement. Mon cousin a passé avec succès les derniers entretiens. Il a eu son diplôme de biochimie à Harvard. Il joue du piano. Ses concertos lui ont valu d'être élu meilleur musicien de l'année.

Elle afficha un sourire blême.

— Vous devez avoir un bon CV pour avoir obtenu cette bourse.

Cassie s'éclaircit la gorge. Elle se sentait encore moins à sa place que tout à l'heure.

— J'imagine que j'ai aussi eu de la chance, dit-elle.

Le sourcil de Devi se haussa de nouveau.

— Parle-nous de ton été, la pressa Miles avant de se tourner vers Cassie : Devi a travaillé dans les camps de réfugiés en Somalie. Elle étudie les déplacements de populations et le viol employé comme arme de…

Il se tut en apercevant quelqu'un à l'autre bout de la salle.

— Hugo ! cria-t-il.

Il s'élança dans la foule et enchaîna sans regarder en arrière :

— Qu'est-ce que tu fous ici, vieille crapule ? Je croyais qu'ils t'avaient viré.

Devi se lança dans un récit de son séjour à la frontière éthiopienne, mais Cassie ne quittait pas Miles des yeux. Elle le vit rejoindre un groupe dans un coin de la pièce. Ils étaient en tenue pour le dîner : costume et chemise amidonnée. Leur façon de tenir leur verre et de rire en jetant la tête en arrière évoquait à Cassie une pièce d'Oscar Wilde, ou une frise composée par un artiste étranger. Tandis qu'elle les observait, ils se déplacèrent et révélèrent la présence, au milieu de leur groupe, du convive qui avait éveillé l'enthousiasme de Miles.

Elle se pétrifia.

C'était l'homme de cette fameuse nuit, celui qu'elle avait heurté sur l'esplanade. Son aspect était toujours aussi surprenant, même sous la lumière. Encore un costume de marque, qui flottait langoureusement sur ses formes. Son col blanc, amidonné, s'ouvrait sur une peau à laquelle l'éclairage donnait une coloration or pâle.

Ses yeux noirs, perçants, croisèrent le regard de Cassie qui tressaillit et se détourna vivement.

— … sécurité, on se demande pour quoi on paye.

Devi poursuivait son bavardage, mais Cassie l'entendait à peine. Son cœur s'était emballé soudainement et quelque chose de nouveau circulait dans ses veines :

une vague de panique mêlée de crainte et de curiosité. Ce puissant cocktail envoyait de l'adrénaline dans son flux sanguin, de sorte qu'elle se sentit trop agitée pour pouvoir rester immobile une minute de plus.

Elle se laissa glisser de son rebord de fenêtre, bousculant Devi au passage. La foule se déplaçait à nouveau.

— Pardon ! s'excusa-t-elle.

Elle jeta encore un coup d'œil dans la salle. L'homme blond était hors de vue, englouti par le mouvement, mais le malaise de Cassie persistait tandis qu'une bouffée de chaleur répandait des picotements sur sa peau.

— Je te demandais si tu avais entendu parler de cette effraction, répéta Devi. Il semble que quelqu'un soit allé fouiller dans les vieilles archives, l'autre nuit.

Cassie rejeta la tête en arrière.

— Mmm ? Non, pas du tout.

Elle s'éclaircit la gorge et se força à parler d'une voix normale.

— Ils ont volé quelque chose d'important ?

— Rien n'a été volé, dit une femme au corps menu et aux cheveux courts, qui se joignit à elles.

Son visage rond lui donnait des airs de petite commère.

— Et Harris n'a même pas pu le voir distinctement.

— Peut-être une histoire de rivalité universitaire, médita Devi. Raleigh a une bibliothèque de premier ordre.

— Il suffit de remplir une demande pour avoir un pass, argumenta l'autre femme. Je pense qu'ils devaient chercher des documents rares, des éditions originales.

Vous savez, Raleigh a toute une collection de manuscrits planquée quelque part.

Cassie essayait de se concentrer sur la discussion, mais elle continuait d'avoir des frissons dans le dos, comme l'avertissement d'un danger. Quand elle se retourna pour voir ce qui se passait dans la salle, elle était sûre de l'apercevoir qui l'observait.

Il s'appuyait au bar, un verre penché à la main, son regard noir fixé sur elle. Elle savait qu'elle aurait dû détourner les yeux, mais elle ne parvenait pas à les détacher de ce visage élégant. Ils prolongèrent cet instant qui continua de scintiller dans la pièce surpeuplée.

Quand il leva son verre, comme pour la saluer, il arborait une expression indéchiffrable. Sa curiosité semblait traverser la foule. Il y avait plus que de la curiosité, d'ailleurs. Elle ressentit de nouveau l'impression de déjà-vu éprouvée l'autre soir quand ils s'étaient rencontrés sur l'esplanade. Il détaillait du regard le corps de Cassie, lui donnant l'impression d'être nue.

La faim. C'était ça : cet éclat brillant dans ses yeux. Cette prise de conscience arracha Cassie à son état hypnotique. Elle se reprit. Mais il venait vers elle à présent, en se frayant un passage dans l'assemblée. Cassie attrapa son manteau. Elle devait s'en aller, tout de suite. Elle avait déjà éprouvé ce sentiment d'urgence alors qu'elle se trouvait dans une rue sombre, ou dans un immeuble vide et sonore. Il cognait à présent en elle et il l'avait trop souvent sauvée pour qu'elle puisse se permettre de l'ignorer.

Elle tourna le dos à Devi et à l'autre femme sans même bredouiller une explication. Elle courut à travers la foule vers la sortie, mais elle constata en arrivant à la porte que toute fuite serait impossible.

— Cassie ! s'exclama Evie en la prenant dans ses bras. Merci d'avoir attendu. Mon Dieu, ces drames sans fin ! Viens, je vais te présenter. Je parlais de toi, justement…

— Désolée, dit Cassie en s'échappant de la chaleureuse étreinte. Je dois y aller. À plus !

Si Evie répondit quelque chose, ses mots se perdirent dans le brouhaha. Cassie dévalait déjà les marches en direction des cloîtres. Elle traversa la fac en courant jusqu'à ce que les éclats de rire et la musique se fondent dans l'obscurité.

9

Cassie avait mis son réveil, pourtant elle était en retard. Elle dut courir pour être à l'heure au tutorat de philosophie. Elle aurait voulu arriver en forme et pomponnée, au lieu de quoi elle traversa le campus débraillée et son ventre criant famine. Quand elle tourna à l'angle des cloîtres, les cloches de Raleigh sonnaient neuf heures.

Dans l'escalier, des éclats de rire lui parvinrent. Elle poussa la porte du bureau de Tremain. Le professeur distribuait le café aux deux autres étudiants.

— Excusez-moi, dit-elle.

Derrière la fenêtre, les cloches se turent.

— Mademoiselle Blackwell, dit Tremain froidement. Merci de vous joindre à nous. Je ne vous demande pas comment vous voulez votre café. Les boissons, je le regrette, sont réservées aux étudiants ponctuels.

Elle s'assit au bout du sofa, confuse. Tremain n'avait jamais donné l'impression d'être aussi pointilleux. La semaine précédente, il avait débarqué avec dix minutes de retard et un col de chemise taché de confiture.

Julia, l'autre fille, consola Cassie d'un sourire amical. Elle était petite, avec des cheveux sombres bien attachés, tirés en arrière, et un chemisier amidonné sous un cachemire en V couleur menthe. En face d'elles se trouvait Sebastian, un grand garçon athlétique renversé sur le fauteuil de cuir, une jambe par-dessus l'accoudoir, la figure empreinte d'un air suffisant.

— Qui souhaite commencer ? demanda Tremain, lui-même replié sur sa chaise branlante. Mademoiselle Blackwell, peut-être ?

Elle eut un tremblement nerveux puis fut vivement soulagée d'entendre Sebastian répondre à sa place :

— Je vais commencer.

— Ça me va, se hâta de murmurer Cassie.

Julia, elle, se tut. Elle se contentait d'attendre, son stylo à la main, prête à prendre des notes.

— Très bien, approuva Tremain en hochant la tête.

Il dut fouiller dans ses papiers pour retrouver ce que Cassie supposa être le devoir de Sebastian : une épaisse liasse de feuillets imprimés en gros caractères sombres.

— Quand vous voulez.

Le garçon s'éclaircit la voix, puis commença :

— Descartes démontre-t-il qu'il n'est pas un corps ? Quel lien existe-t-il, selon lui, entre l'âme et le corps ?

Il se lança dans une argumentation sur la pensée empirique. Cassie avait toutes les peines du monde à le suivre. À minuit, dans le pâle éclairage de la mansarde, la question lui avait paru assez facile ; mais Sebastian disséquait à présent des théories inventées par des auteurs qu'elle n'avait jamais lus, consacrait des paragraphes entiers à différentes interprétations de la même phrase.

— Bon travail, dit Tremain en gratifiant son étudiant de hochements de tête rapides. À présent, en ce qui concerne distinction et séparation pour Descartes, le corps et l'esprit sont-ils potentiellement ou effectivement séparés ?

Julia dit dans un souffle :

— Effectivement ?

Tremain se tourna vers elle.

— C'est une affirmation ou une question ?

Julia se replongea dans ses notes.

— Une affirmation, dit-elle d'une voix qui prenait de l'assurance. Descartes pensait que si deux choses pouvaient être séparées, alors elles étaient distinctes, qu'elles soient séparées ou non.

Elle eut droit à son hochement de tête, elle aussi.

— Comme Margaret Wilson le fait observer dans ses critiques.

— Mais toute l'argumentation repose sur une supposition : l'existence d'un Dieu qui sépare les choses, reprit Sebastian.

Aussitôt s'engagea un débat intense au cours duquel personne ne se soucia de Cassie, qui resta muette au bout de son sofa. Mais elle était ravie de ne pas attirer l'attention. Et ce n'était pas la première fois. Elle regardait la pendule, sur la cheminée, égrener le compte à rebours. Elle avait envie de s'enfuir.

— Mademoiselle Blackwell.

Elle redressa vivement la tête. Le professeur Tremain la regardait en arquant un sourcil.

— Que pensez-vous de la thèse de Descartes selon laquelle il n'est qu'une chose pensante ?

— Je…

Cassie baissa les yeux vers son carnet, comme si la réponse était contenue dans ses pattes de mouche griffonnées au hasard. Dans d'autres circonstances – dans une autre vie –, elle aurait savouré l'occasion qui lui était offerte de frimer et d'argumenter, mais toute assurance l'avait abandonnée. En fait, elle était bel et bien dépassée. Son mutisme devenait gênant, voire insoutenable, quand les cloches sonnèrent dix heures. Tremain hocha la tête.

— Bien, dit-il en refermant son dossier relié cuir. Nous irons plus avant dans les *Méditations* la semaine prochaine. Peut-être quelque chose sur erreur et volonté. Relisez Williams, et un peu de Carriero également.

Les autres ramassèrent leurs affaires et sortirent. Cassie allait faire de même quand Tremain la retint d'un ton sec.

— Mademoiselle Blackwell ?

Elle se tourna vers lui et se tint prête. Le professeur Tremain lui présentait son devoir pincé entre le pouce et l'index, comme on tient une chose tout à fait écœurante. Elle s'approcha et prit les feuilles. Elle s'attendait à les trouver couvertes de rouge, mais à sa grande surprise elles étaient vierges de la moindre annotation. Pas de commentaire, aucun mot raturé. Cassie, gênée, regarda le professeur.

— Je pense que nous savons tous les deux que ce serait perdre son temps que de s'embêter avec ça, dit-il en la pénétrant d'un regard noir, sarcastique. Vous auriez mieux fait de ne rien me rendre, si c'était pour montrer un tel amateurisme.

Cassie se sentit rougir.

— Je suis désolée, dit-elle. Je pensais m'en être sortie. J'imagine que je n'ai pas encore trouvé mes marques, ici. Je ferai mieux la semaine prochaine.

— C'est ce que je me disais la semaine dernière. J'ai fermé les yeux sur votre manque d'implication. Mais des devoirs de ce niveau deux semaines de suite, c'est inacceptable.

Cassie sentit le dard de la critique.

— Je suis désolée, répéta-t-elle à voix basse, aux prises avec un sentiment d'échec.

Elle fourra dans son sac les pages offensantes et fit demi-tour. Elle pouvait enfin s'échapper. Mais Tremain l'arrêta de nouveau :

— J'ai lu votre dossier. Je siège au comité qui attribue les bourses à Raleigh. J'avais des doutes à votre sujet. Raleigh offre un environnement universitaire exigeant. Nous ne lui rendons pas service en y admettant des étudiants qui n'ont pas le niveau. Vos camarades, par exemple, auraient dû pouvoir bénéficier d'un autre point de vue dans le débat, au lieu de quoi… Quelle idée leur avez-vous apportée ? Vous étiez comme un spectateur à Wimbledon.

— Je peux faire mieux, protesta Cassie. Maintenant j'ai compris ce que vous attendez de…

Tremain la coupa :

— Il est des choses qui ne viennent pas avec la pratique. Soit vous comprenez les enjeux, et les arguments vous viennent, soit ce n'est pas le cas. Faire semblant est une terrible erreur. N'oublions pas que votre place ici dépend de vos notes. Si nous n'observons aucun progrès rapidement, nous pourrions être amenés à supprimer votre bourse.

Cassie en eut le souffle coupé. Elle ouvrit la bouche pour répondre, mais Tremain se détournait déjà pour fourrager dans une pile de feuilles sur son bureau. À l'évidence, il ne lui restait qu'à se retirer.

Elle bouillait de colère en retournant aux cloîtres. De quel droit Tremain lui parlait-il sur ce ton ? Elle avait côtoyé à Smith la fine fleur de l'enseignement – les mandarins, les désabusés, ceux qui étaient trop occupés par leurs ambitions académiques pour s'embêter avec quelque chose d'aussi trivial que faire cours à de simples étudiants de premier cycle ; mais, pendant toutes ces années, elle n'avait jamais rencontré quelqu'un d'aussi dédaigneux que ce professeur Tremain. Le rôle des tuteurs n'était-il pas d'instruire, d'élever, d'encourager ? Son esprit avait besoin d'être formé, son potentiel d'être exploité... Et Tremain, après s'être penché sur un seul devoir – pire : sur un dossier de demande de bourse ! – avait décrété qu'elle ne méritait pas qu'il lui consacre du temps et la fasse profiter de ses compétences.

Mais sa fureur retomba aussi vite qu'elle était venue, et Cassie se retrouva aux prises avec de nouvelles appréhensions. Elle n'avait pas compris que sa bourse d'étude à l'étranger pouvait lui être retirée. On risquait fort à présent de la réexpédier en Amérique les mains vides, coupée du passé de sa mère, et ce, au moment précis où elle commençait à trouver des pistes.

Il ne pouvait en être question.

*

Cassie, rentrée à la mansarde moulue de fatigue, trouva Evie qui bâillait, vêtue d'une chemise de nuit toute chiffonnée, un téléphone coincé entre son oreille et son épaule nue.

— Envie qu'on aille se chercher un truc à manger ? chuchota-t-elle.

Elle avait sous les yeux des cernes sombres.

— Je suis prête dans dix minutes.

— Je prends une douche en vitesse, répondit Cassie.

Elle n'était pas mécontente de pouvoir se détendre après ce tutorat éprouvant. Ayant réglé l'eau à la température la plus chaude possible, elle resta tête baissée sous le jet. C'était une salle de bains à l'ancienne, avec une baignoire à pattes de lion et un carrelage moutarde qui avait survécu au passage des ans, voire davantage ; mais la douche était moderne, et elle ne tarda pas à emplir la petite pièce de vapeur. Cassie laissa l'eau frapper ses muscles fatigués. Elle s'efforçait de se débarrasser de ses tensions et d'un sentiment de malaise. Un tutorat raté, ce n'était pas plus grave que ça. Le professeur Tremain essayait seulement de lui secouer les puces. Elle n'aurait qu'à s'attaquer aussitôt au prochain exercice en mettant de côté ses recherches sur Margaret.

L'eau très chaude lui fit perdre la notion du temps. Elle se rappela soudain Evie et leur projet de déjeuner. Elle tourna vigoureusement le robinet, se drapa dans une serviette et rassembla ses cheveux mouillés au-dessus de sa tête.

— Désolée, lança-t-elle en sortant de la salle de bains. Le temps d'attraper quelque chose à me mettre et je suis prête.

— Ne te sens pas obligée de t'habiller pour moi.

Une voix masculine, teintée d'un humour ironique.

Cassie se figea après s'être avancée de deux pas dans le séjour, le regard fixé sur des yeux noirs, perçants.

C'était lui.

Cheveux blonds, pommettes saillantes. Il était allongé sur le canapé, parfaitement détendu, sûr de lui. Elle sentit s'accélérer les battements de son cœur. Elle se souvenait de lui. Elle se rappelait leur étrange rencontre sur l'esplanade au cœur de la nuit, et son regard de prédateur lors du cocktail.

Il quitta le canapé et s'approcha d'elle en se présentant :

— Hugo Mandeville.

Ses yeux sombres se posèrent sur les épaules nues, encore humides de Cassie, qui renoua sa serviette. Elle réfléchissait rapidement. Il l'avait suivie jusqu'ici, ou quoi ?

— Tu dois être la coloc dont on parle tant, dit-il avec un sourire. Evie est… En fait, je ne sais pas où elle est passée. Mais la porte était ouverte, alors elle ne peut pas être bien loin.

Evie. Ils étaient amis, alors. Et c'était la raison de sa présence. Il ne venait pas l'accuser d'être entrée par effraction dans les caveaux.

Elle fut soulagée quand il lui tendit doucement la main – une main aux doigts longs et froids, pareils à ceux d'un pianiste, mais dont le contact était incandescent. Elle retira sa main aussitôt pour retenir sa fine serviette serrée autour de son buste. L'idée d'être nue en dessous lui était pénible.

— Et ta main ?

Elle cligna des yeux.

— Comment ?

— Tu t'étais blessé la main, l'autre soir, dit-il en l'observant avec curiosité. Je ne t'ai pas reconnue tout de suite, sans le…

D'un geste, il fit allusion aux couches d'eye-liner et de mascara dont Cassie se couvrait d'ordinaire.

— Tu devrais t'en passer plus souvent, ajouta-t-il en esquissant un sourire. Tu es mieux comme ça.

118

Elle le regardait, surprise par cette remarque. Vus de près, les yeux d'Hugo, frangés de cils épais, mouchetés d'or, formaient un halo étrange autour d'iris d'une noirceur insondable.

— Tu veux quelque chose ? dit-elle, retrouvant enfin sa voix. Je dirai à Evie que tu es passé.

L'amusement anima le visage d'Hugo : il voyait à quel point Cassie était décontenancée.

— Tu ne me proposes pas un thé ? Un café peut-être. Ça ferait plus américain. Non ?

Cassie n'eut pas le temps de répondre : Evie franchissait le seuil de la pièce en éclatant de rire.

— Il n'a pas fait ça !

— Je te jure ! Sur le plancher. Chez Annabelle.

Une autre voix suivait celle d'Evie, celle de la fille qui avait éjecté Cassie sans cérémonie de son premier logement. Olivia.

— Hugo ! s'exclama Evie joyeusement.

Elle avait enfilé par-dessus sa chemise de nuit un pull d'homme de couleur sombre et s'était appliqué sur les lèvres un trait de rouge à lèvres rose vif.

— Timing parfait, dit-elle. Voici ma nouvelle coloc. Elle sort d'un tutorat, la pauvre. Tu te rappelles le temps des tutorats ?

— Si je me rappelle !

Olivia étreignit Evie par-derrière et lui donna un affectueux baiser sur la nuque. Elle portait un jean noir et un élégant tee-shirt laissant voir une épaule. Autour de son cou pendait un enchevêtrement de chaînes en or que Cassie reconnut comme appartenant à Evie.

— Je finis cette année. Tout ce qui m'attend, c'est un sacré paquet de nuits blanches.

Hugo… Cassie se tourna de nouveau vers le garçon. C'était lui qu'Olivia appelait dans l'escalier de Carlton Hall ce fameux jour ! Quand elle l'avait virée de l'appartement… Ils devaient être parents. D'ailleurs, l'air de famille crevait les yeux : ces cheveux aux reflets de miel, ce profil anguleux ; ils n'étaient peut-être pas frère et sœur, mais sûrement du même sang.

— Oh, je t'en prie ! gloussa Evie en écarquillant les yeux d'un air théâtral. Tant que ton directeur de thèse n'est pas toute la journée après toi, tu n'as pas à te plaindre.

Hugo riait.

— Je déteste me mettre en avant, mais ça fait sept ans que je me tape en vain des nuits blanches et des thèses, alors vous n'imaginez pas ce que j'endure.

Il s'approcha d'Evie et lui effleura les lèvres d'un baiser désinvolte.

— Prête ? On y va ?

— Cassie ? dit Evie. Tu viens ?

Cassie hésitait. Un peu plus tôt, elle avait hâte d'aller déjeuner avec Evie ; mais la perspective d'une sortie en groupe, c'était autre chose – surtout en compagnie de cette bande à l'élégance innée, dont ce Hugo avec ses grands airs et son sourire sarcastique. Elle déclina :

— Non, il faut encore que je m'habille…

Olivia saisit Evie par le bras et brandit son téléphone.

— Evie ! Viens voir !

— Mesdames ! soupira Hugo. On ne pourrait pas aller quelque part où on sert du café ? Avant que je ne sois frappé de vieillesse et de lassitude. On ne va quand même pas rester ici encore cent sept ans !

— C'est ta faute, cousin, dit Olivia en lui donnant une petite tape aimable quand il passa devant elle. Papa a dit que si tu te décidais à en finir avec cette fichue thèse, et à obtenir ton diplôme…

— Ah ! pourquoi je ferais ça ? Alors qu'il y a tellement de distractions partout ?

Il prit Evie dans ses bras et enfouit son visage dans son cou. Elle gloussa en protestant, mais son sourire disait combien elle était ravie. Le regard d'Hugo croisa un instant celui de Cassie par-dessus l'épaule d'Evie. Il lui adressa un sourire charmant, un bref échange que Cassie ressentit comme dangereusement intime et auquel elle mit fin en se détournant.

Pressé par Hugo, le groupe gagna l'escalier dans une bousculade. Evie se retourna, prise d'un remords.

— Cassie, tu ne veux vraiment pas venir ? On t'attend à la loge, si tu veux. De toute façon, je dois aller chercher mon courrier.

— Non, ça ira, répondit Cassie avec un sourire forcé.

Elle regagnait déjà sa chambre. Elle n'avait qu'une envie : être séparée d'Hugo par une porte fermée à clef.

— Je suis trop fatiguée. Je vais m'écrouler.

— Entendu. Alors sors avec nous ce soir, insista Evie qui avait toujours les joues rouges et les yeux brillants. On va prendre un ou deux verres chez Freud. Tu devrais te joindre à nous.

— Non.

La réponse était tombée sèchement, mais Cassie se dépêcha de prendre un ton plus doux :

— J'ai un rendez-vous. Une autre fois.

— Oh ! j'ai oublié de te demander, reprit Evie en clignant des yeux. Ton tutorat, c'était comment ?

— Bien, dit Cassie calmement. Ça s'est bien passé.

— Alors tu vas pouvoir dormir tranquille !

Elle lui envoya un baiser. L'instant d'après, elle était partie. Son rire résonna dans l'escalier puis monta jusqu'aux fenêtres quand le groupe déboucha dans la cour. Cassie les regarda s'en aller, Evie et Olivia bras dessus bras dessous, penchées sur le téléphone d'Olivia, et Hugo s'adaptant à leur rythme. Leurs cheveux brillants et frémissants capturaient les rayons du soleil ; le bonheur éclatait dans leurs voix.

Pour la première fois depuis longtemps, Cassie sentit la morsure de la solitude.

10

Elle n'avait eu l'intention de se reposer qu'un court moment. Mais quand elle se réveilla, la lumière faiblissait derrière les fenêtres. Elle fit lentement glisser ses pieds vers le plancher. Elle avait encore rêvé de l'Indiana : elle jouait dans le verger pendant que sa mère chantait en même temps que la radio, tout en écossant les haricots du dîner. Son deuil, dans cette chambre vide et froide, devenait tout à coup une réalité palpable, pesant dans sa poitrine. La nostalgie du passé. Cassie n'avait cessé de la tenir à distance toutes ces années, de la repousser dans un coin toujours plus au fond de son cœur, à l'écart de sa vie quotidienne.

En plein désarroi, elle chassa les brumes du sommeil. Elle devait aller remplacer Elliot à la Radcliffe Camera.

Elle le trouva qui faisait les cent pas devant le bureau de prêt.

— Te voilà, dit-il, impatient. Super ! Bon, je te fais faire le tour.

Il la précéda dans un couloir voûté menant aux profondeurs secrètes du bâtiment. Cassie vit en traversant les coulisses de la bibliothèque que les pièces de service étaient beaucoup moins grandes que les salles de travail principales. La direction consacrait manifestement les fonds qui lui étaient alloués à l'entretien des élégantes salles de lecture et des luxueux tapis habillant les escaliers aux lignes courbes, et non à celui des pièces dévolues au stockage, qui s'étendaient en labyrinthe et restaient invisibles aux yeux des lecteurs. Elliot entraîna rapidement Cassie dans le dédale sans fin des couloirs de pierre et, par de périlleux escaliers en spirale, dans des salles souterraines et sonores. L'endroit ressemblait aux caveaux, mais à plus vaste échelle : ce dépôt grand comme un terrain de football était rempli de centaines de milliers de volumes alignés sur des rayonnages qui s'étendaient à perte de vue.

— Tu prends tes fiches de consultation, tu regardes dans le système et tu vas chercher les documents, expliqua Elliot en consultant sa montre. C'est à la portée d'un singe bien entraîné… Ne le prends pas mal.

— Pas de problème, répondit Cassie.

La bibliothèque était calme, réchauffée par l'éclairage des lampes murales. C'était confortable. Cassie se sentait en sécurité comme dans un abri, loin de Raleigh et du regard perçant d'Hugo.

— Ça ira. Tu devrais filer à ton rendez-vous.

— D'accord, dit Elliot en regardant autour de lui. Je crois que je t'ai tout expliqué. Je serai de retour avant minuit. Ah ! j'oubliais. Je me suis renseigné sur ton amie, Margaret…

— Vraiment ?

Elle retint son souffle, son cœur s'emballait soudain.

— Tu as trouvé quelque chose ?

— Dis-moi que je suis le roi des caveaux ! se vanta Elliot en récupérant sous la table de prêt un mince dossier. Un de mes plus beaux exploits, s'il m'est permis de le dire moi-même. Surtout en si peu de temps.

Cassie s'empara vivement du dossier.

— Merci. J'apprécie, tu sais.

— Espérons que mon rendez-vous en vaudra la peine, reprit Elliot. Et tâche de ne pas mettre le feu à la maison en mon absence.

Il la salua et partit.

Cassie prit un siège derrière la table. La bibliothèque était calme. Même les universitaires les plus endurcis avaient mieux à faire, le vendredi soir, que de venir s'enfermer au milieu des livres et de la poussière. Elle était seule avec le passé.

Et Elliot n'avait pas menti : il avait fait du bon travail. Il avait commencé par la source la plus pratique : ces mêmes annuaires que Cassie avait épluchés sans résultat. Mais en cherchant le nom Margaret Madison, il avait fait des découvertes. D'abord, le visage de sa mère au dernier rang d'une photo de groupe un jour d'inscription – parmi les étudiants alignés sous la tour de Raleigh, exactement comme Cassie elle-même au début du trimestre. Ensuite, le nom de Margaret sur la liste des joueurs de hockey. Il y avait aussi la trace d'une récompense pour une dissertation d'anglais, et d'un poème en guise de légende d'une photo de l'université en hiver. Elliot avait également enrichi sa récolte en puisant à des sources dont Cassie ignorait jusqu'à l'existence : des compositions de groupe selon les sujets d'étude, des listes de numéros de chambre indiquant que Margaret avait logé au-dessus de West Quad, des noms de tuteurs, des activités sportives, des coupures de presse avec des résultats de compétitions. Il avait déniché une photo d'elle dans un groupe de filles revêtues de déguisements assortis et rentrant échevelées d'une vente de charité.

Cassie consulta tous les documents. Enfin un véritable aperçu de la vie de sa mère, et si animée qu'elle pouvait l'imaginer sans peine : elle la voyait éclater de rire sur le campus entre les cours, traîner au bar avec ses condisciples jusqu'à des heures tardives. Une vague de chagrin l'envahit. La femme qu'elle avait connue était solitaire, angoissée, mal à l'aise en public, incapable de nouer des relations, quelle que soit la ville dans laquelle elles débarquaient ou le genre de crise qui s'annonçait. Pourtant, elle était bel et bien là. Elle paraissait normale et gaie, comme n'importe quelle étudiante de première année débordant d'excitation devant les possibilités qui s'offraient à elle.

Cassie n'avait jamais vu sa mère ainsi ; et cela n'arriverait jamais.

*

La soirée se passa sans encombre, animée seulement par les rares chercheurs qui souhaitaient consulter des documents. Cassie eut le temps d'étudier le dossier en attendant le retour d'Elliot. Il arriva peu après minuit, pour la fermeture. Ses joues étaient toutes rouges, et son sweat-shirt débraillé.

— C'était bien ? demanda-t-elle d'un ton moqueur.

— Un gentleman sait garder ses secrets d'alcôve, répondit-il avec un clin d'œil.

Il considéra le dossier étalé sur la table.

— Ça t'a aidée ? Comme je le disais, c'était juste un début. La prochaine fois, je pense pouvoir te dresser la liste de ses condisciples. Peu d'étudiants se sont inscrits cette année-là. Ils n'étaient que dix en cours d'anglais. Trouver quelqu'un qui l'a connue ne devrait pas être compliqué.

Cassie se taisait. Elle était restée discrète sur ses recherches jusqu'à présent, mais maintenant la curiosité l'emportait.

— Ce serait bien, approuva-t-elle. De toute façon, j'ai là exactement ce dont j'avais besoin.

— Je te dirai quand j'aurai trouvé autre chose, dit Elliot en parcourant la salle du regard. Pas de problème, ce soir ?

— Rien à signaler.

Elle enfilait son manteau.

— Des ados se roulaient des pelles dans la salle égyptienne, mais je leur ai fichu la paix. Les retours, tu m'avais dit de te laisser t'en charger, mais comme je n'avais rien à faire, je les ai enregistrés et je suis descendue les remettre en rayon.

Elliot la regardait.

— Ça, c'est de l'efficacité ! Tu sais, si ça te chante de jouer les esclaves pour gagner une misère, on cherche quelqu'un pour remplacer le bibliothécaire qui vient de me faire faux bond parce qu'il trouvait l'environnement de travail hostile…

Il leva les yeux au ciel.

— Bref, tu as le job si ça t'intéresse.

— Ça m'intéresse, répondit Cassie sans hésiter.

Ses économies et sa bourse d'études ne dureraient pas éternellement. Et même si Raleigh n'appréciait guère, officiellement, que ses étudiants travaillent pendant leurs études, ils ne verraient sûrement pas d'un mauvais œil un emploi dans cette respectable bibliothèque. Et elle pourrait ainsi accéder aux archives quand bon lui semblerait.

— J'en parle au patron, reprit Elliot en bâillant. Il te fera venir pour un entretien en bonne et due forme. Et maintenant, sauve-toi avant que je te demande de tout ranger.

— Bonne nuit.

Elle s'éloignait quand Elliot la rappela :

— Sois prudente. Ils ont retrouvé une fille au bord de la rivière, récemment. Morte étranglée.

Cassie s'arrêta.

— Une étudiante ?

Il haussa les épaules.

— Je ne sais pas. Une fille du coin, je crois. Mais la ville est très dangereuse. Alors, fais attention.

— T'inquiète, dit Cassie d'un ton rassurant. Je fais attention à moi.

*

Elle était presque arrivée chez elle quand elle se rappela qu'elle avait prévu de faire des courses : il n'y avait plus rien à manger à la mansarde. Le sac à l'épaule, elle continua vers le nord, passa le pont Magdalena et remonta Cowley Road, une rue qui serpentait à travers les quartiers périphériques. Le long des larges voies au bitume crevassé, où grondait le trafic des voitures et des bus, s'alignait tout un patchwork de boutiques crasseuses tenues par des Indiens, ouvertes jour et nuit – sans parler des supermarchés et des dépôts de charité qui proposaient des appareils ménagers à prix cassé et des repas.

Cassie marchait d'un pas vif. Elle avait encore en tête la mise en garde d'Elliot. Cet Oxford-là était très éloigné de la ville aux élégants clochers, mais elle était soulagée d'avoir changé de décor. Ses pensées, loin de la bibliothèque, la ramenaient sans cesse à celui qu'elle aurait voulu oublier : Hugo. Le souvenir du garçon dans la mansarde cognait à la porte de son esprit. Elle revoyait son regard sombre et perçant, son sourire détaché et narquois, comme s'il connaissait un secret qu'il ne révélerait pas.

Elle chassa cette image au moment de franchir le seuil d'un grand supermarché éclairé au néon. Elle avait trouvé ce magasin lors d'une précédente exploration, et il était à moitié vide à cette heure. Seuls quelques clients poussaient leur Caddie entre les rayons des larges allées. Cassie prit un panier et commença de déambuler en le remplissant de produits bon marché : des pâtes, des sauces en boîte, des bas morceaux susceptibles d'être congelés ou mélangés à une préparation nourrissante. Elle alla aux caisses et vida son panier sur le tapis. L'employée, une ado aux cheveux décolorés, bayait aux corneilles, frappée d'ennui. Elle entreprit de passer les achats. Cassie garda un œil sur le déroulé de l'addition.

— Comme on se retrouve…

Elle se retourna. C'était le jogger, il faisait la queue derrière elle. Il sourit en déposant son panier sur le tapis.

— Charlie, dit-il. Vous me remettez ? Vous, c'est Cassie.

Elle le toisa. Il portait une tenue décontractée : jean et tee-shirt délavé tendu sur ses bras musclés, bronzés. Sa parka s'ouvrait sur un logo des Rolling Stones à demi effacé. Et les articulations de sa main droite présentaient des croûtes en voie de guérison. Il balaya d'un regard souriant les achats de Cassie :

— On ne vous a jamais conseillé de manger des légumes ? Vous allez attraper le scorbut avec ça.

— On ne vous a jamais conseillé de vous occuper de vos affaires ?

Il éclata de rire, nullement déstabilisé.

— Des fruits vous aideraient aussi à vous débarrasser de votre mauvaise humeur. La chimie du bonheur, tout ça.

Elle considéra ses courses à lui : deux packs de six bières et un paquet de chips.

— Vous m'avez l'air bien placé pour donner des leçons de diététique.

Il se frappa la poitrine.

— Touché ! Elle m'a blessé.

Cassie s'efforça de ne pas rire.

— Vingt-deux soixante-dix, bâilla la jeune caissière.

Cassie se tourna vers elle. Ayant compté avec soin les billets étrangers, elle rangea ses achats dans son sac.

— Un coup de main ? proposa Charlie en s'avançant.

— Ça ira, répondit Cassie.

Elle hissa le sac sur son épaule.

— Comme vous voudrez.

Il adressa un clin d'œil à la caissière.

— La femme moderne. Elle fait tout elle-même. Bientôt elles n'auront plus du tout besoin de nous.

Au cœur de la nuit, les rues étaient sombres et calmes. Les néons des réverbères clignotaient au-dessus des voies que sillonnaient parfois les phares d'une voiture. Cassie, ayant refermé sa veste pour se protéger du froid, reprit la direction de l'université. Elle n'avait pas fait la moitié du chemin qu'elle entendit qu'on l'appelait.

Charlie se dépêchait de la rattraper. Un sac en plastique se balançait à son bras.

— Où allez-vous ?

— Je rentre.

Elle espérait qu'il avait compris le message, mais quand elle se détourna pour se remettre en route, il lui emboîta le pas et ses longues enjambées se réglèrent sur celles de Cassie.

— Moi aussi. Quelle coïncidence…

Il tira de sa poche un paquet de cigarettes écrasé et lui en offrit une.

— Je ne fume pas.

— Moi non plus, dit-il d'un ton approbateur, en haussant les épaules.

Il prit une cigarette dans le paquet et sortit un briquet. Il inhala une longue bouffée de fumée.

— J'ai arrêté il y a six mois. C'est une saloperie, ce truc. Ça vous tue un jour ou l'autre.

Cassie continuait de marcher rapidement, mais Charlie ne la quittait pas d'une semelle. Au tournant, voyant qu'il la suivait, elle s'arrêta brusquement :

— Vous faites quoi, là ?

— Je vous raccompagne, répondit-il d'un ton neutre. Le coin n'est pas sûr la nuit.

— Non.

— Non, quoi ?

Il rigolait de nouveau.

— Non à tout, répliqua Cassie.

Elle connaissait le topo. Il allait la raccompagner, ensuite il se planterait devant l'entrée, demanderait à

131

monter boire un café ou à visiter l'appart. Elle devrait se sentir redevable, être son obligée, être impressionnée par son charmant baratin et ses pressantes attentions. Dès lors, elle n'aurait plus qu'à lui donner tout ce qu'il voulait.

— Mais ça ne finira pas dans ma chambre, on est bien d'accord ?

Une expression amusée flotta sur le visage de Charlie.

— Ne vous faites pas d'idées. J'ouvre l'œil et le bon, c'est tout. Vous n'imaginez pas le genre de sales bêtes qui hantent ces parages, planquées dans l'ombre.

Elle eut un petit rire dur.

— Je n'ai pas peur de vos sales bêtes. C'est vous qui refusez de me laisser tranquille.

Il prit un air blessé.

— Oh ! pas la peine de le prendre comme ça.

— Quoi ? soupira Cassie.

Il était tard. Elle se sentait trop fatiguée pour ce genre de choses.

— Je ne vous connais pas, dit-elle. Je ne sais rien de vous. Vous êtes juste un mec qui n'arrête pas de se mettre sur mon chemin. Et maintenant, vous me suivez chez moi. Vous devez être du genre à abandonner mon corps dans la rivière.

— Hé ! protesta-t-il. Ce n'est pas ça du tout. J'ai la police d'Oxford derrière moi, vous savez.

Il sortit un étui à insigne, l'ouvrit et le lui présenta.

— Agent Charles Day.

Elle regarda l'insigne sous la mauvaise lumière, scruta la photo d'identité et le timbre officiel, renifla.

— Être flic ne vous rend pas inoffensif. D'après mon expérience, vous faites partie des mecs dont il vaut mieux se méfier.

Le sourire de Charlie disparut.

— Vous n'êtes pas obligée de m'envoyer des vacheries.

— Ah bon ? répliqua-t-elle. Je vous ai demandé de m'adresser la parole ? De me suivre ? Je peux m'occuper de moi toute seule.

— Aucun doute là-dessus.

Il haussa les épaules, maussade, les mains au fond des poches. Toute joie s'était effacée de ses traits. C'est tout juste si elle ne l'avait pas blessé.

— J'essayais seulement d'être gentil.

— Ce n'est pas la peine, dit-elle fermement.

Et elle s'éloigna rapidement dans la rue déserte. Ses pas pressés claquèrent sur le trottoir sombre. Cette fois, Charlie la laissa partir. Elle traversa un autre carrefour abandonné. Elle bifurquait vers le pont quand un bruit de pas retentit à nouveau derrière elle. Elle se retourna, prête à crier après Charlie, mais il n'y avait personne, seulement un chat de gouttière occupé à fouiller des ordures dans le caniveau.

Cassie frissonna. Elle resserra davantage son blouson et repartit au pas de course vers les lumières de la ville.

11

Cassie fut réveillée par des cris.

Elle leva la tête, sonnée. Elle s'était endormie sur sa table, bras écartés sur ses textes de philosophie. Une feuille noircie de notes était collée à sa joue par un mélange d'encre et de bave. Elle décolla la feuille en bâillant, la réalité et ses rêves toujours entremêlés.

On cria de nouveau.

Cassie vacilla sur ses pieds. Le bruit venait de la chambre d'Evie. Il augmenta encore. Cassie s'approcha : des cris et des plaintes, des murmures plus faibles, inintelligibles.

Elle frappa à la porte.

— Evie ? Tout va bien ?

Pas de réponse, seulement un autre cri brusquement interrompu. Cassie ouvrit la porte. Elle s'attendait à une scène de lutte. Mais Evie était seule. Elle dormait, éclairée par un flot de lumière au néon traversant la fenêtre ouverte. Sa chemise de nuit trop grande était tout entortillée. Elle avait rejeté les couvertures en se débattant contre un agresseur inconnu.

Cassie vint rapidement à son chevet.

— Evie, chérie, tout va bien.

Elle lui secoua l'épaule en douceur pour ne pas l'arracher trop brutalement à ses songes.

— Evie, réveille-toi.

Evie recula à ce contact et se réfugia de l'autre côté du lit. Elle se recroquevilla et serra les genoux contre sa poitrine. Elle sanglotait et balbutiait des propos inintelligibles.

— Evie !

Cassie la secoua plus fort en élevant la voix, criant presque.

— Réveille-toi !

Evie se réveilla, haletante. Elle cligna des yeux. Tout son corps tremblait, et ses yeux scrutaient l'obscurité.

— Tout va bien, dit Cassie.

Elle alluma la lumière, emplissant la chambre d'une clarté chaude. Les ombres battirent en retraite.

— C'est moi. Tu as fait un cauchemar, mais c'est fini.

Evie reprenait son souffle. Elle se cramponna à la main de Cassie, tandis que ses yeux s'accommodaient lentement à la lumière.

— Un cauchemar ? dit-elle d'une voix encore mal assurée.

— C'était juste un rêve.

Cassie lui caressait gentiment l'épaule.

— Ça ira ?

Evie hocha légèrement la tête.

— Oui. Oui, je pense…

Cassie recula. Sans s'en rendre compte, elle avait retenu son souffle elle aussi.

— Oh ! tu es gelée… dit-elle en se relevant.

Il faisait froid dans la chambre. Cassie en avait la chair de poule. Elle alla fermer la fenêtre.

135

— Tu ne devrais pas dormir avec la fenêtre ouverte, tu vas prendre froid.

Dehors, les premières lueurs de l'aube franchissaient l'horizon au-dessus d'Oxford. Cassie attacha les rideaux et se tourna vers Evie, toujours dans son lit, recroquevillée, perdue. Un épais peignoir de bain pendait derrière la porte : Cassie le décrocha et s'en servit pour envelopper les épaules d'Evie.

— Si je nous préparais du thé ? Du thé avec ces biscuits marrants, les Choco Leibniz. Je vais faire bouillir de l'eau.

Cassie aida Evie à s'installer dans le canapé du salon, blottie dans son peignoir sous une vieille couverture de laine trouvée dans l'armoire. Elle alluma toutes les lampes, emplissant la mansarde d'une clarté chaleureuse qui sembla pénétrer Evie et lui redonner des couleurs. Cassie s'affaira dans la kitchenette.

— Le remède universel, pas vrai ? dit-elle en revenant avec un plateau.

Evie souriait – avec plus de conviction, cette fois. Elle tendit la main vers sa tasse.

— À condition que ce soit du vrai thé, approuva-t-elle. Pas un de ces trucs aux pétales de rose.

Pendant un moment, elles burent en silence. Cassie prit un biscuit nappé de chocolat, le trempa doucement dans son thé. Elle avait vu faire les clients du café à la librairie. L'idée consistait à tremper le gâteau dans le liquide chaud assez longtemps pour que le chocolat commence à fondre, mais pas trop longtemps pour que le biscuit ne se brise pas. En se concentrant sur ce simple geste, elle parvint à se détendre. Les cris avaient renvoyé Cassie à ses nuits d'autrefois, quand sa mère hurlait, bafouillait et se précipitait sur elle pour la réveiller et la tirer du lit. C'était la faute des médicaments, on ne cessait de le lui répéter. Mais l'enfant n'était guère rassurée quand les hurlements de sa mère traversaient les minces cloisons.

— Tu fais souvent des cauchemars ? demanda-t-elle.

Evie secoua la tête.

— Je n'avais pas l'habitude d'en faire, mais…

Elle soupira. Ses mains fines et menues s'agrippaient à son mug.

— Ça doit être le stress. Mon directeur de thèse insiste pour que j'oriente mes recherches sous un certain angle, mais j'ai seulement les grandes lignes, et il y a les cours…

Elle se tut, accablée. Cassie comprenait. Elle-même se tourmentait assez pour ses propres devoirs. Pourtant, ce n'était rien comparé à la charge de travail d'Evie ! Elle, elle préparait une thèse, ce qui impliquait de nombreuses recherches et des heures d'enseignement. Cassie suggéra, prudente :

— Ce ne serait pas le moment de faire un peu moins la fête ?

Evie continuait de se perdre dans le tourbillon de ses soirées avec Olivia, Hugo et leur bande chic et branchée. Des déjeuners tous les jours, des après-midi entiers passés à l'autre bout de la ville, à la très sélect Oxford Union. Cassie avait cru que le nombre de virées nocturnes diminuerait ou du moins se limiterait aux week-ends, mais Evie continuait de rentrer à point d'heure presque tous les soirs. Il suffisait d'ailleurs de la regarder de près, non maquillée, pour voir qu'elle en payait le prix : sous ses yeux s'étaient installés de grands cernes sombres, et sa peau avait perdu son éclat.

Evie eut un sourire chagrin.

— Si, sans doute. Je ne sais pas comment les autres se débrouillent. L'habitude, j'imagine. Tu sais qu'Hugo est sur sa thèse depuis maintenant cinq ans ?

Cassie tressaillit en entendant ce nom.

— Qu'est-ce qui l'empêche d'avancer ?

— Je ne sais pas. Il n'aime pas trop en parler.

Evie souriait. Son affection pour lui était manifeste.

— Tu devrais venir prendre un verre avec nous, un de ces quatre. Il me dit toujours de t'inviter.

— J'ai assez à faire comme ça, dit Cassie, préférant botter en touche. Cette semaine, c'est à mon tour de présenter mon devoir et je n'ai pas envie d'offrir à Tremain une nouvelle occasion de me mettre en pièces.

— Ça n'arrivera pas, dit Evie pour la rassurer. Je t'ai vue bosser. Il ne pourra pas te coincer.

— Espérons, dit Cassie en s'efforçant de sourire. Tu as envie qu'on se fasse une journée travail, toutes les deux ? Il doit pleuvoir, cet après-midi. Je vais aller courir, mais après, ce sera boulot boulot.

— Je ne sais pas trop…

Evie se mordillait la lèvre.

— En principe, je dois retrouver les filles pour déjeuner. Ensuite, on doit aller faire les boutiques, choisir les robes pour les soirées dansantes de Noël… Mais tu as raison. Si j'arrive à faire un plan, mon directeur de thèse me lâchera peut-être les baskets. Et j'aurai plus de temps pour m'amuser le week-end.

— Alors ça marche, dit Cassie, satisfaite qu'Evie accepte de lever le pied. Je rapporterai de quoi manger en rentrant. Ça va être sympa.

*

Cassie fit un jogging intensif. Elle courut le long de la rivière, la vapeur de son souffle s'élevant dans l'air. Ses semelles frappaient le sol dur, désormais gelé. Elle se vida la tête en se concentrant uniquement sur sa respiration et sur les douleurs bénéfiques qui envahissaient ses membres. Le temps de faire le tour par les champs et de revenir à l'entrée de la fac, le froid avait engourdi son visage et ses muscles imploraient pitié. Elle se pencha en avant pour récupérer. Elle haletait encore. Les cloches sonnèrent. Sept heures. Son pouls recouvra peu à peu un rythme normal.

— Quel temps il fait, dehors ? lui demanda Rutledge, le vieux gardien, quand elle franchit le seuil de la loge pour aller relever son courrier.

— Comme d'habitude, dit Cassie en lui rendant son salut. Plus froid, peut-être.

Il gloussa puis la prévint, sans cesser de trier rapidement ses colis :

— Attendez janvier, quand ils casseront la glace pour que les rameurs puissent continuer de s'entraîner.

Il avala une gorgée de café dans son mug au logo de Raleigh et hocha la tête en voyant qu'elle froissait des courriers indésirables.

— Des nouvelles de chez vous ? demanda-t-il.

Cassie fit semblant de rire.

— Non. Je n'ai pas de chez-moi.

— Désolé de l'apprendre, répondit Rutledge.

Aussitôt, elle comprit son erreur. La lettre d'intention qu'elle avait rédigée pour entrer ici mentionnait des parents dévoués, adorés, pressés de la voir rentrer en Amérique. C'était juste un petit faux pas sans importance, mais on n'est jamais trop prudent. Elle se hâta de rectifier :

— Je veux dire, ils sont trop occupés. On se parle beaucoup au téléphone.

— La technologie moderne… médita Rutledge d'un air perplexe. Je me rappelle encore quand les lettres mettaient trois semaines à arriver. Maintenant je discute tout le temps par Skype avec ma nièce qui vit en France.

Il but une autre gorgée de café.

— Mais d'où venez-vous, au fait ? De Boston, c'est bien ça ?

Elle secoua la tête.

— De l'Indiana. Le Midwest. Mais on a pas mal déménagé.

— Qu'est-ce qui vous a donc amenée de si loin ?

Elle lui adressa un sourire et fit demi-tour pour s'en aller.

— Pourquoi vient-on à Raleigh ? Pour son histoire.

Elle quitta le corps de garde et gagna la rue principale. Un peu plus loin se trouvait Harvey. Pour les étudiants de Raleigh, cette sandwicherie était un repère aussi essentiel qu'Ahmed l'était la nuit, avec son van et ses kebabs. C'est Evie qui le lui avait fait connaître, et depuis elle n'avait pas trouvé mieux pour un repas bon marché – à défaut d'être nourrissant. Elle faisait souvent un détour pour s'y arrêter en rentrant de son jogging. Il suffisait de faire la queue devant la petite devanture embuée puis de profiter d'un bon petit pain œuf-saucisse, avec une tonne de ketchup, pour le petit déjeuner.

La queue, ce jour-là, se réduisait à quelques personnes. Cassie prit sa place et se concentra sur le travail qui l'attendait. Le prochain tutorat avec Tremain aurait lieu le lendemain matin. Elle espérait venir à bout de son devoir et le déposer avant ce soir, ce qui lui permet-trait de passer une longue nuit de repos dont elle sorti-rait en forme, prête à défendre son texte.

Cette fois, elle prouverait à Tremain qu'il avait tort. Il pensait que Cassie faisait perdre du temps aux autres et qu'elle n'était pas au niveau de ses camarades, mais elle savait que c'était faux. Certes, elle n'avait pas fré-quenté les meilleures écoles, comme eux, ni suivi de cours particuliers. Elle n'avait pas non plus bénéficié de coûteuses heures de soutien scolaire. Mais elle pou-vait très bien s'en sortir toute seule.

Elle n'avait pas le choix, d'ailleurs. Avec cette menace d'exclusion qui planait maintenant au-dessus de sa tête, l'enjeu devenait trop important pour qu'elle accumule les mauvais résultats. Elle ne se laisserait pas impressionner par les sarcasmes de Tremain. D'une façon ou d'une autre, il allait devoir changer d'avis.

Cassie progressait lentement, mais elle parvint enfin à hauteur du comptoir vitré et des bacs emplis de fines tranches de salami, de poulet aux légumes et de salades trempées d'huile. Le grill grésillait derrière le comptoir. Comme dans un ballet, les vendeurs tournaient les uns autour des autres, cassaient des œufs au-dessus de la plaque noire à grands gestes professionnels, servaient et faisaient glisser les plats à mesure qu'arrivaient les commandes. Ils mirent à peine deux minutes à préparer celle de Cassie.

— Et le bal de Merton ?

Deux filles marchaient devant elle. Elles n'avaient aucun effort à fournir pour avoir l'air chic, même engoncées dans leurs vêtements d'automne. Elles avaient noué autour de leur cou l'inévitable foulard de Raleigh. Leur échange parvenait aux oreilles de Cassie.

— Pas cette année. C'est d'un ennui depuis que Freddie et sa bande ont eu leur diplôme.

— Et ton cher professeur ?

— Ah oui, c'est vrai. Oups !

Elles rirent. Cassie vit que l'une d'elles était Olivia Mandeville. L'autre, une fille aux cheveux noirs, lui était inconnue. Comme elles s'arrêtaient au feu rouge, Olivia se retourna et reconnut Cassie juste derrière elle.

— Tiens, salut !

Sans lui laisser le temps de réagir, elle s'élança pour lui faire la bise sur les deux joues. Ses yeux bleus brillaient, et son visage était rougi par le froid.

— Alors, tu as découvert Harvey !

Elle faisait allusion à l'emballage brun qui fumait dans l'air froid.

— Il faut que tu goûtes leur bacon-brie, c'est divin.

Elle se tourna vers l'autre fille.

— Paige, voici Cassie. La coloc d'Evie.

— Ah ! bien sûr, dit Paige en toisant Cassie avec beaucoup de curiosité. Ravie de te connaître.

Le feu passa au vert, et Cassie traversa bientôt le carrefour avec elles puis marcha vers l'imposante entrée de l'université.

— Comment tu trouves, jusqu'ici ? demanda Olivia. Evie m'a dit que tu faisais un PPE.

Le ton était amical, à mille lieues des sourires calculés dont elle avait gratifié Cassie à leur première rencontre.

— Disons que c'est… une expérience, répondit Cassie d'une voix neutre.

Olivia riait.

— Il faut que tu sortes avec nous un de ces soirs. Il y a toute une facette de la ville que tu n'as pas vue. Et

Evie, au fait, où est-elle ? On devait se retrouver pour déjeuner ensemble.

— Elle n'est pas en forme, dit Cassie.

Elles entraient dans la cour. L'agitation étudiante régnait sur le campus. Un premier groupe de touristes se rassemblait sous l'œil vigilant de Rutledge, dans l'attente d'un guide.

— Dommage. Il faut qu'on aille la réconforter avec un colis humanitaire ?

— Plus tard peut-être, dit Cassie. Je crois qu'elle a prévu de se reposer aujourd'hui.

— Cette saloperie de grippe, soupira Olivia. Les gens tombent comme des mouches. Transmets-lui nos amitiés, d'accord ?

Les filles bifurquèrent vers les cloîtres et passèrent devant la loge en attirant l'attention des touristes. Cassie les regarda s'éloigner. Non seulement Olivia avait un côté séduisant, mais en plus elle inspirait confiance. Toujours détendue et sûre d'elle, elle étincelait comme une pierre précieuse sur un fond de grisaille et de laisser-aller étudiant.

Ce genre de filles l'avait toujours fascinée. Tout comme la facilité avec laquelle le monde s'ouvrait à elles. Ici, à Oxford, le phénomène était encore amplifié : les anciens des vieilles écoles privées et les copains d'internat se baladaient en ville comme en terrain conquis. Et c'était peut-être le cas, du reste : ils avaient en partage un confort et une sécurité dont les autres devaient se passer. Les vacances ensemble, les premières soirées à siffler des bouteilles de champagne remontées en douce de la cave des parents… Leurs vastes réseaux d'amis, de cousins et d'anciens condisciples étaient si étendus qu'ils ne risquaient en aucun cas d'être confrontés à de parfaits étrangers. Cassie leur enviait cet avantage, et la certitude d'avoir leur place dans ce monde. Jamais ils n'auraient à affronter l'inconnu qui vous juge d'un regard, ni à s'angoisser pour le respect de l'étiquette au moment de commander un plat lors d'un dîner ou d'une soirée mondaine.

Personne ne leur dirait jamais qu'ils n'étaient pas assez bons, pas de la famille.

*

Cassie arriva à la mansarde en même temps que la pluie : la bruine cédait la place à des trombes d'eau. Elle ouvrit la porte de l'appartement pour trouver une Evie plus conforme à sa personnalité habituelle. Vêtue d'un extravagant chandail en cachemire et d'une longue jupe en laine, elle papillonnait d'une pièce à l'autre, les bras chargés de dossiers et de papiers qu'elle empilait dangereusement sur la table basse.

Cassie ôta son sweat-shirt trempé et le mit à sécher sur le radiateur.

— J'ai besoin d'une vue d'ensemble, déclara Evie.

Elle se délivra d'une autre pile de feuilles volantes. Les pages tremblèrent sous le choc et glissèrent jusqu'au sol.

— Je perds trop de temps à me laisser piéger par les détails. Il faut que je sache si tout ça tient, où Raleigh et le groupe voulaient en venir, quel était leur programme. Au lieu de m'arrêter aux menus faits historiques. Quand j'aurai compris leur objectif, je tiendrai le mien : une grosse thèse sur une ambition intellectuelle, et sur ses liens avec la Couronne et l'Église. Ils étaient à l'avant-garde de tout : les sciences, les arts, la littérature… Et ça se passait ici, à Oxford. Il faut que je découvre le lien qui les unissait, et comment ce lien a marqué l'évolution de la pensée.

Evie se tut.

— Pardon. J'ai besoin d'une oreille pour m'écouter, c'est tout…

— Je t'écoute, vas-y, dit Cassie, tout sourire.

Elle était ravie de voir qu'Evie avait les joues rougies par la détermination ; ses yeux n'étaient plus hantés par des ombres, mais par des étincelles de vie. Et le temps, dehors, avait beau être humide et nuageux, leur mansarde baignait dans la lumière des lampes. Le petit appartement s'emplissait d'agitation et d'activité. Les fantômes de la nuit n'étaient plus qu'un souvenir lointain.

Cassie se débarrassa de ses plats à emporter et s'approcha de la table où reposaient des photocopies d'archives et de vieux tapuscrits écornés.

— J'ai trouvé des devoirs écrits par une jeune étudiante, expliqua Evie. Ils remontent à des années. Elle étudiait les mythes et les théories du complot sur l'École de la Nuit, mais elle m'a conduite à une autre source d'archives. Du nouveau ! Ça dormait dans les caveaux depuis des dizaines d'années, imagine ! S'il n'y avait pas eu cette effraction, l'autre semaine, personne n'en aurait jamais soupçonné l'existence.

— Contente que tu aies trouvé quelque chose, dit Cassie avec un sourire dissimulé.

— Pas encore, mais ça vient.

Evie soupira et considéra ses piles de notes.

— Enfin…

Elle secoua vivement la tête, comme pour s'arracher à une humeur contemplative, et se dirigea vers la cuisine.

— Oh ! tu as acheté à manger ! Merci beaucoup !

— Aucun problème.

Cassie la rejoignit et prit des assiettes sur l'égouttoir à vaisselle. Elle défit l'emballage, dégagea les serviettes en papier. Son sandwich était encore chaud, dégoulinant de ketchup et de cette sauce vinaigrée dont elle ne pouvait plus se passer depuis qu'elle avait débarqué en Angleterre.

— Je suis tombée sur Olivia, dit-elle. Avec l'autre fille, Paige.

— Vraiment ? dit Evie dont le visage s'éclaira aussitôt. Elles sont super, hein ?

Cassie approuva doucement de la tête.

— Elles espèrent que tu vas mieux.

— Elles sont vraiment géniales. Je n'arrive pas à croire qu'on se soit rencontrées seulement ce trimestre. On a plein de connaissances en commun.

Cassie s'étonna :

— Vous avez l'air si proches, je croyais que vous étiez de vieilles amies.

— Je sais bien.

Elle mordit dans son sandwich.

— Des fois, c'est comme ça, je suppose… Tu rencontres des gens et tu t'aperçois qu'ils passent tous leurs étés dans la villa voisine, et que leur sœur sort avec le gars qui était ton meilleur ami en camp d'équitation.

Ce genre de choses n'arrive pas à tout le monde. Cassie se souvenait de ses amis et de ses voisins dans l'Indiana. Il n'y avait guère de chances qu'elle les croise ici, si loin de chez elle.

*

146

Après le repas, Evie s'absorba dans une grosse pile de textes et Cassie retourna à son devoir de philosophie. La mansarde était douillette, la pluie frappait les carreaux. Mais il ne s'était pas écoulé deux heures que déjà le téléphone d'Evie gazouillait. Elle regarda l'écran de l'appareil, puis décrocha.

— Salut, toi… murmura-t-elle sur le ton de l'intimité.

Cassie essaya de se concentrer sur ses bouquins. C'était Hugo – elle le devinait au plaisir que manifestait Evie et à ses gloussements en guise de réponse à tout ce qu'il lui disait.

— Je ne peux pas, chuchotait-elle d'une voix hésitante. Il faut que je bosse… Non, tu sais que je ne peux pas… J'ai ce plan à faire, tu sais.

Voyant que Cassie la regardait, elle rougit et se mordit la lèvre, tiraillée.

— Hugo, je ne peux pas… Non… Sans moi ? Tu ne ferais pas ça…

Puis elle éclata de rire.

— OK. Très bien. J'arrive dans dix minutes.

Elle coupa la communication et se leva d'un bond.

— Ils vont à Londres, expliqua-t-elle. C'est l'anniversaire de Miles.

— Et ton plan ? demanda Cassie. Encore une fête, après ce qui s'est passé… ? Tu as besoin de repos.

— Je me sens super bien, insista Evie.

Elle filait déjà dans sa chambre.

— Hugo dit qu'on ne rentrera pas tard. Une heure, deux heures du mat'. Pas plus. Et il a vraiment envie que je vienne…

Son expression glissa de nouveau vers ce petit sourire mystérieux, et Cassie comprit qu'elle ne parviendrait pas à la retenir.

— Amuse-toi bien, dit-elle, acceptant sa défaite. Pense à moi. Je vais bosser toute la soirée pendant que tu siroteras du champagne.

Evie éclata de rire. L'instant d'après, elle avait disparu, abandonnant sa colocataire pour la soirée. La pluie apaisante continuait de marteler les fenêtres de la mansarde. Cassie se replongea dans sa lecture.

12

— ... Ainsi les tentatives de Descartes pour réconcilier un Dieu bienveillant et les erreurs de jugement humaines sont-elles erronées, et sa confiance en les interactions défectueuses entre compréhension et volonté ne peuvent pas soutenir son argument le plus important.

Cassie reposa sa feuille et prit une profonde inspiration. Elle essayait de se détendre. Elle était de retour dans le bureau de Tremain, et tout le monde l'écoutait. Elle s'était sur-préparée : elle avait relu trois fois son essai, l'avait déposé bien avant la limite de dix-huit heures. Puis elle s'était présentée avant les neuf coups de l'horloge, en pleine forme et correctement habillée, avec une copie fraîchement imprimée de son texte à lire à voix haute. Elle s'était même permis de refuser le précieux espresso, de crainte de le renverser sur le tapis ancien et de provoquer d'irréparables dégâts. À présent, elle attendait de Tremain un signe d'approbation, à tout le moins une réaction.

Le professeur griffonna un mot sur son dossier relié cuir et approuva d'un hochement on ne peut plus discret.

— Monsieur Rhodes ?

Sebastian leva les yeux de son carnet Moleskine évidé et conçu pour héberger un téléphone fin. Julia, en face, se taisait selon son habitude. Sebastian avait à peine regardé Cassie pendant son exposé, occupé qu'il était à lire subrepticement ce qui s'inscrivait sur l'écran de son smartphone.

— Eh bien, il manquait clairement à Descartes un argument valable sur lequel s'appuyer.

Il y eut une pause.

— Voudriez-vous développer ? l'encouragea Tremain.

Sebastian haussa les épaules.

— Ils étaient tous plutôt coincés, non ? Je veux dire, tant que vous essayez de garder Dieu dans l'équation, le reste ne tient pas. C'est ironique, d'ailleurs : tous ces hommes qui avancent dans certaines connaissances, qui établissent des faits et qui finissent par tout balayer pour revenir à leurs vieilles idées sur Dieu.

— Vous trouvez que les deux sont incompatibles ? l'interrogea Tremain.

— Pas seulement moi. Toute l'analyse le démontre.

Sebastian releva la lèvre et eut un ricanement hautain.

— Ces gens supposés intelligents étaient assez bêtes, finalement. Pourquoi s'ennuyer à patauger dans cette histoire si tout repose sur une hypothèse qui ne tient pas la route ?

Cassie avait observé Tremain pendant l'intervention de Sebastian : elle l'avait vu changer d'expression, et serrer presque imperceptiblement les mâchoires.

— C'est ce que vous inspire notre programme ? demanda-t-il calmement. Il vous fait perdre votre précieux temps ?

Sebastian parut soudain comprendre son erreur.

— Je… Non, je disais juste que… Je veux dire…

Il avait beau se creuser la tête, il ne trouvait pas les mots.

Tremain le regardait froidement.

— Vos camarades partagent-ils cet avis ? Mademoiselle Jessops ? Mademoiselle Blackwell ?

Julia s'avachit davantage dans son fauteuil puis secoua la tête en écarquillant les yeux.

— Pas moi, intervint Cassie d'une voix claire qui résonna dans la petite pièce. Même si leurs arguments n'étaient pas imparables, ils étaient le reflet d'une époque.

Elle ajouta en glissant un regard vers Sebastian :

— Le sujet, ici, c'est la façon dont le débat a évolué. Tu ne peux pas te contenter de prendre en compte ce que nous savons aujourd'hui en effaçant ce qui s'est passé avant. La question, c'est comment on en est arrivés là, comment l'argumentation s'est développée. Elle ne signifie rien hors du contexte.

Elle continuait de maîtriser le ton de sa voix qui, en même temps, trahissait une ferveur particulière.

— Personne – aucune idée, aucun peuple, aucune chose – n'existe à l'état pur. Tous et chacun, nous sommes le produit du passé. S'obstiner à faire comme si ce n'était pas le cas, c'est de la naïveté, dans le meilleur des cas.

Sebastian se rembrunit. Tremain laissa échapper un gloussement.

— Bien dit, mademoiselle Blackwell.

Cassie éprouva un soulagement bienvenu.

— Monsieur Rhodes, vous pouvez disposer.

151

Sebastian sursauta. Même Julia leva le nez de ses notes, stupéfaite.

— Comment ?

— Quittez ce tutorat, dit Tremain en laissant son regard glisser vers lui. Puisque vous ne voyez pas l'intérêt de discuter des argumentations fautives, je pense qu'il vaut mieux que vous partiez. Je ne saurais trop vous conseiller de lire le devoir de Mlle Blackwell et de revenir la semaine prochaine dans de meilleures dispositions.

Sebastian rougit. La colère fit apparaître des plaques rouges sur son visage. Il ouvrit la bouche, comme pour protester, puis la referma. Il jeta à Cassie un regard venimeux, attrapa son manteau et prit la direction de la porte. Ses pas furieux résonnèrent dans l'escalier.

Le professeur Tremain attendit le retour du silence et prit la copie de Cassie. Son visage était à nouveau fermé.

— Mademoiselle Blackwell, revenons à vos idées à propos de la volonté sans limites. Votre théorie du double raisonnement me pose quelques problèmes…

*

Cassie sortit de ce tutorat les nerfs – et sa scolarité – intacts. Tremain avait eu beau multiplier les questions pièges, elle avait réussi à tenir bon et à défendre son travail jusqu'à ce que les cloches se décident enfin à sonner, mettant un terme à la séance.

— La structure de votre devoir reste bâclée, conclut Tremain en lui rendant une copie couverte d'annotations en rouge. Nous ne pouvons pas consacrer du temps chaque semaine à rattraper votre retard.

Elle serra les dents et se retint de répliquer jusqu'au moment où elle sortit du bureau.

— Il n'est pas toujours comme ça, la rassura Julia dans l'escalier. Il est gentil. En tout cas, il l'était. Je ne sais pas ce qu'il a, cette année.

Cassie regarda Julia s'éclipser. C'était bien sa chance… Elle traversa l'esplanade. En entrant dans le pigeonnier, elle fut bousculée par une fille qui en sortait précipitamment.

— Hé ! protesta Cassie.

Mais la fille était déjà loin. Cassie n'avait même pas eu le temps de voir ses yeux cachés sous la visière d'une casquette enfoncée jusqu'aux oreilles.

Cassie ouvrit sa boîte et tria son courrier sans cesser de penser à Tremain et à son regard insondable. Des prospectus, des réclames – et une photographie.

Son cœur cessa de battre.

C'était sa mère, Joanna. *Non !* se corrigea-t-elle. *Pas Joanna, Margaret.* Une Margaret en robe de cérémonie. Elle donnait le bras à une autre étudiante. Les filles, en compagnie de deux garçons en smoking, posaient lors d'un dîner. La table était dressée avec des couverts en argent et des verres à pied. Les murs de la salle s'ornaient de portraits.

Cassie retourna le cliché. Son cœur s'emballa.

Le noir est le blason de l'enfer, la couleur des cachots et l'École de la Nuit[1].

Elle frissonna de peur. Puis elle eut un choc : la photo n'était pas glissée dans une enveloppe et aucune adresse n'y était inscrite. Quelqu'un était venu la déposer dans sa boîte. Quelqu'un savait qui elle était – et ce qu'elle cherchait.

Le secret était éventé.

---

1. Traduction de Jean-Michel Déprats.

*

Cassie courut jusqu'à la bibliothèque Radcliffe. Elle y trouva Elliot qui enregistrait les retours.

— C'est toi qui m'as envoyé ça ? dit-elle en posant la photo sur la table.

Elliot y jeta à peine un œil.

— Non, fit-il d'un air distrait. Dis, tu serais libre pour me remplacer cet après-midi ? Je sais que l'embauche n'est pas encore officielle, mais je suis débordé.

— Ce n'est pas toi ? Tu es sûr ? insista Cassie. Elliot, regarde. Ça te rappelle quelque chose ou pas ?

La panique perçait dans sa voix. Cette fois, Elliot consentit à relever les yeux.

— Je n'ai jamais vu cette photo. C'est Margaret, n'est-ce pas ?

Il la scrutait d'un œil curieux.

— Qu'est-ce qui se passe ? Tu l'as trouvée où ?

Elle reprit rapidement une respiration normale et s'efforça de paraître calme.

— On l'a mise dans ma boîte aux lettres. Une amie, sûrement.

Elliot n'était pas convaincu, manifestement. Pourtant, il n'insista pas. Il retourna la photo pour lire ce qui était inscrit au verso. Et il éclata de rire.

— Une amie douée pour les intrigues !

— Pourquoi ? Ça vient d'où ? Je ne sais pas ce que ça veut dire.

Elliot repoussa son fauteuil.

— Tu vas voir…

Il cliqua, téléchargea un site de recherche. L'écran délivra la citation qui figurait au dos la photo.

— C'est tiré de *Peines d'amour perdues*. Ça se réfère à sir Walter Raleigh et à cette saloperie de cabale menée contre sa prétendue secte athéiste.

— Les fondateurs de l'université, tu veux dire ?

Elle reconnaissait les noms sur l'écran.

— Ma coloc fait des recherches sur eux. Elle dit qu'ils étaient à l'avant-garde sur toutes les idées de l'époque. Un groupe d'intellectuels.

— Ou, comme beaucoup le pensent, une société secrète, corrompue, qui dirigeait le pays en usant de moyens ignobles, dit Elliot d'un ton narquois.

— Tu n'as pas l'air convaincu.

— Est-ce que je crois que des intellectuels du XVIe siècle se sont rencontrés pour discuter de Dieu et de littérature ? Oui.

Il la regarda par-dessus ses lunettes carrées à monture noire.

— Est-ce que je crois qu'il s'agissait d'une toute-puissante société secrète dont l'influence continue de gouverner le pays de nos jours ? Pas vraiment.

Cassie s'assit sur un tabouret haut.

— Des gens pensent que l'École de la Nuit existe toujours ?

— Des rumeurs, des légendes, dit Elliot avec un haussement d'épaules dédaigneux, en retournant à ses fiches. Si Oxford possédait seulement la moitié des sociétés secrètes qu'on lui attribue, tu en serais membre et moi aussi, et tous ceux qui habitent cette ville. Écoute, il y a des groupes. On se réunit pour boire, et on appelle ça une société secrète. Mais ce n'est qu'un prétexte. Ça permet aux gosses hyper privilégiés d'avoir un mot de passe pour aller se pavaner dans leurs beaux habits. Le vrai pouvoir dont il faut s'inquiéter, il est parfaitement visible.

155

Il indiqua derrière lui, d'un mouvement de tête, le tableau d'affichage couvert de prospectus et de tracts politiques en vue des prochaines élections étudiantes.

— Mais la photo !

Cassie essayait d'attirer à nouveau l'attention d'Elliot sur ce qui lui paraissait important.

— Tu crois que Margaret avait quelque chose à voir avec ces sociétés ? Cette École de la Nuit ?

Elle étudia le cliché de près. Cette scène figée pourrait-elle livrer quelque nouvel indice ? D'accord, les étudiants y avaient revêtu le costume officiel, mais les tableaux derrière eux ? Cassie ne les reconnaissait pas. Cela signifiait que le dîner n'avait pas eu lieu dans la grande salle de Raleigh.

Elliot lui prit le cliché des mains.

— Ce serait aller trop loin, dit-il. On va dire qu'elles étaient potes avec une paire d'enfoirés pétés de fric, c'est tout.

— Mais ces gens sont bien supposés être membres d'une société secrète, non ?

L'esprit de Cassie s'emballait. Elle voulait résoudre l'énigme.

— Des groupes comme celui-là, dit-elle, s'ils sont vraiment puissants, ne le crieraient pas sur les toits. C'est censé rester secret.

— C'est tout le problème, dit Elliot en riant. Comment savoir si ces abrutis se contentent de boire et de s'emmerder aux frais de leur richissime famille, ou s'ils dirigent secrètement le monde ?

Il continuait de travailler et de scanner les codes-barres des livres rentrants. Cassie, elle, s'absorbait dans ses réflexions.

— Bon, ce genre de groupe, c'est toujours héréditaire, non ? C'est un legs qui se transmet aux étudiants de génération en génération. Ils ne se contentent pas d'inviter quelqu'un, ils font en sorte que ça reste privé, que tout se passe entre eux.

— J'imagine, dit Elliot en haussant les épaules, l'air de ne pas prendre la chose au sérieux. Bienvenue dans les réjouissances du système de classe britannique…

Cassie tambourinait du bout des doigts sur le vieux bureau criblé de trous.

— Alors, comment je fais pour en apprendre davantage sur cette École de la Nuit ?

Elliot soupira.

— Tu as vraiment envie de les prendre en chasse ? Alors, choisis un groupe composé de connards friqués parmi les plus odieux de la ville. Il y a des chances qu'ils en fassent partie.

— Elliot ! protesta Cassie, je parle sérieusement.

— Je sais. Mais ça, c'est juste quelqu'un qui s'amuse à te balader.

Il insista :

— Si tu veux en apprendre davantage sur ta Margaret, tu n'as qu'à appeler ses anciens condisciples. Pas besoin de partir à la chasse aux théories du complot. Bon, tu peux me donner un coup de main pour mes retours, ou pas ? Je devrais déjà avoir fini. Sauf que « quelqu'un » m'en a empêché…

*

Cassie resta jusqu'au soir. Elle aida Elliot et s'occupa aussi de ses propres devoirs. Elle décida de suivre son conseil : aller chercher dans les annuaires des promos les anciens camarades de classe de Margaret. Il y avait un risque. Surtout maintenant : quelqu'un la savait sur les traces de Margaret. Mais elle ne voulait pas non plus céder à la paranoïa. Elle avait besoin de ces infos, et quel mal y aurait-il à demander aux gens s'ils se rappelaient quelque chose ? Ils étaient dispersés, désormais. Certains vivaient très loin, en Chine ou en Australie. Mais plusieurs habitaient toujours Londres, et même Oxford. Elle envoya un bref courriel expliquant qu'elle était une amie de la famille et souhaitait parler de la période où Margaret étudiait à l'université. Elle espérait obtenir au moins quelques réponses.

Le temps qu'elle rentre à Raleigh, il était presque l'heure du dîner et les élèves se dirigeaient déjà vers la grande salle de banquet, vêtus de leurs robes sombres qui flottaient au vent. Deux fois par semaine, un « dîner officiel » se tenait à Raleigh – un somptueux repas avec plusieurs plats, des vins et des serviteurs en livrée. La robe de cérémonie y était de mise, et la réservation payante obligatoire. Cassie n'y avait jamais mis les pieds, mais elle savait que l'événement était très populaire chez les étudiants. Ils appréciaient de pouvoir y inviter leur famille quand ils avaient de la visite, ou des amis des autres collèges. C'était aussi l'occasion de parader dans leurs plus beaux atours. Avant le dîner, on se réunissait pour un cocktail dans un salon, et bien souvent aussi après le dîner, de sorte que les rires, l'alcool aidant, retentissaient jusque tard dans la nuit.

Cassie arriva au moment où Evie se préparait pour sortir. Elle essayait d'étincelantes boucles d'oreilles en diamant, en même temps qu'elle se trémoussait pour enfiler des chaussures à talon.

— Te voici ! s'exclama-t-elle. Je t'attendais. Quand est-ce que tu auras un portable, comme tout le monde ?

— Désolée, répondit Cassie en posant son sac. Quoi de neuf ?

— Une réception officielle à Merton, annonça Evie.

C'était le nom d'un collège voisin.

— On a un billet en plus. Ça t'intéresse ? On va s'amuser, c'est garanti.

— Je ne sais pas…

Elle faisait déjà non de la tête.

— Tu me promets toujours de sortir avec moi, et tu ne le fais jamais, dit Evie avec une moue moqueuse. Olivia te demande.

— Il y aura Olivia ?

— Toute la bande, dit Evie en hochant la tête.

Elle glissa un bâton de rouge à lèvres dans sa pochette sertie de perles.

— Alors, tu te décides ?

Cassie réfléchit rapidement. Elle voulait discuter avec Evie de ses recherches sur Raleigh et sur l'École de la Nuit. Elliot avait beau dire, elle doutait que la société secrète soit seulement une légende. Si quelqu'un avait glissé cette photo dans sa boîte, ce n'était pas sans raison. Et si le groupe existait toujours ? Sa mère avait-elle fait partie d'une des sociétés d'élite parmi les plus secrètes d'Oxford ?

Trop de questions lui tournaient dans la tête ; il y avait trop de zones d'ombre, trop de possibilités. Mais Cassie savait aussi qu'elle ne découvrirait pas la vérité en restant planquée dans cette mansarde ou en s'enfermant dans les bibliothèques. Elle avait besoin de réponses, et les réponses se trouvaient dans les cercles

les plus sélects de la ville. Or il n'existait pas de cercle plus sélect que la bande des Mandeville.

— D'accord, dit-elle.

Evie était stupéfaite.

— Vraiment ?

— Vraiment.

Cassie éclata de rire devant l'air choqué d'Evie.

— Je suis des vôtres.

13

Merton College se cachait dans une rue pavée éclairée par des rangées de lampadaires à l'ancienne. Alors que s'atténuaient les bruits de la circulation et de la ville venus de High Street, Cassie accompagna Evie jusqu'à l'entrée principale. Leurs talons claquaient sur les pavés irréguliers.

Cassie était curieuse à l'idée de franchir l'enceinte d'un autre collège. Ayant passé la guérite en bois, elles se trouvaient dans une petite cour. Le collège comprenait une chapelle, les ailes d'un bâtiment en brique de trois étages, des pelouses parfaites et des cours d'où rayonnaient de longues allées, mais ce n'était rien comparé à l'ampleur et à la taille de Raleigh. En revanche, l'ensemble possédait une dimension historique importante avec ses murs creusés d'étroites et profondes meurtrières, ses soubassements arrondis par le temps et ses pavés usés.

— Une construction du XIIIe siècle, expliqua Evie.

— Avant Raleigh ?

Evie acquiesça.

— Il y a eu une grande rivalité à l'arrivée de sir Walter Raleigh. Les terres qu'il avait reçues faisaient partie de la récompense pour ses victoires navales, et il a juré d'y bâtir le plus grand collège de la ville.

Elle ajouta :

— Le collège avait moins de prestige qu'aujourd'hui. Les gens se méfiaient des écoles. Vu l'agitation qui ébranlait l'Église et la Couronne, le simple fait d'être en relation avec l'université te rendait suspect.

— C'est pour ça que les sociétés se réunissaient clandestinement, j'imagine. Non ?

Evie approuva tandis qu'elles traversaient la cour.

— Il suffisait qu'un de tes enseignements soit mal vu, on te traînait en justice sous l'accusation d'hérésie ou de trahison. D'où mes difficultés pour dénicher des documents originaux. Je pensais trouver tout ce que je voulais dans les archives, mais leur correspondance est toujours très évasive. Ils ne parlent jamais de leurs réunions. Alors qu'ils se voyaient régulièrement au sein même de l'université. Une fois par mois, parfois plus. C'est connu.

Cassie aurait voulu l'interroger davantage sur ces réunions, mais la cloche annonçant le dîner sonna dans la cour. Elles rejoignirent l'escalier où la foule gravissait les marches pour gagner la salle de banquet. Cassie, gênée, tira sur sa robe. Elle avait d'abord refusé les tenues en mousseline quasi transparentes qu'Evie voulait à tout prix lui prêter, avant d'accepter finalement une petite robe noire en soie qui lui comprimait les seins. En fait, elle était plus grande qu'Evie de quelques centimètres, et la robe lui arrivait très au-dessus des genoux. Même couverte de son gros manteau et avec la toge officielle jetée sur les épaules, elle se sentait exposée, à la merci d'un coup de vent un peu vif. Toutefois, quand elle observa les étudiants et les convives qui faisaient la queue pour entrer, elle fut satisfaite de sa tenue comme du simple bracelet en or prêté par Evie.

À l'intérieur les attendait une salle imposante habillée de boiseries. Cassie, au fil des semaines, s'était habituée à ce style : hauts plafonds voûtés, longues tables occupant la longueur de la pièce, lourds couverts en argent, vases débordant de roses blanches et de lys.

— Evie !

La voix venait de l'autre bout de la salle. Evie fit aussitôt traverser la foule à Cassie. La bande des Mandeville était attablée en bonne place : Paige, Olivia, Hugo et quelques autres, les garçons en costume et les filles dans leurs étincelantes robes de soirée.

— Te voilà, dit Hugo en se levant pour embrasser Evie sur la joue. Tu n'avais pas dit que tu viendrais accompagnée !

Cassie attirait son regard.

— Ravi de te revoir, Cassie.

Cassie essaya de ne pas se laisser impressionner par les yeux noirs d'Hugo.

— Moi de même, dit-elle à voix basse.

Elle se hâta d'enlever son manteau et de plier soigneusement son foulard en un petit carré bien net. Les autres, pendant ce temps, échangeaient les habituels saluts et bises. Cassie voulait tellement ignorer Hugo qu'elle sursauta en entendant quelqu'un prononcer son nom.

— Cassie ! Content de te revoir !

C'était Miles, le garçon blond croisé à la soirée de la Senior Common Room. Il portait un costume et un petit nœud papillon rouge. Il lui tendit la main, enthousiaste.

— Tout se passe bien ? Tu ne t'écroules pas tous les soirs à trois heures du mat' ?

— Pas encore, dit Cassie avec un sourire. Mais c'est seulement le début.

— Ne dis pas ça, la gronda Evie. Elle s'en sort super bien. Tout affronter d'un seul coup, sans avoir le temps de s'adapter. Nous, au moins, on a d'abord été des première année.

— Tu es folle ou quoi ? reprit Miles en écarquillant dramatiquement les yeux. La première année, c'est la pire. J'ai failli tout arrêter dix fois. Je voulais partir pour le Brésil et ouvrir une boutique de surf.

Il avait adressé ces derniers mots à Cassie, en tirant une chaise pour elle.

— Pourquoi tu ne l'as pas fait ? demanda Evie en s'asseyant à côté d'eux.

— Non, Evie, viens près de moi.

Olivia les avait interrompus en donnant des tapes sur la chaise voisine. Evie, obéissante, fit le tour de la table. Hugo, élevant la voix, répondit pour Miles :

— Parce qu'il déteste l'eau et ne sait pas nager.

Hugo se glissa d'une chaise à l'autre pour être exactement en face de Cassie. Il plongea dans son regard avec un petit sourire entendu.

— Ne l'écoute pas, dit-il. Le mois dernier, il était persuadé de devoir aller vivre un an dans un ashram.

— Je devrais, protesta Miles en secouant sa serviette d'un air théâtral. La paix intérieure me serait beaucoup plus utile dans la vie que cette saloperie de doctorat.

Le rire fut général. Cassie elle-même se détendit quelque peu. Elle était arrivée sur ses gardes, prête à affronter l'indifférence des autres, comme c'était le cas aux tutorats de Tremain. Or le groupe se révélait accueillant, chaleureux.

— Elle est sympa, ta pochette.

164

La remarque venait d'Olivia, de l'autre côté de la table. Les serveurs commençaient d'apporter l'eau et le vin.

Cassie baissa les yeux vers le seul élément de sa toilette qui lui appartînt en propre, une petite bourse avec des motifs dorés.

— Oh, merci.

— C'est vintage ?

— Euh… Oui.

Elle l'avait payée une livre dans une friperie de Cowley Road.

— C'est ce qu'il y a de mieux, reprit Olivia. Le vintage.

Elle but un peu de vin, regarda la salle et l'assistance. Elle lança :

— Lewis !

Cassie vit qu'elle agitait la main en direction d'un homme plus âgé ; il avait la trentaine et portait la veste en tweed traditionnelle des professeurs. Un sourire de gamin impatient anima son visage, et il accourut à leur table en bousculant un serveur au passage.

— Pardon, vraiment désolé !

Il se confondait en excuses. Quand il rejoignit Olivia, il était tout rouge.

— Liv ! Si j'avais su que tu serais là…

— Décision de dernière minute, répondit Olivia avec un haussement d'épaules.

Elle se leva pour lui effleurer les deux joues d'un baiser.

— Viens t'asseoir près de moi.

Lewis parut déchiré.

— J'ai des invités…

— Ils se débrouilleront sans toi, dit Olivia en faisant la moue. Tu sais combien ça m'ennuie, tout ça.

— Je… Bien sûr ! Je reviens tout de suite.

Lewis traversa la salle au pas de course.

Olivia s'intéressa de nouveau à leur table et surprit Cassie qui l'observait. Elle haussa les épaules, à peine, et sourit.

— Il est gentil. Je l'ai eu en tutorat au dernier trimestre.

— C'est un professeur ? s'étonna Cassie.

Olivia n'avait pas plus de vingt ans, et elle manifestait envers cet homme une adoration dont on avait peine à imaginer qu'elle pouvait s'adresser à un enseignant.

— Oui ! répondit Olivia. Historien. Spécialiste en art de la Renaissance.

— Ce n'est pas sa seule spécialité, intervint Paige avec un sourire mauvais.

Cassie dit à Miles en baissant la voix :

— Je n'arrive pas à croire qu'un prof puisse sortir avec une étudiante.

— Officiellement, ça ne se fait pas, répondit-il, narquois. Ce n'est pas vu d'un bon œil. Mais les règles, qui les respecte ? Olivia moins que personne.

Il lui lança un regard éloquent.

— Elle joue avec le feu. Si les tabloïds venaient à le savoir...

— Pourquoi ça intéresserait les journalistes ? demanda Cassie.

— À cause de son père, évidemment.

Il comprit qu'elle n'était pas au courant.

— Tu ne sais pas que M. Mandeville est le chef de l'opposition parlementaire ? Il n'est pas loin de devenir Premier ministre, à en croire les sondages.

— Oh !

Cassie regarda de l'autre côté de la table : Olivia murmurait quelque chose à l'oreille d'Evie. Les deux filles rougirent et furent prises d'un fou rire.

— Je l'ignorais.

— Ici, tout le monde est quelqu'un, enchaîna Miles en balayant la table d'un geste. Paige est une authentique lady Pembroke, héritière de la moitié du Gloucestershire. Les parents d'Harry dirigent une entreprise d'aéronautique qui fournit les forces armées. Les membres de la famille de Sasha sont des armateurs parmi les plus importants d'Europe.

— Et toi ? demanda Cassie.

— Moi ? Je ne suis pour ainsi dire qu'un paysan, dit-il sur le mode de la plaisanterie. Les temps sont durs pour l'aristocratie, comme aime à le dire ma mère. On est endettés jusqu'au cou. Notre propriété devrait être saisie avant la fin de l'année.

Cassie étudiait l'assemblée et se demandait si certains convives pouvaient être soupçonnés d'appartenir à l'École de la Nuit. Ils semblaient s'intéresser davantage aux réceptions qu'à d'obscurs rituels, mais cela ne les empêchait peut-être pas de jouer un autre rôle dans d'autres groupes plus fermés.

Tout le monde fut bientôt assis. Un homme âgé installé sur l'estrade se leva. Le silence tomba sur la salle.

— Bienvenue, chers professeurs, étudiants et honorables invités. Bienvenue à Merton…

Il s'interrompit un bref instant et tout le monde baissa la tête.

— *Oculi omnium in te respiciunt, Domine. Tu das escam illi temporer opportuno…*

Ces mots prononcés à voix basse étaient manifestement familiers. Cassie observa l'assistance de ses yeux mi-clos. Un tel sens de l'Histoire et de la continuité dans ces propos solennels, dans ces formules répétées semaine après semaine pendant des centaines d'années, au sein de cette même salle où seuls changeaient les visages ! Depuis combien de temps cette oraison était-elle prononcée ? L'écho de ces phrases dans l'espace caverneux franchissait l'Histoire à la lueur des chandeliers d'argent.

Cassie croisa le regard d'Hugo. Autour d'eux, toutes les têtes étaient inclinées. Elles se baissèrent davantage pour le bénédicité. Mais Hugo, lui, ne la quittait pas du regard. Et une fois encore elle frissonna instinctivement, puis baissa vivement les yeux quand l'oraison toucha à sa fin. Elle était résolue à ignorer Hugo. Il appartenait à Evie. Il n'aurait pas dû regarder Cassie comme ça.

— *Per Jesum Christum dominum nostrum, amen.*

— *Amen*, murmurèrent les convives.

Le bruit des discussions se répandit à nouveau dans la salle. Apparurent les serveurs en livrée noire, qui tenaient en équilibre d'une main experte les plateaux d'argent supportant les entrées. À chaque table, les convives saluaient leurs voisins ou emplissaient leurs verres.

— Rouge ? Blanc ? Quel est ton poison préféré ? demanda Miles, une bouteille dans chaque main.

— Rouge, merci, répondit Cassie. Mais juste un peu.

— Pas de ça ici, dit-il, tout sourire, en continuant de verser jusqu'à atteindre le bord du verre. À Oxford !

Il leva son verre pour porter un toast et les autres l'imitèrent.

— Puissions-nous jouir longtemps de ses fruits abondants !

— Il y en a qui en jouissent plus longtemps que les autres, murmura Olivia en décochant un regard à son cousin.

— À Oxford…

14

Après le dîner, le groupe partit pour le centre-ville et l'Oxford Union. Ils s'entassèrent dans des taxis, chacun suivi de sa petite coterie et de ses pique-assiettes. Pendant le dîner avaient défilé des mets exquis présentés avec élégance, aux antipodes des plats à emporter qui faisaient le quotidien de Cassie. Il avait débuté avec un faisan et sa salade de kakis – « Un oiseau tué sur les terres de l'université », comme Lewis avait tenu à l'annoncer fièrement. On avait servi ensuite du filet de bœuf – épais, saignant – et, au dessert, de minuscules cages en meringue emplies de fruits à la crème. Quand les serveurs en livrée débarrassèrent la table, Cassie était à son aise. Les projets excentriques de Miles la faisaient rire, de même que le récit de Paige arpentant à Paris, à l'automne, les podiums de la dernière *fashion week*.

Cassie était venue poussée par la curiosité, histoire d'en apprendre davantage sur cette société, voire sur la mystérieuse École de la Nuit. À sa grande surprise, elle passait une soirée agréable, adoucie par le vin, les échanges et l'amitié partagée par les convives. Cassie avait l'habitude de se sentir différente, éloignée de ses camarades à l'accent distingué. Ce soir-là, elle se mêla si bien aux autres, sous les feux des chandeliers, qu'elle eut l'impression d'être acceptée, enfin admise quelque part. Dans le taxi, coincée entre Miles et Evie, elle regarda la ville défiler lentement derrière les vitres, dans un brouillard d'ombres et d'éclairages au néon. Puis ils se répandirent sur un coin de pavé familier, près de chez Blackwell et autres commerces du centre à présent calme et désert.

Miles les guida dans les ruelles jusqu'à un immeuble en brique rouge de style victorien.

— C'est le syndicat étudiant ? demanda Cassie. Je croyais qu'il était à l'autre bout de la ville, dans un grand bâtiment en béton.

— Les deux ont le même nom.

Hugo semblait amusé. À l'entrée de l'édifice, la porte était entourée de piliers en ruine et arborait une herse aux motifs élaborés.

— Là-bas, c'est le siège de l'organisation. Ici, c'est un club privé, réservé aux seuls membres.

— Célèbre pour ses débats, ajouta Evie. Tout le monde a pris la parole ici, des Premiers ministres, des présidents. Même Madonna est venue.

Ils entrèrent à la queue leu leu. Cassie s'intéressa au décor. Plus que ceux auxquels elle était habituée depuis son arrivée à Oxford, celui-ci évoquait le style chasse à l'anglaise : poutres au plafond, chaises au dossier de cuir noir disposées autour de vénérables tables basses. Aux quatre coins de la pièce, des étudiants et des gens plus âgés buvaient un verre.

Cassie s'arrêta un instant : elle avait reconnu de dos les épaules trapues de Sebastian. Elle avait l'impression que la scène du tutorat remontait à plusieurs semaines, alors qu'elle avait eu lieu le matin même. Sebastian était au bar, en compagnie de deux garçons au corps athlétique. Il regarda la salle et écarquilla les yeux en voyant Cassie. Elle ne put résister au plaisir d'agiter la main dans sa direction. La figure de Sebastian s'assombrit.

— Cassie ?

Elle se retourna. Evie l'attendait, indiquant l'escalier derrière le bar. Cassie rejoignit les autres sans se soucier davantage de Sebastian et de ses amis.

*

Elle suivit le groupe à l'étage, dans un salon.

— Le domaine privé du président de l'Union, lui expliqua Miles d'un air supérieur.

Cassie considéra les lieux avec curiosité et s'imprégna de l'ambiance. Ici, la fête était déjà bien avancée : musique à fond, convives se pressant sur les divans et les fauteuils du bar, verres de vin et coupes en cristal.

Elle emboîta le pas à Hugo et Olivia. Ils traversèrent la foule, salués par des exclamations, des tapes dans le dos et des bises. Cassie nota que les Mandeville ne régnaient pas seulement sur Raleigh mais aussi sur ce lieu : tous s'écartaient pour les laisser passer, on leur faisait de la place sur les divans. Cassie elle-même fut bientôt assise au milieu d'un sofa, un verre d'excellent whisky à la main.

— Contente d'être venue ? sourit Evie, lovée sur le sofa à côté d'Hugo.

Cassie approuva.

— Merci d'avoir insisté.

— Avec plaisir.

— Si on se faisait un petit rail ?

171

Miles tira de sa poche poitrine un mince sachet de poudre blanche puis traça des lignes de cocaïne sur le verre de la table basse. Il sniffa le premier, avant de présenter à la ronde son billet de banque roulé.

— Evie ?

Evie rougit et secoua la tête si vite que sa chevelure miroita dans la lumière.

Olivia riait.

— Pas mademoiselle Genevieve ! dit-elle d'une voix traînante. C'est une fille honnête. Pas vrai ?

Evie, de nouveau, piqua un fard. Ses joues étaient toutes roses. Elle protesta :

— J'ai rendez-vous de bonne heure demain avec mon directeur de recherche !

Olivia s'inclina et inhala la poudre en suivant la ligne sur le plateau de verre.

— Elle plaisante. Ta vertu fait des jaloux, dit Hugo en déposant un baiser désinvolte sur le front d'Evie, avant de laisser son regard dériver vers Cassie.

— Et toi ?

Il arqua les sourcils d'un air prétentieux, prêt à voir Cassie décliner à son tour.

Cassie était démangée par un sentiment de rébellion. En principe, elle parvenait à se passer de ce genre de produits. L'alcool, les drogues, c'était trop risqué pour elle qui avait appris à se maîtriser en payant le prix fort. Mais ce soir, elle avait déjà baissé sa garde. Quel mal y avait-il ?

— Volontiers, dit-elle en levant la main.

Hugo grimaça de surprise.

— Bien, bien, bien…

Cassie fit comme s'il n'existait pas. Elle se pencha et éprouva un premier flash violent quand la drogue lui pénétra dans le sang. Elle avait sniffé un demi-rail seulement, mais ce fut suffisant pour précipiter le réveil des souvenirs : la forte décharge d'adrénaline, la sensation de vive brûlure sous la peau. Quand elle releva la tête, son cœur s'emballait. Le regard d'Hugo était toujours fixé sur elle.

Elle frissonna. Elle détourna les yeux et reporta son attention sur le groupe.

— Hartwell aura le fauteuil de trésorier, disait un petit personnage rondouillard.

Il avait l'apparence d'un homme mûr, mais à en croire ce qu'Evie chuchotait, il était toujours étudiant à Christ Church.

— Et King aura la présidence. J'en mettrais ma main au feu.

Cassie n'y comprenait rien. Miles s'en rendit sans doute compte, car il se chargea d'éclairer sa lanterne. Les mandats syndicaux alimentaient les pots-de-vin et les dessous de table. Les étudiants usaient de tous les moyens pour obtenir un siège dans l'un ou l'autre des nombreux comités de direction et autres instances.

— Se battre pour un fauteuil, quelle galère ! dit-il. J'ai du mal à voir l'intérêt, en ce qui me concerne.

— C'est parce que rien ne t'oblige à sortir de ton lit avant midi, lui dit Olivia en se levant.

Pieds nus, elle enjamba la table basse et vint s'effondrer dans un éclat de rire à côté d'Evie. Elle se blottit contre elle.

— Je ne sais pas pourquoi il faut en faire tout un plat, observa Evie. Je ne me vois pas trésorière, ni secrétaire générale, ni rien. Quoi de plus emmerdant que les réunions et les budgets ? En plus des études !

Elle riait. Mais l'expression d'Olivia s'était figée.

— C'est de l'expérience. Pour plus tard. Et ça procure un certain statut. Président de l'Union, ça compte vraiment.

— Pour qui ? demanda Hugo. Pour le DRH d'un grand cabinet de conseil comme Deloitte ? Pour ton futur boss chez Barclays ?

Le mépris était perceptible dans sa voix. Il reprit :

— Pardon, mais je n'ai aucune envie de rejoindre la meute des chasseurs d'investissements bancaires.

Olivia leva les yeux au ciel et battit des cils.

— C'est juste que si tu dois traîner tes guêtres ici encore Dieu sait combien de temps, tu devrais au moins y faire quelque chose de constructif.

— Je fais un doctorat, dit Hugo d'un ton las. Ça s'appelle comme ça.

Mais Cassie perçut une légère tension dans la mâchoire d'Hugo. Il avait beau paraître détendu, son bras reposant sur le dossier de brocart, il émanait de lui une sorte de force, d'intensité qui, à cet instant, allait croissant.

— Je ne comprends pas pourquoi tu es contre à ce point, répliqua Olivia. À ton âge, on ne se rebelle pas pour le plaisir. Un jour, il faut bien se décider à grandir.

— Ça, ma chère cousine, c'est tout l'objet du débat.

Il termina son scotch et déplia ses membres pour se lever.

— En tout cas, je suis mûr pour un autre verre, sauf si tu juges que ce n'est pas assez constructif.

Il prit la direction du bar. Evie resta un moment penchée en avant, comme si elle avait l'intention de le suivre, puis elle se rassit et l'observa, crispée.

— Tu ne devrais pas lui mettre la pression comme ça, dit-elle à Olivia. Tu sais à quel point ça l'énerve quand tu parles politique.

Olivia prit un air impatient.

— Il est peut-être trop sensible. Il est le prochain sur la liste des héritiers d'une putain de dynastie. Il est programmé pour être membre du Parlement ou, au pire, politicard local.

Le propos trahissait une certaine amertume.

— Et toi ? lui demanda Cassie. Pourquoi tu ne te présentes pas ?

Olivia se ferma brusquement.

— Ne sois pas ridicule.

Puis elle rit, mais son regard était d'acier.

— Comme dit Evie, pourquoi j'irais perdre mon temps et m'emmerder avec ces trucs-là quand je peux m'amuser ?

La conversation suivit son cours. Cassie continuait d'observer Olivia. Elle avait repéré chez elle la trace d'une certaine frustration. Peut-être une ambition déçue, voire de la jalousie.

Avait-il jamais été question de la placer, elle, comme prochaine héritière sur la liste ? Ou ce destin était-il réservé à Hugo ? Hugo et Olivia semblaient si différents. Pourtant, ils se ressemblaient plus qu'ils n'en avaient eux-mêmes conscience. Cassie les avait observés toute la soirée, et elle avait maintenant un nouvel aperçu de leur univers. Chacun d'eux affrontait d'invisibles contraintes. Olivia était mise à l'écart d'un héritage politique qu'Hugo vivait comme un fardeau lourd à porter. Cassie se demandait à quoi pouvait ressembler une existence avec de telles perspectives. Avec un nom qui exigeait d'être honoré. Être soumis à l'accomplissement d'un devoir. Les gens n'avaient jamais attendu que le pire de Cassie ! On lui avait collé une étiquette qu'elle avait appris à exhiber avec une fierté sinistre.

— Ces histoires d'élections ! dit-elle exprès, cherchant une ouverture. Les résultats ne sont-ils pas décidés d'avance, de toute façon ? J'ai cru comprendre qu'ils étaient fixés par ces fameuses sociétés secrètes.

On se tut. Cassie vit que tous les regards étaient fixés sur elle.

— Quelles sociétés ? demanda Miles.

— Je ne sais pas.

Elle essaya d'en rire :

— Un mec dans mon groupe de tutorat parlait de ça. Il disait que tout était truqué, arrangé par ces sociétés.

— Mon Dieu, si seulement ! grogna Miles. Ça nous épargnerait le supplice de cette satanée campagne électorale.

— Ou alors ils procéderaient à l'ancienne, intervint quelqu'un. En jouant le résultat dans un duel au pistolet au petit jour… et le vainqueur raflerait la mise.

La discussion allait son train. Cassie poussa un soupir de soulagement discret. Elle avait commis une maladresse en s'exprimant avec franchise. Mieux valait se montrer prudente. Elle ignorait encore avec quoi elle jouait…

Ayant attendu que l'attention se porte sur autre chose, elle s'excusa et s'éclipsa pour aller aux toilettes. Le barman lui indiqua en bas un long couloir décoré de portraits et de photos anciennes. C'était presque toujours le cas à Oxford : on y honorait la mémoire de ceux qui avaient fabriqué jadis l'héritage des futurs membres. Cassie pensait à Olivia et à Hugo, à ce legs Mandeville qui les rendait si nerveux. Elle, elle n'avait jamais eu de famille pour lui montrer le chemin.

À moins que…

Elle s'arrêta. Elle comprit pour la première fois que si elle retrouvait son père – et quand elle le retrouverait –, il aurait une famille autour de lui. Cassie n'avait pas connu ses grands-parents, mais peut-être existait-il un réseau de personnes inconnues auxquelles elle était liée par le sang : des cousins, des tantes, des oncles. Une histoire, un héritage lui appartenant.

— Tu apprécies nos illustres aïeux ?

Cassie sursauta en entendant derrière elle la voix d'Hugo.

— Tu m'as fait peur ! dit-elle en reculant.

Il se tenait trop près dans ce couloir étroit et la fixait de ses yeux noirs.

— Pourquoi tu me tombes toujours dessus comme ça ?

— Moi ? dit Hugo, amusé. C'est plutôt toi qui rôdes tout le temps là où tu n'es pas censée être.

Elle se rappelait le soir où elle était entrée dans les caveaux par effraction. Elle détourna les yeux.

— Je ne savais pas que c'était privé, dit-elle vivement pour sa défense.

— Tout va bien, répondit-il. Si on te pose des questions, tu es avec moi.

— Le nom de Mandeville ouvre toutes les portes, ici ?

Il haussa les épaules puis ajouta sombrement :

— Il a ses avantages mais aussi ses inconvénients. Demande à Père.

Il hocha la tête vers l'un des portraits, celui d'un étudiant au regard bleu intense, raide, tenant sévèrement un marteau de justice.

— Président de l'Oxford Union Society, 1994.

Cassie lisait la légende.

— Il y a aussi mon grand-père, quelque part par là, reprit Hugo en pointant un doigt vers le fond du couloir. Deux de mes oncles. Ma tante Beatrice. Mon cousin James.

— Mais pas toi.

Elle avait perçu un soupçon de nostalgie dans sa voix.

— Non. Pas moi.

Il eut un sourire forcé.

— Je n'ai même jamais été candidat.

— Pourquoi ? On dirait que tu te l'interdis…

Elle ajouta doucement :

— Le grand héritage des Mandeville.

Il haussa les épaules.

— C'est bizarre, un héritage. Quand les gens attendent de toi…

Il considérait le portrait, plongé dans ses pensées.

— Je me demande parfois si je ne lutte pas contre ma destinée en essayant de suivre ma propre voie. Si je ne ferais pas mieux de l'accepter, de me dire que mon sort était fixé dès le jour de ma naissance…

Cassie frissonna. Elle s'était si souvent posé la même question ! Elle avait fait sienne la malédiction de sa mère : une folie et une instabilité mentale programmées d'avance, profondément inscrites dans son ADN. Elle aurait beau fuir à jamais, elle ne pourrait échapper à ce jour terrible, à ce sang sur la porcelaine fêlée.

— Je ne sais pas, répondit-elle à voix basse. Tu devrais peut-être essayer.

Il la regarda avec une expression réfléchie.

— Qu'est-ce que tu fais ici ?

Cassie se pétrifia.

— Comment ça ?

— Ici. Ce soir. Tu participes à la fête comme…
comme si tu étais des nôtres. Alors que ce n'est pas le cas.

Elle se raidit.

— Je suis ici parce qu'on m'a invitée, répondit-elle
froidement. Pourquoi cette question ? Je ne suis pas
assez importante pour fréquenter vos nobles établisse-
ments ? Je regrette que mes ancêtres ne méritent pas
d'avoir une place sur vos murs, mais…

— Je ne te parle pas de ça, dit Hugo, essayant de
l'arrêter.

Mais Cassie secouait la tête :

— Je sais exactement de quoi tu parles, l'interrompit-
elle en lui jetant un regard dédaigneux. Tu sais, je te
trouve bien pressé de porter un jugement sur les autres,
pour quelqu'un d'aussi ambivalent vis-à-vis de sa tradition familiale.

Elle lui tourna le dos pour s'en aller.

— Attends ! dit-il.

Elle continua de marcher mais il se plaça devant elle,
lui bloquant le passage.

— Vraiment, je ne te parlais pas de ça. Je voulais
juste faire observer que tu n'es pas comme les autres,
c'est tout.

— D'accord.

Elle haussa les épaules, toujours tendue, le cœur battant.

— Écoute, reprit Hugo, tu ne voudrais pas sortir
dîner, un de ces soirs ?

Elle se tut, stupéfaite, certaine d'avoir mal compris.
Pourtant, il semblait sincère. Il enchaîna, hésitant :

— Ou peut-être aller voir un film ? Je t'ai vue du
côté du cinéma d'art et essai à Jericho. Si on faisait ça ?
Cette semaine, par exemple.

Cassie le fixait. Son cerveau lui semblait en ébullition. Elle s'efforçait de comprendre ce nouveau jeu.

— Tu es avec Evie, dit-elle enfin.

Hugo parut embarrassé.

— On se voit comme ça, c'est tout. Rien de sérieux.

— Alors, va le lui dire ! s'exclama-t-elle.

Elle ne pouvait le croire ! La décontraction avec laquelle Hugo était capable d'oublier la fille assise un instant plus tôt sur ses genoux... Il tenta de s'expliquer :

— Ce n'est pas ça...

Elle lui coupa sèchement la parole :

— Non. Ça ne m'intéresse pas, quel que soit le jeu auquel tu joues. Garde tes distances avec moi, d'accord ?

Elle le planta dans le couloir. Mais quand elle voulut reparaître dans le salon, elle fut arrêtée par une main qui se posa lourdement sur son épaule. Sa colère explosa :

— Qu'est-ce qui t'échappe quand je te dis que ça ne m'intéresse pas...

Cassie se retourna, et sa phrase mourut sur ses lèvres. Cette fois, ce n'était pas Hugo, mais un jeune homme blond aux joues rougies par l'alcool et au col chiffonné.

— Qu'est-ce que vous voulez ? cria-t-elle.

— Un autre verre, dit-il. Du scotch, le même...

Elle le repoussa rudement.

— Je ne travaille pas ici.

— Ne t'en fais pas, James.

Une voix suffisante s'était élevée de l'autre côté : Sebastian, maintenant, entrait en scène. Il porta son verre à ses lèvres et toisa Cassie en ricanant.

— On s'y tromperait facilement. Il y a des gens, on dirait vraiment des loufiats. Pas vrai ? Tu sais, je crois qu'ils embauchent. Tu pourrais en profiter pour apprendre des trucs utiles pour quand tu auras ton diplôme.

— Tu veux dire, apprendre à gérer des trous du cul puérils ? répliqua Cassie. Pas la peine. J'en apprends assez là-dessus quand il faut te supporter.

L'ami de Sebastian étouffa un rire. Le sourire de Sebastian s'effaça.

— On se revoit au tutorat, dit-elle, victorieuse. La semaine prochaine. Essaie de venir préparé. Comme dit Tremain, si on ne prépare pas, ça fait baisser le niveau du débat.

Elle s'éloigna sans lui laisser le temps de réagir. En haut, la fête était devenue plus bruyante, plus déchaînée. Les tables étaient jonchées de bouteilles vides. Les hommes avaient tombé la veste et dénoué leur cravate. Les filles s'affalaient sur les divans, les cheveux décoiffés et le maquillage défait. Evie dormait à moitié, les jambes sur les genoux d'Olivia. Hugo n'était nulle part.

Cassie traversa la fête pour rejoindre Evie.

— Je m'en vais, dit-elle. Tu viens ?

— Mais la fête n'est pas finie ! protesta Evie en dorlotant un verre qu'elle faillit renverser sur sa robe.

— Alors, reste.

Olivia tira paresseusement le bras d'Evie.

— On va chez Miles.

— Pas moi, dit Cassie.

Elle se forçait à sourire, mais elle était énervée.

— Merci de m'avoir invitée. C'était super. On se revoit à Raleigh.

— Tu ne veux pas qu'on t'appelle un taxi ? proposa Evie.

— Non, ça ira. J'ai envie de marcher. C'est à dix minutes.

Elle dit au revoir, prit l'escalier et fila vers la sortie. Elle voulait fuir avant de se disputer de nouveau avec quelqu'un.

Quittant l'immeuble de l'Union, elle retrouva l'obscurité des ruelles. Il était plus de deux heures. Un air froid soufflait sur ses jambes nues. Elle s'emmitoufla dans son manteau et prit la direction de Raleigh. Elle longea les devantures éteintes de Holywell Street, et les porches imposants des universités.

Elle ne pouvait s'empêcher de penser à Hugo. Elle ne comprenait pas. Comment osait-il la draguer si ouvertement, alors qu'Evie était dans la pièce au-dessus ? Il la troublait et elle détestait ça : ces yeux noirs qui semblaient toujours percer ses défenses, ce petit sourire entendu derrière lequel se cachaient des ombres. Elle se savait capable de l'effacer de sa vie comme s'effaçaient le vin et la drogue qui persistaient à exciter son organisme, mais elle savait aussi qu'il y avait entre eux quelque chose de particulier. Quelque chose qui pesait d'un poids dangereux et qu'elle devait éviter à tout prix.

La ville, à cette heure, était déserte. On ne rencontrait pas âme qui vive. Les vieux éclairages publics en fer forgé répandaient sur les pavés des flaques de lumière dorée. Des projecteurs étaient braqués sur les pierres, les briques et les statues de tous les bâtiments universitaires. Cassie bifurqua pour prendre un raccourci le long d'une rue sinueuse, résidentielle, une enfilade de maisons anciennes. Il faisait plus sombre ici. C'était calme, désert. Mais cette quiétude fut brisée par un léger bruit de pas derrière elle.

Elle accéléra l'allure. Elle passa de l'autre côté de la rue, contente d'être bientôt arrivée. Elle emprunta la voie qui serpentait le long des prés de Raleigh.

Les pas se faisaient toujours entendre derrière elle. Elle savait qu'elle devait rentrer au plus vite, pourtant elle ne put s'empêcher de faire une pause au coin et de se retourner.

Rien, aucun signe de vie, seulement des ombres.

Elle se dépêcha. Le corps de garde fermait à minuit. Après, les étudiants devaient passer par l'entrée des retardataires, une petite porte en bois située à l'arrière. Cassie longea les murs. Elle cherchait déjà ses clefs. Les pas continuaient de résonner, tel un écho au staccato de ses propres talons.

Ils se rapprochèrent, retentirent plus fort.

Cassie sentit son pouls s'accélérer. Elle regretta d'avoir décliné la proposition d'Evie de lui appeler un taxi sans se soucier de la dépense. Impossible de courir avec ces souliers à talon. Sa robe de soie noire faisait ressortir ses jambes nues et blanches. Elle courut dès qu'elle aperçut l'entrée. Elle avait hâte d'ouvrir. Sa main tremblait. Elle tâtonna, la clef heurtant la serrure. Elle parvint enfin à l'introduire et la tourna. La porte s'ouvrit. Elle s'avança aussitôt et se baissa pour franchir l'étroit passage. Elle claqua la porte derrière elle et laissa échapper un bref soupir de soulagement.

Cassie reprit son souffle. Son cœur cognait. Son imagination lui avait joué des tours.

La porte se rouvrit derrière elle.

Cassie pivota, les nerfs à vif. Sebastian ! Encore lui. Elle lâcha un cri de colère :

— Toi… Toi, ne me suis pas comme ça, ce n'est pas drôle !

Elle croisa le regard du garçon au moment où la porte se fermait derrière lui. Il avait les yeux dans le vague, légèrement injectés de sang sous la lampe du petit porche.

— Quoi ! Tu as cru que j'étais un vilain monstre qui voulait t'attraper ?

Il tendit la main et lui saisit le coude. Elle tressaillit.

— Va donc te coucher, dit-elle en essayant de le repousser.

Mais il refusait de la lâcher.

— Je ne plaisante pas, reprit-elle.

Il la fixait, les yeux plissés de rage. Cassie se rendit compte que même s'ils se trouvaient dans l'enceinte de Raleigh, ils étaient seuls. L'entrée des retardataires était éloignée de la loge et des résidences. Cassie et Sebastian se trouvaient dans l'ombre du nouvel auditorium. Les allées et les cours splendides de Raleigh lui avaient toujours paru si paisibles ! Elles étaient à présent plongées dans le noir et le silence. Un vrai désert.

— Sebastian ! dit-elle d'une voix sèche.

Elle recula et son dos heurta les rugueuses aspérités du mur.

— Va te coucher, dit-elle encore une fois, s'efforçant de dissimuler sa panique. Ça ira mieux demain matin.

— Ne me dis pas ce que je dois faire.

Il articulait difficilement. La panique de Cassie explosa. Elle se débattit pour se libérer, mais il ne lui lâchait pas le poignet, il l'écorchait même contre le mur.

— Sebastian, laisse-moi. Je te préviens…

Elle luttait, mais il était trop grand, trop proche. Mal assurée sur ses souliers à talon, elle bascula en arrière et il se pressa contre elle de tout son poids, ne lui laissant aucune échappatoire.

— Quoi ?

Il avait sûrement passé des heures à boire. Son regard brillait d'un éclat effrayant, d'une haine violente qui le consumait. Cette haine déclencha dans le corps de Cassie une nouvelle montée d'adrénaline et d'épouvante.

— Qu'est-ce que tu comptes faire ? persifla-t-il.

Il avait raison… Il était le plus fort, le plus grand, avec cette complexion haute et massive.

— Qu'est-ce que tu veux ? dit-elle doucement avant d'ajouter en essayant de dissimuler sa peur : Réfléchis, tu ne vas tout de même pas faire l'idiot…

Ce n'était pas la bonne chose à dire. Sebastian grimaça en entendant ce mot.

— L'idiot ?

Il la secoua brutalement. Le dos de Cassie lui fit mal quand il heurta le mur et craqua.

Une douleur explosa dans son crâne.

— Arrête ! cria-t-elle.

Un cri dans la nuit déserte.

— Arrête tout de suite !

La main de Sebastian remonta jusqu'à la gorge de Cassie, empêchant les mots de sortir. Elle chercha de l'air et s'agita, mais elle était trop petite. Il l'écrasait.

— Ne me fais plus jamais ça, grogna Sebastian en la soulevant contre le mur jusqu'à ce qu'elle se retrouve pendue, jambes et bras ballants, à essayer de lui expédier des coups de pied, étourdie, prise au piège.

— Ne t'imagine pas une seule minute que tu puisses être meilleure que moi.

Il montrait une telle expression de fureur qu'elle ferma les yeux. Le renfoncement dans lequel il l'avait coincée était trop éloigné pour qu'on entende ses appels au secours, et l'heure trop tardive pour qu'on vienne à passer. Elle était seule, à sa merci.

Sebastian tendit une main vers ses cuisses.

— Tu aimes ça ? murmura-t-il d'un ton cruel.

Elle sentit qu'il enfonçait les doigts dans sa peau nue et relevait sa robe légère. Il lui soufflait dans la figure son haleine chargée.

— Tu aimes, hein ? Sale pute !

Son autre main se déplaça vers un sein qu'il serra en lui faisant mal.

Elle ouvrit les yeux. Il s'arrêta, attendant une réaction qu'elle lui refusa. Puisque c'était là tout ce qu'elle pouvait faire, alors elle ne bougerait pas. Dans un effort de concentration désespéré, elle essaya de se détacher d'elle-même en fixant son regard sur les taches d'ombre couvrant le mur de l'auditorium en face. Elle allait devoir s'arracher à son propre corps, une fois de plus.

Elle avait déjà vécu cette expérience : se replier dans un petit coin de son esprit, attendre que tout soit fini. Elle avait cru avoir changé. Elle s'était promis de ne plus jamais laisser ce genre de choses se produire. Mais parfois on n'a pas le choix.

On n'avait jamais le choix, merde !

— Tu aimes ça ? continuait de murmurer Sebastian sur un ton fervent, sans cesser de l'empoigner et de la tripoter tout en essayant de déboucler sa ceinture.

Cassie sentit une montée de bile dans sa gorge. Elle croyait ces souvenirs-là à jamais bloqués, mais son corps en avait gardé la mémoire : ils y avaient été imprimés par d'autres mains sur elle, d'autres griffes, par un autre souffle sur sa joue. Elle savait ce qu'il allait advenir. Il y eut le bruit de la fermeture Éclair qu'on descend. Il y eut sa respiration, qui s'interrompit brièvement quand il plongea la main entre leurs corps. Il y eut cette main qui écarta durement les cuisses de Cassie. Et pendant tout ce temps, les yeux de Sebastian brillaient du sombre éclat de la victoire.

— Chez moi, c'est comme ça ! siffla-t-il. Ne l'oublie jamais.

Ces mots délivrèrent Cassie du brouillard. La fureur jaillit, rouge et noir.

Elle poussa un hurlement. Elle se libéra dans une torsion, tomba accroupie et se propulsa contre lui de toutes ses forces. Sebastian bascula en arrière, perdit l'équilibre et tomba, entraînant Cassie avec lui. Elle parvint à tourner sur elle-même avant qu'ils aient touché le sol et atterrit lourdement sur le côté. Il la rattrapa par le poignet et tira pour l'amener à lui et l'immobiliser sur le gravier. Elle aurait voulu hurler à nouveau, à tout le moins produire un son, mais il lui écrasait la bouche avec sa main, et la gorge avec son avant-bras. De nouveau il l'entravait, de nouveau sa main fourrageait entre leurs corps avec une détermination féroce.

Cassie haleta. Son sang battait dans ses veines. De ses ongles, elle lui griffa sauvagement la figure. Elle lui enfonça un pouce dans l'orbite, en exerçant une très forte pression.

Sebastian laissa échapper un cri animal. Il relâcha son étreinte, pas longtemps mais assez pour qu'elle puisse replier les genoux, pousser, rouler, se libérer. Elle avait perdu ses chaussures : la lutte les avait expédiées au loin. Elle se retrouva pieds nus sur les graviers coupants et chancela. Sebastian gémissait à terre derrière elle, les mains sur la figure.

187

Cassie respirait de plus en plus vite. Son corps blessé lui faisait mal. Elle parvint à faire un pas en avant. Le renfoncement était toujours plongé dans le noir et silencieux, hormis les plaintes de Sebastian et les pénibles efforts de Cassie pour reprendre son souffle. Il n'y avait personne en vue. Personne n'avait rien entendu.

— Salope ! lança Sebastian en se tordant de douleur par terre. Tu vas me payer ça, tu entends ? Je vais te tuer ! Je te tuerai, merde !

Elle s'arrêta. La rage grondait dans tous ses membres comme une ligne de basse. Cassie la sentit s'épanouir, riche et profonde, pareille à ce vin qu'elle avait bu au début de la soirée. La peur battait en retraite, la panique s'éloignait comme une marée qui se retire sans rien laisser d'autre sur le sable que la colère : une colère d'acier, plus réelle que tout ce qu'elle avait connu, qui monta, traversa le corps de Cassie, brûlante, vive, sourde, jusqu'à devenir un élément vivant, une respiration.

Une exigence.

Il lui avait fait ça parce qu'il le pouvait. Parce qu'il pensait que le corps de Cassie lui appartenait et qu'il pouvait la maltraiter comme bon lui semblait. Cassie ne représentait rien pour lui, pas une voix, pas un esprit – seulement un corps. Une chose.

Sauf qu'elle était plus qu'une chose.

Elle aussi pouvait le faire souffrir.

15

Cassie se réveilla avec un mal de crâne à hurler et des courbatures dans tous ses membres douloureux. La lumière coulait à flots par la fenêtre aux rideaux ouverts : elle s'en détourna. Elle avait la gorge sèche.

Elle était dans sa chambre, effondrée sur le lit, et portait encore ses vêtements de la veille.

S'asseoir lui demanda un effort. Elle était choquée par la douleur qui irradiait son corps. Épuisée, elle n'était plus qu'une coquille vide et brisée. Elle dut mobiliser toute son énergie pour se glisser pas à pas hors de sa chambre, en se tenant au mur de crainte de tomber. Elle appela :

— Evie ?

Elle avait mal à la gorge, et les mots ne sortaient pas. Pas de réponse. Elle était seule dans la mansarde.

Comme elle titubait en direction de la salle de bains, elle croisa son image dans le miroir du bureau et s'arrêta. Sa gorge présentait un collier d'ecchymoses. Sa peau blanche était marquée de méchantes taches sombres, et l'une d'entre elles s'épanouissait au-dessus de la joue droite. Elle s'observa, horrifiée, caressant les chairs tendres, mais sans parvenir à se rappeler ce qui lui était arrivé. Sebastian… La porte des retardataires… Elle se souvenait maintenant. Il l'avait empoignée, et après…

Après, c'était le noir complet.

Elle s'enferma dans la salle de bains et laissa la douche frapper ses os fatigués, l'eau aussi chaude que possible, jusqu'à ce que son mal de tête produise des grondements furieux et violents. Elle gagna la cuisine enveloppée dans son peignoir. Elle avala trois aspirines qu'elle fit passer avec une gorgée de café froid puis se laissa glisser lentement sur le sol. Adossée à l'armoire, elle attendit que l'antalgique exerce son pouvoir magique, apaisant. Elle considéra ses blessures aux poignets – de vilaines marbrures sombres. Elle essaya de se souvenir, mais seuls lui revenaient des fragments de la soirée : le claquement de ses talons sur le pavé, les chandeliers qui scintillaient lors du dîner, la rumeur des discussions au bar de l'Union.

Le craquement de ses os contre le ciment.

Peu à peu, son malaise se métamorphosa en effroi. Ces ténèbres, ce trou noir dans ses souvenirs : elle avait déjà vécu cela – comme elle avait déjà eu dans la bouche ce goût familier, âcre, métallique. La panique s'emparait d'elle. Les autres fois, elle était remontée des ténèbres pour contempler l'horrible désastre laissé derrière elle. Des corps brisés, des immeubles réduits en cendres. Mais elle était alors une enfant. Elle ne pouvait être blâmée. À présent, elle était à Oxford, là où la plus grande discrétion était de mise…

Qu'avait-elle fait ?

*

190

Elle ne savait plus trop depuis combien de temps elle était assise par terre, frissonnante. Elle ne savait pas quelle heure il était. On frappait à la porte d'entrée. Elle sursauta, tendue, et lança :

— Une seconde.

Les mots, en franchissant sa gorge blessée, lui firent mal. Elle se leva. Un élan de paranoïa la fit se précipiter dans sa chambre et vérifier que ses dossiers étaient bien cachés derrière un panneau de la penderie.

Ayant renoué la ceinture de son peignoir, elle se dirigea vers la porte qu'elle entrouvrit prudemment.

— Mademoiselle Blackwell ?

C'était Rutledge, dans son sempiternel tricot de grosse laine. Il écarquilla les yeux en la voyant. Elle l'entendit respirer bruyamment.

— Que se passe-t-il ?

Il s'éclaircit la gorge et prit un air désolé. Cassie ouvrit grand la porte. Un autre homme se tenait derrière Rutledge, un peu en retrait, en haut de l'escalier. Il portait un blouson élimé et un pantalon de velours.

— Nous… Euh… Il faudrait que vous nous suiviez chez le président, afin de répondre à deux ou trois questions.

Rutledge la regardait dans les yeux, manifestement gêné. Cassie observa l'autre individu. Il semblait avoir une quarantaine d'années et arborait une calvitie naissante. Montrant des signes d'impatience, il n'avait à l'évidence aucune envie de s'attarder sur les ecchymoses de Cassie.

— Voici l'inspecteur Bradshaw, enchaîna Rutledge. Ils… euh… Ils ont besoin de vous entendre. Je regrette.

Il se tut. Elle devina qu'il éprouvait de la sympathie pour elle.

— Je leur ai proposé de venir vous chercher tout seul, mais ils ont insisté pour m'accompagner…

Il s'effaça.

Cassie acquiesça.

— Pas de problème, dit-elle alors que ses pensées se précipitaient. J'arrive.

— Vous pouvez vous habiller, dit Bradshaw brusquement, depuis le couloir. On attend.

*

Habillée, mais persuadée d'avoir une apparence peu humaine, elle traversa le campus avec eux. Le ciel était gris, et les allées désertes. L'accalmie du week-end. Les étudiants faisaient du sport, se donnaient rendez-vous autour d'un café, rattrapaient leur sommeil en retard. Cassie se sentit soulagée qu'il y ait peu de monde dehors, car leur petit groupe attirait les regards.

La dernière fois qu'elle s'était rendue chez sir Edmund, les arbres avaient encore leur feuillage verdoyant. À présent, des branches nues, humides, longeaient les murs de grès. L'herbe sous leurs pieds était boueuse, aplatie. À l'intérieur, Rutledge les conduisit directement au cabinet de sir Edmund. Cassie sentit un silence de mauvais augure s'abattre sur les bureaux au sol couvert de somptueux tapis rouges. Ses pires craintes s'en trouvèrent confirmées.

Ils avaient peur d'elle.

Rutledge lui ouvrit la porte. Cassie rassembla son courage et entra. Derrière son bureau, sir Edmund semblait mécontent et fatigué. Le professeur Tremain avait pris place dans un fauteuil à oreilles. Un autre homme se tenait près de la fenêtre et quand il se retourna,

Cassie en resta stupéfaite. C'était Charlie, en uniforme de policier. Elle ouvrit la bouche pour dire quelque chose, mais il se hâta de l'en décourager d'un mouvement de tête.

— Mademoiselle Blackwell…

Sir Edmund, d'un geste, l'invita à s'asseoir. Le policier Bradshaw resta derrière elle, empêchant toute fuite. Cassie prit le siège indiqué.

— Nous devons vous parler de l'incident survenu hier soir.

Son cœur battait trop vite. Y avait-il un témoin de l'agression ? Le témoin avait-il prévenu les autorités ? Si tel était le cas, elle aurait auprès d'elle, en ce moment, un aimable officier de police de sexe féminin plutôt qu'une brochette de messieurs au visage accusateur.

Cette même question revenait comme un sarcasme : qu'avait-elle encore fait ?

— Sebastian Rhodes, déclara gravement l'agent Bradshaw.

Il ouvrit un calepin, prêt à prendre des notes.

— Vous l'avez vu, hier soir ?

Cassie réfléchit, méfiante, puis admit :

— Oui. Je suis tombée sur lui à l'Oxford Union.

— Vous êtes partis ensemble ?

Elle leva brusquement les yeux.

— Non. On a à peine échangé trois mots. Je suis rentrée toute seule. Il m'a suivie et… agressée.

Elle ne se rappelait pas tout, mais elle était sûre de dire la vérité. L'image de Sebastian restait imprimée dans sa mémoire : son ricanement de mépris, sa sauvagerie, le plaisir qu'il prenait à la faire souffrir.

Le policier Bradshaw échangea un regard avec sir Edmund qui s'était penché en avant. Appuyé sur ses avant-bras, il la fixait d'un œil sévère.

— Vous devez nous dire la vérité, mademoiselle Blackwell.

Elle s'efforça de garder son calme.

— C'est ce que je fais, répondit-elle en ravalant sa colère. Vous pensez peut-être que je me suis étranglée moi-même, pour le plaisir ?

Elle baissa le col de son sweat-shirt pour leur montrer les ecchymoses sur son cou.

— Il a essayé de me violer.

Ces mots immondes restèrent en suspension dans l'air pendant un instant. Le malaise était perceptible, vu la façon dont sir Edmund et Tremain détournaient les yeux et se raclaient la gorge.

— Monsieur Rhodes a été admis à l'hôpital hier soir, reprit sir Edmund. Il a plusieurs côtes et la mâchoire cassées, et des lésions internes.

L'information était tombée lentement. Sebastian était en vie.

Son soulagement ne leur avait sans doute pas échappé, car sir Edmund lui lança un regard furieux.

— Il s'agit d'une affaire sérieuse, mademoiselle Blackwell. Qu'avez-vous à dire pour votre défense ?

— Pour ma défense ? fit-elle en écho.

Le bref soulagement virait à l'incrédulité.

— Vous n'avez pas entendu ce que j'ai dit ? Il a tenté de me violer.

Elle se tourna vers Bradshaw, qui avait adopté un air stoïque et las. À la fenêtre, Charlie baissa les yeux.

Alors elle comprit. L'objet de cette réunion n'était pas d'entendre sa version des faits, ni de s'assurer qu'elle allait bien, encore moins d'engager des poursuites en son nom. Ils étaient là pour sa défense à lui.

Cassie soupira brièvement. Elle aurait dû s'en douter. Le décor avait beau être élégant, ces gens instruits et éduqués, il en allait ici comme partout ailleurs. Pour eux, elle ne comptait pas ; elle ne compterait jamais.

— Qu'attendez-vous de moi ? demanda-t-elle, glaciale. Puisque vous n'avez manifestement pas l'intention de vous soucier de mon état.

Les hommes échangèrent des regards. L'agent Bradshaw referma son calepin.

— Sa famille a décidé de porter plainte pour coups et blessures.

— Alors moi aussi, j'ai une plainte à déposer, répliqua-t-elle. Pour agression, voies de fait et tentative de viol.

— Sebastian est gravement blessé, dit sir Edmund d'un ton accablé.

Elle n'avait plus envie de se battre.

— Il m'a agressée, dit-elle, exténuée. Il m'a suivie. Attaquée. Il ne voulait plus s'arrêter, même quand…

Elle secoua la tête.

— Et vous, vous vous préoccupez de ses blessures à lui ?

Ils furent interrompus par des bruits de voix venant du couloir.

— S'il vous plaît, monsieur Rhodes, si vous voulez bien patienter, protestait la secrétaire en élevant le ton.

— Laissez-moi passer ! vociférait un homme.

La porte s'ouvrit sur un individu d'une cinquantaine d'années, bien nourri, aux tempes grisonnantes. Il entra en coup de vent dans le bureau. Il portait un impeccable costume anthracite et une grosse cravate rouge. Il fulminait, ses yeux brillaient de rage.

— Ça ne se passera pas comme ça ! aboya-t-il. Je veux savoir ce que vous comptez faire.

— Monsieur Rhodes, dit le professeur Tremain en quittant son fauteuil. Si vous vouliez bien attendre dehors…

— Non ! Je n'attendrai pas ! Pas après ce qu'elle a fait…

Le regard de M. Rhodes s'était posé sur Cassie.

— Vous ! hurla-t-il en la montrant du doigt. Qu'est-ce que vous avez fait à mon fils ?

La colère lui tachetait la figure de points roses. Une veine battait sur son front.

— Il a eu ce qu'il méritait ! répliqua Cassie. Puisqu'il est évident que vous ne lui avez jamais expliqué que non, c'est non.

— Comment osez-vous ? dit-il, tremblant de fureur. Mon fils n'aurait jamais…

Il se tut, puis reprit :

— Et vous, maintenant… Vous avez failli le rendre aveugle ! Il a peut-être perdu son œil droit !

— Il a de la chance que je ne l'aie pas tué.

Elle avait lâché cette réponse d'un ton distant, mais ils ne pouvaient imaginer combien c'était vrai. À présent, elle croyait voir Sebastian dans les traits de son père : ils reflétaient la même sauvagerie sûre de son droit. Une vraie bombe à retardement. Une brutalité irréfléchie. Elle n'eut pas le temps d'ajouter un seul mot, car il se rua sur elle. Tremain et Bradshaw se placèrent hors d'atteinte. Cassie recula elle aussi.

Seul Charlie intervint pour retenir Rhodes. Il se contenta de lui bloquer le passage, comme s'il avait affaire à un ivrogne du vendredi soir.

— Du calme… Calmez-vous.

— Vous l'avez entendue ? Vous avez entendu ce qu'elle a dit ?

Rhodes batailla une minute puis laissa tomber. Il respirait mal.

— Jeffery, s'il te plaît… dit sir Edmund.

Pour la première fois, il montrait des signes d'inquiétude.

— Nous pouvons gérer ça. Messieurs les policiers, voulez-vous raccompagner M. Rhodes à sa voiture ? Si vous n'avez pas d'autre question…

Cassie surprit un échange de regards entre Charlie et l'inspecteur Bradshaw, et c'est ce dernier qui répondit :

— Pas d'autre question.

Il rangea son calepin.

— Merci de nous avoir accordé du temps.

Les policiers emmenèrent le père de Sebastian, et sir Edmund les suivit dans le couloir. Cassie les entendit parler derrière la porte. On s'efforçait de rassurer Rhodes d'un ton apaisant : tout serait mis en œuvre.

Lorsque sir Edmund fut de retour dans le bureau, il posa sur Cassie un regard de lassitude résignée.

— Comme vous voyez, la famille est bouleversée. On les comprend. Sebastian a subi plusieurs interventions chirurgicales. Il a perdu beaucoup de sang.

Elle ne répondit rien. Ce n'était plus la même ambiance, maintenant que les policiers étaient partis et qu'elle se retrouvait seule avec sir Edmund et Tremain. Elle attendait de voir ce qu'ils allaient faire. Sir Edmund enchaîna d'une voix lente :

— Je pense que nous pourrions le convaincre d'abandonner les poursuites et de nous laisser gérer l'affaire en interne. Ce serait dans l'intérêt de tout le monde. Vous ne croyez pas ?

Cassie comprit ce qu'il allait lui proposer.

— À condition que je laisse tomber les poursuites, moi aussi, vous voulez dire ?

— Si vous portez plainte, j'ai peur que M. Rhodes ne le fasse aussi. Vous savez qu'en cas de procédure judiciaire, vous perdriez votre visa, expliqua sir Edmund en adoptant un ton aimable. Et bien sûr, nous vous demanderions de quitter Raleigh.

— Ce qui reste possible, dit Tremain avec un masque impassible. Nous allons lancer une enquête disciplinaire, et si nous trouvons des preuves de violence ou de…

Cassie s'énerva et lui coupa la parole :

— Je ne le crois pas ! S'il y avait des preuves, ce serait à la police de mener l'enquête. Or ça n'a pas l'air de les intéresser.

— Raleigh a des relations suivies avec la police locale, répondit sir Edmund. Ils nous font confiance. Ils n'ont pas envie de perdre leur temps si l'affaire peut être traitée par nos soins.

Cassie réfléchit rapidement. Ils ne voulaient pas de scandale. Ils ne tenaient pas à voir les journaux risquer de salir le nom de Raleigh.

— Alors disons que c'est réglé, concéda Cassie avec amertume. Après tout, si vous ne voulez pas me croire quand je vous dis qu'il a essayé de me violer, vous pouvez très bien ne pas le croire non plus quand il affirme que c'est moi qui l'ai agressé.

Elle se leva. Tremain avait une objection :

— Mademoiselle Blackwell…

Mais sir Edmund, d'un geste, le pria de se taire.

— J'en débattrai avec la commission de discipline, et je vous tiendrai au courant de nos conclusions.

Il se leva à son tour et la raccompagna à la porte.

— Nous exigeons la plus grande discrétion, quand nous enquêtons sur ce genre d'accusations. N'en parlez à personne. Surtout pas à la presse.

Il la perçait de ses yeux gris, couleur de pierre.

— L'université a une réputation à défendre.

— Bien sûr.

Elle les regarda tous deux. Sir Edmund redoutait de voir souillé le nom de son université, et Tremain jouait les toutous obéissants. Il y avait de quoi la mettre en rage, mais elle était trop épuisée pour ça. Elle se contentait de les mépriser.

— L'université avant tout.

*

Dehors, Cassie se laissa porter par ses pas. Elle se consumait de rage, d'impuissance – mais elle était soulagée, aussi. À force d'être déçue par le système – ce sempiternel défilé de bureaucrates incompétents et de travailleurs sociaux sans courage –, elle croyait avoir déjà perdu toute confiance envers l'autorité, et ce, depuis longtemps. Mais à présent, alors que la voix réconfortante de sir Edmund continuait de résonner en elle, elle découvrait qu'il lui restait encore un dernier lambeau de foi à détruire.

Car l'affaire lui laissait un goût amer. Sebastian était des leurs. Ils ne le puniraient jamais. Et sa version à lui primerait.

Du reste, c'est peut-être elle qui méritait une punition, après tout.

Cassie chassa cette pensée. Quoi qu'elle ait fait à Sebastian, il l'avait mérité. Elle était une survivante.

Il en allait ainsi depuis toujours. Et si elle avait perdu le contrôle, si elle était allée trop loin… eh bien, on ne pouvait plus rien y changer.

Elle tournait sur la grande esplanade quand elle aperçut Charlie et le policier Bradshaw discutant à la loge du gardien. Elle resta un instant à les observer. Charlie répondit au téléphone puis fit signe à Bradshaw de partir le premier. Le policier sortit par la porte principale. L'instant d'après, il avait disparu.

Elle se hâta de rejoindre Charlie et arriva à sa hauteur au moment où il mettait fin à sa communication.

— C'était quoi, tout ça ? dit-elle, hostile. Bon sang, mais à quoi ça rime ?

— Chut ! répondit-il en surveillant les alentours.

Sans lui laisser le temps de protester, il l'entraîna vers le fond de la cour puis dans une allée discrète.

Elle insista :

— Il y a un problème ? Vous avez peur d'être vu avec la dingue super dangereuse ?

— Cassie…

Il essayait de la calmer, mais elle s'emporta :

— Vous disiez que je n'avais rien à craindre de vous ! C'est réussi ! C'est ça, votre boulot ? C'est ça, protéger et servir ?

— J'ai essayé, chuchota Charlie.

Il s'assura de nouveau que personne ne les observait.

— Vous croyez que je ne sais pas ce qu'ils manigancent, là-bas ? dit-il. C'était de la comédie…

Le mot était lâché.

— Tout ça, c'est de la comédie à la con. Et depuis le début.

— Comment ? demanda Cassie dont la colère retombait.

Elle s'était attendue à ce qu'il nie ou présente ses excuses, et il semblait seulement écœuré.

— À mon arrivée à l'hôpital, le père de Rhodes était déjà sur place, expliqua-t-il. Avec l'avocat de la famille. Quand j'ai compris que c'était vous qui étiez impliquée, j'ai essayé de les faire débarrasser le plancher pour pouvoir interroger le gamin dans les formes. Mais ils n'ont pas voulu, même une minute. Sebastian arrivait à peine à parler. Il a laissé son père s'exprimer à sa place. Là-dessus, Bradshaw a débarqué et leur a expliqué que l'université allait s'occuper de tout. Il n'a même pas pris leur déposition. J'ai essayé d'insister, mais Bradshaw m'a engueulé pour avoir seulement suggéré que c'était une enquête ! Je ne peux pas faire plus.

Il avait l'air déchiré.

— Je suis en sursis. C'est ça, le problème.

— Pourquoi ? voulut savoir Cassie, intriguée. Qu'est-ce que vous avez fait ?

Il soupira.

— Une bagarre a éclaté à Cornmarket il y a deux semaines. J'ai commis l'erreur de coincer le gars qui avait frappé le premier. Il est apparu que son papa est membre d'une commission gouvernementale. Ils l'ont relâché et m'ont collé à l'université comme simple agent. Maintenant, mon boulot, c'est d'enregistrer les plaintes pour vol de portable.

Il secoua la tête, comme s'il préférait changer de sujet.

— Vous ne comprenez pas ? Je ne peux pas creuser cette affaire. Même si je le faisais, ça ne changerait rien… Ces collèges, ce sont de vraies ambassades à la con. Rien n'en sort !

— Et la police regarde ailleurs, conclut Cassie.

Il acquiesça.

— Bradshaw orchestre tout ça depuis des années. Je ne le savais pas jusque-là, mais il s'occupe de tout enterrer. Je n'ai aucun pouvoir. C'est au-dessus de moi que ça se passe.

Cassie s'adossa contre le mur.

— Alors, Sebastian va s'en tirer comme ça ?

— Il a trois côtes cassées et une fracture de la mâchoire, fit observer Charlie. Ce n'est pas rien.

Il grimaça un sourire.

— Apparemment, vous n'aviez pas tort, l'autre jour, de dire que vous pouviez vous occuper de vous toute seule.

Elle n'arrivait pas à sourire.

— J'ai fait ce que je devais faire, reprit-elle.

Elle essayait de se convaincre en même temps qu'elle voulait le convaincre, lui.

— Et ce n'était pas par pur plaisir.

Charlie changea d'expression.

— Vous allez bien ? demanda-t-il en s'approchant. Il vous a…

— Quoi ? S'il a eu ce qu'il voulait ?

Elle tressaillit et recula.

— Ne vous inquiétez pas. Je ne l'ai pas laissé aller jusque-là.

— Ce n'est pas ce que je voulais dire, protesta-t-il, touché.

Elle se détourna.

— Je vais bien.

Il hochait doucement la tête. Il mit la main dans sa poche.

— Tenez…

Il sortit de sa veste une carte de visite et un stylo à bille bon marché. Il griffonna un numéro au verso de la carte.

— C'est mon numéro de portable. Appelez-moi si vous avez encore des ennuis avec Sebastian. Ou avec n'importe qui d'autre.

Elle prit la carte qu'elle glissa dans sa poche arrière sans y jeter un coup d'œil.

— J'insiste, ajouta Charlie, si intensément qu'elle le regarda plus attentivement. Rhodes exige plein de trucs… Un dépôt de plainte, une exclusion… Des conneries, en gros. Mais vous ne pourrez pas être de nouveau mêlée à une affaire de ce genre. En tout cas, pas si vous voulez éviter les ennuis.

— Je n'ai pas cherché les…

— Je sais, dit-il sans lui laisser le temps de protester. Ce n'est pas vous. Mais ça ne change rien. Vous êtes étrangère. Et ce putain de système est biaisé. C'est vous qui allez devoir payer. Vous avez compris ?

Elle hocha brièvement la tête. Il n'imaginait pas à quel point elle avait compris.

— Il faut que j'y retourne. Où s'est passée l'agression ?

— À la porte des retardataires, répondit Cassie. Il m'a suivie depuis l'Union. Par Holywell. Il m'a coincée à l'intérieur, près de l'auditorium.

Charlie hochait la tête.

— Je vais aller voir si je peux trouver quelque chose.

— C'est déjà trop tard. Vous l'avez dit vous-même. Ça n'a pas d'importance.

— Peut-être, soupira Charlie. Mais ça pourrait vous servir au cas où ils essaieraient de vous virer.

Cassie frissonna. Si une caméra avait filmé Sebastian en train de l'agresser, elle montrerait aussi ce qui s'était passé ensuite.

— Ne prenez pas de risque, dit-elle. Je vais gérer.

Il la regarda comme pour affirmer son désaccord, mais l'expression de Cassie devait être assez résolue et dissuasive car il se contenta de dire :

— Prenez soin de vous.

Et il s'en alla.

Elle le regarda s'éloigner. Elle vit sa tête brune disparaître à l'entrée principale. Son blouson noir de la police rencontra une marée d'étudiants serrés dans leurs habits aux couleurs de Raleigh. Charlie était un intrus, tout comme elle. Mais l'espace d'un instant, elle l'envia de pouvoir ainsi regagner le monde réel, au-delà des lourdes portes de bois.

Elle songea qu'elle pouvait partir quand bon lui semblait. Elle pouvait très bien sauter dans un avion et retrouver sa vie d'avant, en laissant toutes ces énigmes pourrir sous la poussière. Il lui restait cette possibilité.

Mais elle savait que c'était une pensée vaine. Elle ne pouvait pas arrêter maintenant. Pas avec toutes ces questions restées sans réponse. La photo. La vie clandestine menée par sa mère. Toutes ces raisons qui empêchaient Cassie de dormir. Ces secrets que sa mère avait emportés dans la tombe.

Elle se dirigea vers les tours de Raleigh, et les portes se refermèrent derrière elle.

16

Sir Edmund l'avait prévenue : de la discrétion avant tout. Pourtant, sur le campus, Cassie se sentit presque immédiatement montrée du doigt. Sur son passage, les filles chuchotaient à l'oreille de leur camarade et les garçons la foudroyaient du regard. Elle se dit qu'elle s'en fichait. Ils pouvaient toujours parler : la vérité, ils ne la connaîtraient jamais. Et elle n'avait pas besoin d'eux pour croire à sa propre version des faits.

Elle envisagea néanmoins de se confier à quelqu'un : Evie. Après l'entretien avec sir Edmund et la police, elle regagna la mansarde dans l'intention de tout lui dire. Elle formulait déjà les explications dans sa tête. Si elle avait gardé jusque-là le silence sur sa vie personnelle, à présent elle avait besoin d'un allié, de quelqu'un capable de la rassurer, de lui dire que tout se passerait bien.

Mais Evie ne rentra pas à la maison ce jour-là ni le lendemain. Néanmoins, elle reparut ; et Cassie la trouva alors attablée dans la cuisine devant un thé, absente, ailleurs. Elle l'interrogea depuis le seuil :

— Où tu étais passée ?

Evie semblait plus vulnérable qu'à l'accoutumée ; elle avait sous les yeux des cernes profonds.

— On a passé le week-end chez Hugo, à la campagne, répondit-elle. Tu t'es fait du souci ? Excuse-moi.

— Non, je me suis dit que…

Observant Evie de plus près, elle vit combien elle était tendue.

— Tu vas bien ? dit-elle. Il est arrivé quelque chose ?

Evie ne répondit pas tout de suite.

— Je… On va faire une pause…

Sa voix se brisa.

— Hugo et moi. On a rompu.

Cassie s'assit à côté d'elle.

— Qu'est-ce qui s'est passé ?

Les yeux d'Evie étaient humides.

— Il…

Puis elle se corrigea :

— Nous avons décidé d'arrêter quelque temps. Histoire de respirer, tu vois…

Elle s'efforçait de sourire, mais elle souffrait.

— Je suis désolée, dit Cassie.

La lèvre inférieure d'Evie tremblait, ses yeux étaient noyés de larmes.

— Je ne comprends pas, gémit-elle entre deux sanglots. Il ne m'a pas regardée de tout le week-end. Il faisait comme si je n'existais pas, et ensuite… il m'a dit que je devenais trop sérieuse, que notre relation n'était pas du tout ce que je pensais. Je ne comprends pas !

Cassie lui tapota gentiment l'épaule.

— C'est peut-être mieux comme ça, suggéra-t-elle avec un optimisme forcé. Tu pourras te concentrer sur ta thèse. Après tout, tu le voyais depuis quelques semaines, pas plus.

Evie hochait la tête, le regard vide.

— Je… Je croyais que c'était pour de bon. Qu'il éprouvait de l'intérêt pour moi. Et voilà que…

Elle ravala une nouvelle montée de larmes.

— Voilà que tout est fini.

Elle adressa à Cassie un faible sourire.

— Merci de m'avoir écoutée. Je crois que je vais aller dormir.

Elle se leva lentement et disparut sans bruit dans le couloir.

Cassie la regarda partir avec une pointe de culpabilité. Elle savait qu'Hugo ne considérait pas leur liaison comme sérieuse – vu la façon dont il avait dragué Cassie, en l'invitant à sortir dans le dos d'Evie. Elle se demandait maintenant si elle n'aurait pas dû en discuter plus tôt avec Evie. Mais Evie aurait-elle accepté de l'entendre ? N'aurait-elle pas mal pris la chose ?

De toute façon, il était trop tard pour lui parler de l'agression.

L'occasion était passée.

*

Au fil de la semaine, Cassie observa chez Evie un inquiétant changement d'humeur. D'ordinaire si énergique, la jeune fille ne courait plus d'un bout à l'autre de l'appartement ; elle passait des heures à lire ses notes ou à se plonger dans ses bouquins, assise sur le sofa, enveloppée dans une couverture. Hugo n'était pas le seul à s'être éloigné d'elle. Olivia et ses amis ne l'appelaient plus, et la scintillante vie mondaine d'Evie n'était plus que pâles souvenirs, remplacée par des journées entières sans bouger de la mansarde. Evie, pour rassurer

Cassie, affirmait qu'elle bossait dur pour pouvoir rendre sa thèse en temps et en heure. Mais Cassie soupçonnait la fameuse date butoir de ne pas être l'unique raison de ce changement d'attitude. La seule étincelle de vie qu'elle pouvait surprendre chez sa coloc jaillissait quand son smartphone sonnait dans la pénombre en fin d'après-midi. Evie se jetait alors sur l'appareil pour voir qui l'appelait ou lui envoyait un texto. Puis, avec un air accablé, elle retournait dans son lit se désoler et tâcher de faire le deuil de ses brèves amours.

Cassie surveillait les sables mouvants de ces changements d'humeur avec une inquiétude de plus en plus vive. Elle connaissait le phénomène, ayant passé son enfance à voir éclater des tempêtes qu'il fallait traverser en marchant sur des œufs. À présent, c'était Evie qu'elle voyait passer d'un extrême à l'autre, et elle ne pouvait s'empêcher de se rappeler les phases maniaques de sa mère. Elle faisait tout son possible pour éviter de réagir exagérément, mais ses craintes lui revenaient chaque fois qu'Evie tendait vers son téléphone une main pleine d'espoir, ou quand elle la trouvait le matin les yeux vides, bâillant devant son petit déjeuner. Mais ses gentils encouragements se heurtaient à un silence de pierre, et elle s'efforçait de garder ses craintes pour elle. Ce n'était qu'une rupture, après tout. Evie était une adulte. Elle faisait ses propres choix. Elle allait s'en sortir.

*

À la fin de la semaine, Cassie sortit faire son jogging matinal. Ses foulées s'allongèrent sur le sol dur, hivernal. Le campus disparut de son champ de vision.

Son corps avait mis plusieurs jours à récupérer de l'agression, mais elle se sentait à nouveau au mieux de sa forme. Elle faisait le grand tour par la rivière et les prés en un temps toujours plus court. Elle aurait bientôt besoin d'aller encore plus loin, décida-t-elle en cessant de courir pour continuer au pas et laisser ses muscles refroidir. Son souffle projetait de la buée dans l'air froid. Elle pourrait peut-être descendre jusqu'au-delà des prés, jusqu'aux abords de la ville, voire de l'autre côté de l'avenue principale. Après Christ Church College, de longs sentiers sinueux menaient à la rivière dans sa partie large, là où se déroulaient l'été les compétitions d'aviron, où le rivage se bordait de beaux hangars à bateaux, et de drapeaux qui faseyaient au vent.

De retour à Raleigh, elle fit un détour par la loge du gardien pour aller relever son courrier. Elle aperçut alors une silhouette familière qui traversait la cour.

— Olivia ?

La fille blonde franchissait les portes. Elle rentrait d'une nuit passée dehors, c'était évident.

— Salut, Cassie.

Elle s'avança pour une bise rapide. Elle était emmitouflée dans un manteau blanc à col de fourrure. Le froid rougissait ses joues, et ses cheveux s'échappaient de son foulard.

— Comment vas-tu ? Et Evie ? Elle tient le coup ?

Cassie réfléchit. Elle ne voulait pas paraître déloyale.

— Elle va bien. Elle a été un peu secouée au début, mais là, ça va mieux.

— Tant mieux, dit Olivia en soupirant. C'était atroce. Quelle scène…

Elle secoua la tête et ajouta d'un air de regret :

— J'aurais dû la prévenir. Hugo ne sort pas avec quelqu'un. Il s'amuse, il prend son pied, et ça s'arrête dès que l'autre commence à prendre les choses au sérieux.

— Tu devrais passer la voir, suggéra Cassie. Je sais qu'elle adorerait. Ou l'inviter à un cocktail, à une sortie en bande.

— Si seulement je pouvais, dit Olivia en prenant une mine désolée. Mais j'ai promis à Hugo de ne pas interférer. Ce serait maladroit, tu ne trouves pas ? Il est pitoyable, mais il fait partie de la famille, tu comprends.

Elle haussa les épaules, impuissante, puis proposa :

— Mais toi, tu devrais sortir avec nous. C'est l'anniversaire de Miles, ce soir. On fait la fête tous ensemble. Viens !

L'invitation décontenança Cassie. À en croire les vilains regards qu'on lui jetait sur le campus, l'agression de Sebastian – en tout cas, sa propre version de l'agression – alimentait toutes les conversations, et Olivia faisait comme si de rien n'était !

— Je ne pourrai pas, dit Cassie fermement.

Prendre la place d'Evie pendant qu'elle restait à la maison à pleurer, ce ne serait pas bien – même si Cassie avait encore des questions à poser sur les sociétés secrètes.

— Bon, si tu changes d'avis, dis-le.

Olivia grimaça en apercevant quelqu'un derrière l'épaule de Cassie.

— Ne te retourne pas. Tremain te regarde d'un sale œil.

Cassie se retourna. Le professeur s'approchait, venant des cloîtres, serré dans son trench pour affronter le vent.

— Fais comme si tu ne l'avais pas vu. Il rôde tout le temps avec un air lugubre. De toute façon, il faut que je file. Appelle-moi si ça te dit de déjeuner.

Elle s'échappa rapidement, plantant là Cassie au moment où Tremain arrivait à sa hauteur.

— Mademoiselle Blackwell, dit-il en jetant un regard sombre à Olivia. J'allais vous laisser un message. En espérant que nous pourrions avoir une discussion.

— À quel sujet ? demanda Cassie, crispée.

Tremain était resté silencieux devant la police, n'avait pas cru bon de prendre sa défense pendant tout l'entretien. À présent, il semblait mal à l'aise.

— Nous trouverons peut-être un moment pour que vous passiez à mon bureau…

— Je suis très occupée, répliqua-t-elle. J'ai mes devoirs à rédiger.

Elle lui tourna le dos et s'en alla, mais il la suivit.

— Mademoiselle Blackwell, dit-il sèchement.

Elle lui fit face à contrecœur.

— J'ai parlé avec sir Edmund, reprit-il à voix basse. Aucune mesure disciplinaire ne sera prise à votre encontre.

Elle se retint de lui lancer une remarque sarcastique et se contenta de lui demander froidement :

— Avez-vous autre chose à me dire ? Il faut vraiment que j'aille à la bibliothèque, là.

Tremain semblait affligé.

— La règle de l'université, c'est que toute personne victime d'un… d'un événement traumatique a droit à un thérapeute. J'ai pris la liberté de vous programmer un rendez-vous pour cet après-midi.

— Vous plaisantez, dit Cassie en clignant des yeux, stupéfaite. Vous vous fichez de ce que je ressens, alors ne faites pas semblant !

— Je vous en prie, dit Tremain en détournant les yeux. Je pense que c'est pour votre bien. Quelqu'un à qui parler. Pour vous aider à gérer ça.

— Au cas où vous l'auriez oublié, la version officielle, c'est qu'il ne s'est rien passé, dit Cassie, glaciale.

Il soupira.

— C'est une question de procédure, enchaîna-t-il en tirant de sa serviette une feuille qu'il tendit à Cassie. Une seule séance. Après, nous pourrons tous aller de l'avant, et tirer un trait sur cet épisode.

— Et si je refuse ?

— J'essaie de vous aider.

Le professeur la regardait. Pendant un instant, il eut presque l'air d'avoir vraiment de la peine, mais Cassie s'en moquait. Elle lui arracha la feuille des mains.

— Merci de votre sollicitude, dit-elle d'un ton sarcastique.

Elle lui tourna le dos et s'éloigna.

— Si ça ne vous plaît pas, vous pouvez toujours partir.

Elle se pétrifia et pivota sur elle-même.

— Qu'est-ce que vous dites ?

Tremain soutint son regard sans sourciller.

— Raleigh ne convient pas à tout le monde, poursuivit-il. Après ce que vous avez vécu, il serait peut-être préférable de mettre un terme à ce cycle d'études à l'étranger.

— Préférable pour qui ? répliqua-t-elle. Pour la fac ? Pour Sebastian ? Pour vous ?

Tremain ne cilla pas.

— Il n'y a aucune honte à admettre que vous n'êtes pas heureuse ici.

Cassie serrait les dents. Il pensait qu'elle n'était pas faite pour ces études-là. Qu'elle n'avait pas sa place à Raleigh.

— Je verrai votre psychologue, dit-elle, mordante. Mais si vous voulez que je m'en aille, il faudra m'exclure. J'ai gagné le droit d'être ici. Comme les autres. Alors je reste.

*

L'adresse que Tremain avait communiquée à Cassie correspondait à un grand ensemble désolé situé à l'entrée de la ville. Le Centre de recherches psychologiques et neurologiques. D'impeccables portes automatiques s'ouvrirent sur un curieux décor d'acier chromé, qui tranchait avec l'université et ses bibliothèques poussiéreuses.

— Cassie ?

Une femme venait vers elle, main tendue.

— Thessaly Mortimer. Vous êtes pile à l'heure. J'allais me chercher un café. Vous en voulez un ?

— Euh… non merci.

Elle étudia brièvement cette femme de presque quarante ans à la crinière auburn et au maquillage sans défaut. Elle portait un chemisier de soie et une jupe fourreau noire. Une blouse de labo était pliée sur son bras. Ses talons aiguilles claquèrent sur le dallage quand elle précéda Cassie le long d'un couloir, en direction d'une cafetière électrique.

— Une sale habitude, soupira Thessaly en emplissant une tasse. Je devrais le savoir mieux que personne, vu mon métier. Donnez de la caféine à des rats, vous leur grillez le cerveau et ils deviennent dingues. Tout le monde sait ça.

— Alors pourquoi ne pas arrêter ?

Cassie continuait de l'observer, s'efforçant de l'étudier en détail. Thessaly but une gorgée et lui lança un regard chagrin.

— L'éternel mystère du comportement humain. On sait que c'est mauvais, mais on le fait quand même.

Elle consulta sa montre, un fin bracelet d'or.

— On y va ? J'ai un programme chargé et je suis sûre que vous n'avez pas envie de traîner ici plus que nécessaire.

— Ça non, convint Cassie, déstabilisée.

Thessaly repartait déjà. Elle guida Cassie à travers un labyrinthe de bureaux et de laboratoires. Son cabinet était aussi nu que le reste du bâtiment : un divan et des sièges en cuir, une table couverte d'un plateau de verre. Le mur du fond était orné de croquis du cerveau humain.

— Permettez-moi de me présenter rapidement, commença Thessaly.

Cassie fit quelques pas dans la pièce, en considérant les diplômes encadrés. Master de neurologie, doctorat de psychologie.

— Comme vous le voyez, je ne suis pas une thérapeute traditionnelle. Mais j'aime proposer mes services à l'université, et aider les étudiants soumis à un stress émotionnel.

D'un geste, elle indiqua le divan à Cassie, qui hésita, ce qui fit rire Thessaly.

— N'ayez crainte. Ça n'a rien à voir avec la psychanalyse. Je ne vais pas vous demander de vous allonger et de me parler de vos parents.

Elle ajouta après une pause :

— Sauf si vous le souhaitez, bien entendu. Rien n'est interdit.

Cassie prit un siège tout près du divan.

— Je pensais que vous alliez me parler de l'agression, dit-elle.

— C'est comme vous le sentez.

Thessaly prit place en face d'elle avec un sourire rassurant, ce qui n'empêcha pas Cassie de rester tendue.

— D'accord, enchaîna Thessaly, comme si elle avait perçu les réticences de sa patiente. Tout ce qui se passe ici est privé et relève du secret médical. Je n'ai aucune intention d'en faire un rapport à l'intention de Raleigh. Rien de tel.

Cassie haussa les épaules.

— Il n'y a rien à raconter. Je vais bien. J'ignore pourquoi on m'a fait venir.

— Probablement parce que Raleigh n'aimerait pas être poursuivi pour manquement à la santé de ses élèves.

Cassie leva les yeux, étonnée d'une telle franchise. Thessaly l'observa pendant un moment, puis elle se cala sur son siège d'un air décontracté.

— Écoutez, je comprends. Vous avez subi un traumatisme, et vous n'avez pas envie d'en parler à une inconnue. C'est normal, du reste, tant que vous pouvez le gérer à votre façon.

Elle ajouta après un temps :

— Vous en avez discuté avec quelqu'un ? Une amie, une camarade ?

Cassie fit lentement non de la tête. Elle répondit finalement :

— Je… j'étais sur le point de le faire. Mais ma coloc a des ennuis en ce moment. Ce n'est pas quelque chose que vous pouvez confier comme ça. Elle a ses propres problèmes.

— Ah oui ?

— Elle vient de rompre avec son copain. Et je… Je m'inquiète pour elle.

— Vous ne vous inquiétez pas pour vous, fit Thessaly.

Cassie réfléchissait.

— Non, je vais bien. Je gère. Alors qu'Evie… Evie est vulnérable.

— Il est fréquent de se concentrer sur les autres, quand on sort d'un choc traumatique. C'est une façon de mettre ses propres soucis de côté…

— Je ne suis pas comme ça, s'insurgea Cassie.

Mais elle y repensa : elle s'était bel et bien concentrée sur Evie, sur sa mère, sur tout ce qui pouvait l'empêcher de revivre les événements de cette fameuse nuit. Elle admit :

— Peut-être.

Thessaly lui adressa un petit sourire.

— Alors, à part Evie, y a-t-il quelqu'un à qui vous pensez pouvoir en parler ? Des amis dans votre pays ? Vos parents, peut-être…

— Non, dit Cassie en secouant la tête. Ce n'est pas… Je veux, dire, je vais bien.

Elle serra résolument les lèvres, puis ajouta :

— C'est déjà arrivé. Avant. Mais je vais bien, je n'éprouve pas le besoin d'en parler.

— Très bien.

Thessaly se leva. Cassie, surprise, la regarda en plissant les yeux. Elle s'était attendue à d'autres questions, à une heure de bienveillante intrusion. Au lieu de quoi Thessaly alla s'asseoir à son bureau, prit son smartphone et commença à consulter ses messages. Relevant la tête, elle surprit l'expression de Cassie.

— Je ne vous retiens pas, dit-elle avec un sourire aimable. Apparemment, vous avez la situation en main. Sachez juste que vous pouvez rappeler quand vous voulez, et prendre rendez-vous.

— Ah… Merci.

Cassie ramassa son sac et se dirigea vers la porte. Thessaly ajouta :

— Vous pouvez dire à votre coloc de venir me voir, si besoin. La santé mentale, c'est important. Surtout dans un environnement aussi stressant. Nous ne tenons pas à voir des étudiants passer entre les mailles du filet.

17

Cassie, ce soir-là, travailla tard à la bibliothèque. Le lendemain, elle assista de bonne heure à un cours, et le surlendemain, à un tutorat d'économie. Vers midi, elle tourna la clef dans la serrure avec l'intention de s'offrir un après-midi tranquille au coin du feu. Mais elle trouva Evie à quatre pattes dans le séjour, fourrageant anxieusement dans ses papiers et ses dossiers étalés dans toute la pièce.

— Salut ! dit Cassie en commençant à enlever son manteau, son écharpe et son pull supplémentaire. Comment tu te sens ?

Evie ne leva pas la tête.

— Je ne le trouve plus.

Elle fouillait dans ses notes et ses livres avec une expression toujours plus anxieuse.

— Je ne le trouve plus, dit-elle de nouveau, les yeux fixés sur le désastre : 1950, 1951... Les dossiers Marlowe, ou alors c'est Hariot ? Non, c'est Marlowe. Marlowe...

Cassie eut un frisson de malaise. Elle s'approcha.

— Qu'est-ce que tu cherches ?

Elle n'obtint pas de réponse. Evie tira vers elle un autre carton et entreprit d'en explorer le contenu, tout en jetant n'importe comment par terre des documents dont Cassie observa qu'ils étaient fragiles, jaunis par les ans.

— Du calme, dit-elle en ramassant les feuilles pour les poser délicatement sur la table basse. Dis-moi ce que tu cherches, je pourrai peut-être t'aider.

— Mais je l'ai vu ! s'exclama Evie. Là ! Il était là… Elle avait tout compris.

Elle se tourna et entreprit de s'attaquer à une autre pile de documents.

— Evie, reprit Cassie d'un ton apaisant. Evie, arrête !

Mais Evie ne semblait même pas l'entendre. Ou, si elle l'entendait, la voix de Cassie ne parvenait pas à se frayer un chemin dans la détresse qui l'emportait. Jusqu'au moment où Cassie lui effleura le bras.

Evie fit un bon en arrière, choquée.

— Hé ! Tout va bien, s'empressa de dire Cassie pour la calmer. Commence par faire une pause, après on y arrivera.

Alors Evie respira plus vite, haleta même. Ses joues étaient rouges. Mais Cassie n'était pas soulagée de voir les couleurs revenir sur ce visage blême et diaphane depuis tant de jours, car elle voyait au contraire la fièvre briller dans ses yeux.

— Si tu faisais une pause ? répéta-t-elle en essayant de l'arracher à cette pagaille. Je vais allumer la bouilloire et on ouvrira un paquet de tes super petits gâteaux.

Mais sa colocataire refusait de céder.

— Il faut que je le retrouve ! dit-elle d'une voix où perçait une pure panique.

— On va le retrouver.

Cassie, en évitant tout mouvement brusque, entraîna Evie vers le coin cuisine.

— Tu as juste besoin de t'éclaircir les idées une minute. Tu devrais peut-être sortir faire un tour. Moi, l'air frais m'a toujours aidée à retrouver ma concentration.

Evie lui jeta un regard.

— Attends. Il est quelle heure ?

— Midi vingt, répondit Cassie en consultant sa montre.

Evie laissa échapper un cri.

— Je devais sortir ! J'avais rendez-vous avec Olivia à l'autre bout de la ville.

— Elle a appelé ? demanda Cassie. Formidable.

Evie secoua violemment la tête.

— Je tombe toujours sur sa messagerie, mais je lui ai dit que j'allais venir. Ils pensent tous que je les ai laissés tomber.

Elle prit son sac à main sur le divan et le fouilla pour retrouver son smartphone. Elle parcourut rapidement ses messages. Cassie, à l'expression d'Evie, devina ce qu'il en était.

— Elle n'a pas rappelé, dit Evie.

— Bon. Eh bien, c'est comme ça, dit Cassie pour essayer de discuter. Tu la verras une autre fois. Et tes autres amis ? Tu en avais avant de rencontrer Olivia et sa bande, non ? Si tu as envie de sortir, pourquoi ne pas essayer plutôt de les voir, eux ?

— Tu ne comprends pas ! s'écria Evie. Je ne te parle pas de faire la fête ! Olivia peut m'aider. Elle peut expliquer à Hugo. Il faut que j'arrange les choses.

Cassie regarda Evie qui se détourna pour parler à voix basse dans son téléphone :

— Salut, Livvi. C'est moi. Pardon pour le lapin. C'est le boulot, je ne m'en sortais plus. On déjeune dans la semaine. Ou on prend un verre. Ou…

Ce faux enthousiasme retomba. Evie enchaîna d'une voix plus forte, désespérée :

— Quoi que tu décides, rappelle-moi, d'accord ? Tu me manques !

Elle coupa la communication et resta pétrifiée au milieu du séjour. Cassie voulut la consoler :

— C'est sûrement mieux que tu restes à la maison aujourd'hui. Je parie que tu as du travail par-dessus la tête. Et après une bonne nuit de sommeil…

— Arrête ! l'interrompit Evie, sèchement. Ne me parle pas comme si j'étais une gamine, merde !

Cassie recula d'un pas.

— Excuse-moi, dit-elle prudemment. J'essaie juste de t'aider.

— Eh bien, je n'ai pas besoin de ton aide ! dit Evie, élevant la voix. Je suis capable de me débrouiller. Tout le monde fait toujours comme si je ne voyais pas ce qui se passe, mais je vois très bien ce qui se passe.

Les yeux brillants, elle pointait sur Cassie un doigt accusateur.

— Je vois ce qui passe. Je suis allée trop loin, mais vous tous, maintenant, arrêtez de faire semblant !

Cassie tendit les bras vers elle, paumes ouvertes, dans l'intention de la calmer. C'était un réflexe, un geste de soumission qui éveilla en elle le souvenir des soirées où sa mère s'énervait pour tout et rien.

— Pas de problème, dit-elle gentiment.

— Si, justement ! s'écria Evie. Il y a un problème.

Elle recula.

— Regarde ça !

Elle montrait le désordre qui jonchait la pièce, les notes épinglées au tableau sur la cheminée.

— Je suis censée déposer un projet, et rien n'avance ! Je croyais avoir tout compris, la raison pour laquelle ils se réunissaient, c'était archi clair, mais elle est la seule à l'avoir trouvé et je n'arrive pas à…

Elle alla chercher une autre pile de feuilles.

— Qui a trouvé quoi ? demanda Cassie.

Mais Evie était déjà ailleurs.

— Je ne sais pas où c'est passé. C'était là ! Je ne le trouve plus ! Et je n'y comprends plus rien.

— On va le retrouver.

Cassie se sentait désarmée. Elle ne savait que faire. Elle ne se rappelait même plus comment la tempête avait commencé. Tout ce qu'elle voyait, c'est qu'elle faisait rage avec une force et une sauvagerie qui la ramenaient au temps où, cachée dans la salle de bains, elle devait attendre que la crise prenne fin et que sa mère arrête de tout saccager. Cassie ne pouvait pas aller se cacher. Elle ne pouvait pas fermer les yeux et compter aussi fort que possible pour dresser un mur entre elle et la réalité. Elle devait agir.

— Écoute-moi, dit-elle en élevant la voix face à Evie qui sanglotait. Je peux t'aider.

— Je ne veux pas de ton aide ! cria Evie.

Les larmes ruisselaient sur ses joues. Son buste était secoué de spasmes violents.

— Je ne veux rien. J'ai juste besoin qu'on me laisse tranquille ! Tu ne peux vraiment pas me laisser tranquille ?

Pour finir, elle lâcha un hurlement, prit les dossiers sur la table et les jeta à terre. Cassie fit un bond en arrière quand les pages s'éparpillèrent sur la moquette. Evie sanglotait. Puis elle tourna les talons et s'enfuit dans sa chambre en claquant la porte.

Cassie se laissa tomber sur un bras de fauteuil. Elle reprit sa respiration. Le calme était revenu dans la mansarde. De lointaines rumeurs de circulation entraient par une fenêtre du fond laissée ouverte. Elle espérait qu'Evie allait s'endormir, et qu'elle serait fraîche et reposée au réveil : avec sa mère, les épisodes les plus dangereux s'achevaient ainsi.

Mais elles étaient différentes, se dit Cassie pour se rassurer. Penchée vers le sol, elle commença de ranger les notes et les documents. Sa mère était malade, déséquilibrée par des produits chimiques à cause desquels elle marchait sur une corde raide. Sa mère avait été condamnée dès sa naissance à bondir d'un extrême à l'autre. Evie était fatiguée, voilà tout, débordée, surmenée par ses études et trop de nuits sans sommeil. Cassie se dit que sa colocataire irait bientôt mieux. Elle tria les papiers et les rangea en piles bien nettes. Les vacances de Noël approchaient, c'était l'affaire de quelques semaines. Quand elle aurait revu sa famille, quand elle se serait éloignée de la fascination qu'exerçaient sur elle Olivia et Hugo, elle irait bien à nouveau. Et elle redeviendrait l'ancienne Evie, brillante et pétillante.

La pièce ne tarda pas à recouvrer un semblant d'ordre : les coussins étaient bien rangés sur le canapé, la couverture pliée sur le dossier d'une chaise. Cassie considéra les feuilles d'Evie. Parcourant les lignes tracées d'une écriture serrée, elle essaya d'y repérer un nom connu, une référence à l'École de la Nuit.

Evie poursuivait des recherches universitaires plutôt que narratives : elle retraçait l'évolution des idées dans l'histoire de Raleigh, les conditions qui avaient permis l'émergence d'un courant de pensée créatif et révolutionnaire, en dépit de la censure exercée par la Couronne et l'Église. Astronomes, auteurs dramatiques, mathématiciens : tous s'étaient trouvé une parenté, tous se fixaient des objectifs ambitieux dans une société livrée aux persécutions cléricales.

Comment ce groupe de penseurs avait-il pu devenir la société secrète qu'elle était à présent ? Pour autant qu'il existe actuellement une telle société secrète à Oxford. Cassie courait-elle après un fantôme ? Une part d'elle-même avait l'impression de se tourmenter pour des rumeurs vieilles de plusieurs siècles. Peut-être s'agissait-il de superstitions. Peut-être Cassie était-elle la dernière personne à prendre pour argent comptant ces conspirations fanatiques. Cependant, elle ne pouvait écarter d'un revers l'existence de la photographie et de sa menaçante légende au verso.

Le noir est le blason de l'enfer, la couleur des cachots et l'École de la Nuit.

Elle ne savait toujours pas qui avait pu glisser cette photographie dans sa boîte aux lettres. Elle ne voyait pas qui, à Raleigh, pouvait avoir connaissance de sa réelle identité, de la véritable nature de sa quête.

Elle frissonna. Elle continua de parcourir les notes chaotiques d'Evie ; la réponse s'y trouvait peut-être. Ou alors elle cherchait quelque chose qui n'existait pas et s'éloignait du véritable objectif de son voyage.

Découvrir l'identité de son père.

La cloche de l'université fit voler ses pensées en éclats. Cassie sursauta : il était tard. Elle devait prendre son poste à la bibliothèque cet après-midi. Elle lança un regard inquiet vers la chambre d'Evie. Elle aurait préféré ne pas la laisser seule, mais elle ne pouvait pas non plus rester là et jouer toute la journée les baby-sitters derrière une porte close. Elle griffonna rapidement un mot à l'intention d'Evie. Elle prit son manteau, sortit, franchit l'entrée principale puis marcha le long des rues encombrées. Elle ne l'aurait avoué pour rien au monde, mais elle avait modifié ses circuits en ville depuis son agression. Elle restait sur les artères principales, évitant les petites rues tortueuses. Elle détestait l'anxiété dont elle était la proie, cette façon de se blottir dans son manteau, de marcher vite en restant sur ses gardes, prête à tout, mais elle ne pouvait pas s'en empêcher. Depuis Sebastian, elle savait qu'Oxford n'était pas le cadre idyllique et sûr qu'il semblait être.

*

Elliot avait laissé un mot sur la table des retours pour lui dire de le rejoindre chez Blackwell en sortant.

« J'ai du nouveau », promettait ce mystérieux billet. Cassie, nerveuse, passa tout l'après-midi à se demander ce qu'Elliot pouvait bien avoir trouvé. Les e-mails expédiés aux anciens camarades de Margaret n'avaient suscité qu'une poignée de réponses, et chaque fois il s'agissait d'excuses : personne n'avait rien à dire au sujet de Margaret. À peine s'ils se souvenaient d'elle. Elle était partie avant la fin de la première année. Et c'était si loin, tout ça ! Cassie s'efforçait de ne pas céder à la frustration, mais cela la contrariait d'aboutir de nouveau à un cul-de-sac. Elle avait cru que la découverte de la véritable identité de sa mère lui ouvrirait les portes du passé et de ses secrets, mais il lui fallait à présent se rendre à l'évidence : Margaret était peut-être la personne qui avait le plus compté dans sa vie, mais pour ses camarades de fac elle n'avait été qu'une étudiante parmi des centaines. À peine si elle avait laissé derrière elle l'ombre d'un souvenir.

Quand vint enfin l'heure de quitter son travail, elle se rendit chez Blackwell, à quelques rues de là. Les amateurs de livres envahissaient les rayons et, au café, il ne restait qu'une place de libre. Elliot, rencogné dans le fond, essayait d'empêcher une femme au regard résolu de piquer la chaise vide à côté de lui. Cassie se frayait un chemin dans la foule quand elle l'entendit lancer énergiquement :

— Mais regardez, la voici ! Enfin ! J'ai cru qu'elle allait me tuer !

— Pour un siège ? dit Cassie qui riait en dénouant son écharpe.

— Certains sont morts pour moins que ça, répliqua Elliot. Bon, je pourrais avoir une pâtisserie ?

Cassie obéit. Elle alla leur chercher des cafés et des gâteaux. Elle y laissa presque tout ce qu'elle avait gagné l'après-midi. Puis elle revint prudemment à la table.

— Ce que tu m'as trouvé a intérêt à valoir le coup, dit-elle d'un ton léger, mais en ne plaisantant qu'à moitié. Leur gâteau au chocolat coûte un bras.

— Tu en auras pour ton argent, promis.

Il écarta ses journaux pour faire de la place.

— Au fait, tes recherches ? Ça avance ? demanda-t-il par-dessus ses lunettes dernier cri. Du nouveau, depuis qu'on s'est parlé ?

Elle fit non de la tête et but une gorgée de café fort, brûlant.

— Je n'ai rien trouvé. J'ai voulu discuter de la société secrète avec ma coloc, mais… elle était débordée.

— Bon, j'ai un petit peu creusé l'histoire de ta mystérieuse Margaret, commença Elliot en fourrageant dans sa sacoche de cuir dont il tira un cahier à spirale écorné. Je sais que nous sommes à la recherche de ses camarades de fac, mais je me suis dit qu'il fallait jeter les filets plus loin. Un nom est sorti, un seul. Rose Smith. Ça te dit quelque chose ?

— Non, répondit Cassie.

Pourtant elle frissonna : Rose était son deuxième prénom.

— Rose et Margaret m'ont l'air d'avoir été très proches, continua Elliot en consultant ses notes. Elles étaient coloc, cette fameuse première année. Et elles étaient toutes les deux dans l'équipe de hockey. J'ai déniché une photo de l'équipe. Regarde.

Il fit glisser vers Cassie une page imprimée et indiqua un visage sur lequel elle se pencha.

— C'est l'autre fille de la photo !

— Exactement.

Cassie chercha dans son dossier la photo du dîner officiel. Elle plaça les deux images côte à côte. Aucune erreur possible : Rose était bien la fille assise sous les grands portraits à côté de sa mère, et qui souriait exactement comme elle.

— Cette Rose était peut-être membre de la société secrète, elle aussi, ajouta Elliot.

Cassie leva vers lui un regard surpris.

— Alors, tu y crois ? dit-elle, impatiente. L'École de la Nuit existerait encore ?

Elliot écarquilla les yeux d'un air dramatique.

— Je ne sais pas. Il s'est passé des choses bizarres. Et comme tu le disais toi-même, s'il existe un endroit où former une super élite capable de tout diriger dans l'ombre, c'est bien Oxford. Quoi qu'il en soit, je n'ai pas eu le temps de me renseigner sur ce qu'est devenue Rose. Je parie que si tu la retrouves, elle aura des tonnes de choses à te raconter. Elles étaient comme cul et chemise, manifestement.

Une nouvelle piste. Cassie se sentit prise d'excitation à regarder les photos de sa mère et de Rose ensemble.

— Merci, dit-elle en les rangeant dans son sac. Ça m'aide énormément.

— L'affaire est lancée, lança Elliot avec un plaisir à peine dissimulé. Et de ton côté, quoi de neuf ? Tu es allée à des orgies ? Il faut bien que l'un de nous au moins prenne son pied.

— Et l'étudiant de Balliol ? Ton fameux rendez-vous ? demanda-t-elle en se décontractant sur son siège.

Elliot fit la grimace.

— Il m'a planté là. Il s'est avéré qu'il n'était « pas sûr » de son « identité ».

Il mima des guillemets, et Cassie voyait bien qu'il était blessé.

— Laisse-lui du temps, reprit-elle. De toute façon, il était bien trop jeune pour toi.

Elliot émit un gloussement.

— C'est ça qui est bon, justement.

Ils passèrent une heure à bavarder dans le café noir de monde. La nuit tomba derrière les fenêtres embuées. Des étudiants attendaient à l'entrée avec l'espoir de voir une place se libérer. Elliot écrasa un bâillement tout en essayant de picorer dans l'assiette les dernières miettes de gâteau.

— Bon, dit-il. Au moins, maintenant, le plus gros est fait.

— C'est-à-dire ?

— La moitié du chemin. Plus que trois semaines avant les vacances de Noël.

— Je ne me rappelais plus que les trimestres étaient aussi courts, ici.

Un malaise lui noua le ventre. Elle aurait bientôt passé un tiers de son année à Oxford sans récolter autre chose que des mystères.

— Tu vas sauter dans un avion et rentrer chez toi ? demanda Elliot.

Elle secoua la tête. Elle n'avait aucune raison de rentrer.

— Non. Je reste ici.

— Parfait. Tu pourras me remplacer à la bibliothèque. On reste ouvert pendant les vacances.

Il fit la grimace.

— Il faut bien s'occuper des pauvres âmes qui n'ont nulle part où aller.

Comme elle.

— Bien sûr, dit-elle. Je te remplacerai. Tu as de la famille pas très loin ?

— Une tribu au complet, dit-il en soupirant. Dans le Sussex. Ma mère tient absolument à passer tous les ans un heureux Noël en famille. Promenades dans les collines, jeux de société. Tonton Andy qui boit un coup de trop et vocifère contre le féminisme.

— Ça doit être agréable, dit Cassie d'un ton pensif.

— Ça l'est. On s'amuse. Jusqu'à ce que la guerre arrive sur le tapis.

— Quelle guerre ?

— Toutes les guerres.

Cassie rit en regardant autour d'elle, mais son rire mourut dans sa gorge quand ses yeux se posèrent sur un visage connu. Hugo l'observait, affalé dans un coin.

— Qu'est-ce qui se passe ? dit Elliot en se tournant, avant de reprendre à voix basse : Oh ! Eh bien, je te laisse…

Cassie détourna vivement les yeux et regarda Hugo.

— Ce n'est pas ça, dit-elle. C'est juste… un mec que je connais.

— Tu n'as pas à te justifier.

Il s'embarqua dans un récit à propos d'un homme qu'il avait en vain poursuivi toute l'année précédente. Cassie avait beau essayer de se concentrer sur ce qu'il racontait, elle ne pouvait s'empêcher de sentir sur sa peau le regard brûlant venu du fond de la salle.

En quelques minutes, le malaise devint insupportable.

— Il faut vraiment que je rentre, dit-elle, interrompant Elliot et attrapant son manteau. J'ai un essai à rédiger.

— Oh… les joies de la première année ! dit Elliot, compatissant. Bon, on se revoit jeudi alors. C'est le jour des remises en rayon. Essaie de ne pas sauter de joie.

— Je ferai de mon mieux.

Elle eut un rire forcé et se leva. Elle jeta un coup d'œil dans la salle pour voir si Hugo était toujours là. Il était parti, et sa place occupée maintenant par un type renfrogné penché sur ses mots croisés.

Cassie poussa un soupir de soulagement. Son imagination lui jouait des tours : elle avait cru qu'il la surveillait. Elle descendit doucement les marches. Dehors, elle se demanda si elle ne devait pas faire des courses et préparer le dîner pour Evie. Une soirée tranquille serait peut-être la bienvenue après la crise de ce midi.

— Cassie…

Elle se retourna. Hugo était appuyé au mur de la librairie, les mains dans les poches. Il lui demanda d'un ton désinvolte :

— Ton ami, qui est-ce ?

— Ce ne sont pas tes affaires, répliqua-t-elle sèchement.

Elle essayait de se remettre de sa surprise et son pouls s'accélérait, pressentant un danger. Hugo leva les sourcils.

— Tu rentres ? Je te raccompagne ?

— Non, merci.

Elle gagnait la rue principale quand Hugo la rattrapa et marcha à côté d'elle. Elle le fixa. Il s'excusa, le sourire aux lèvres :

— Bien obligé, on va dans la même direction. Tu préfères que je te suive cinq mètres en arrière ?

Cassie se tut et accéléra le pas. Hugo n'eut aucun mal à la rattraper à grandes enjambées.

— À part ça, tu vas bien ? reprit-il d'un ton décontracté.

Il avait forcément entendu parler de ce qui s'était passé avec Sebastian. Il n'avait pas l'air insouciant, au contraire : il semblait à la fois paisible et préoccupé. Cassie se sentit mal à l'aise.

— Je vais bien, répondit-elle vivement.

Pour la première fois depuis l'agression, elle était embarrassée à l'idée de voir se répandre partout des détails sur sa vie privée. Les étudiants de Raleigh pouvaient bien la montrer du doigt, elle s'en fichait, mais Hugo…

— Si tu as besoin…

Il marqua un temps puis reprit :

— Si tu as besoin de quelque chose, n'hésite pas.

La sincérité qui perçait dans sa voix décontenança Cassie.

— Ce dont j'aurais besoin, c'est que ma coloc arrête de pleurer, dit-elle brusquement.

Une façon de se rappeler à elle-même, et à Hugo, qu'Evie était dévastée.

— Je ne sais pas si tu sortais vraiment avec elle, ou si c'était juste un jeu, mais elle, elle y croyait. D'accord ? Maintenant elle t'a perdu, et c'est moi qui suis obligée de recoller les morceaux.

Il plissa les yeux.

— Cassie…

Elle n'avait aucune envie de l'entendre s'excuser et lui faire du charme.

— Écoute, je dois y aller.

Elle remonta son sac sur son épaule, s'écarta de lui et se mêla à la foule en le laissant derrière, à une distance rassurante.

Elle s'interrogeait. Comment pouvait-elle laisser Hugo s'introduire ainsi sous sa peau ? Dès leur première rencontre, sur l'esplanade, cette fameuse nuit, elle avait perçu chez lui quelque chose qui la mettait sur les nerfs. Maintenant qu'Evie avait craqué, elle avait encore plus de raisons de le tenir à distance.

Mais, indéniablement, il y avait chez lui quelque chose d'attirant. Une certaine connexion entre eux apparaissait brièvement, une attirance dans ces profonds yeux noirs.

À l'arrivée, Cassie secoua la tête, franchit la porte principale et se dirigea vers les résidences. Elle aurait dû être soulagée. Maintenant qu'Hugo ne sortait plus avec Evie, il ne risquait pas de revenir à la mansarde : fini, les invités qui ne voulaient plus s'en aller et les visites tardives. Elle récupérait son domaine. Saine et sauve.

Elle grimpa l'escalier en fouillant son sac à la recherche de ses clefs, mais la porte n'était pas verrouillée. Evie avait dû oublier de fermer à clef, une fois de plus. Cassie ouvrit et fit trois pas dans la pièce. Et tout changea.

Un cri s'étrangla dans sa gorge. Le monde s'écroula.

Evie s'était pendue à une poutre du plafond.

18

Cassie avait enterré sa mère dans l'Indiana, au cimetière de leur petite ville avec sa chapelle, ses herbes folles et ses tombes en ruine abandonnées sous les feuilles d'automne. Elle avait eu alors, pour seul compagnon de deuil, son beau-père. Il se tenait à ses côtés, chancelant, encore ivre. Pendant que le prêtre parlait, Cassie, les ongles enfoncés dans ses paumes, avait compté, en silence, pour ne pas pleurer. On avait descendu le cercueil. Et la seule personne que Cassie eut jamais aimée avait disparu dans la terre dure, implacable.

Les gens présents à l'enterrement d'Evie emplirent la grande chapelle de Raleigh. Le programme était imprimé en relief sur des cartons épais de couleur crème. Membres de la famille et camarades de classe s'entassaient sur les bancs séculaires. Le père et la mère pleurèrent ensemble au premier rang quand le chœur entonna le *Pie Jesu*, et le soleil projeta ses rayons à travers les vitraux. Le cercueil fut porté par le père d'Evie, son plus jeune frère et ses oncles, tous vêtus de noir et blêmes de chagrin. Le bois du cercueil miroitait, doux comme de la soie, chargé de couronnes de lys et de roses blanches, les fleurs préférées de la défunte. Elle avait été embaumée dans une robe de soirée rose, choisie dans la penderie par sa mère, avec l'aide de Cassie. On avait peint en rouge ses lèvres froides. Son foulard favori dissimulait délicatement les marques laissées par le nœud coulant fait à la hâte.

Cassie ne s'habituait pas à l'idée qu'elle n'était plus là. Elle avait hurlé, s'était précipitée pour essayer de soulever le corps. En vain : il était trop tard. Evie était morte depuis une heure, d'après le rapport du légiste. Les gardiens avaient dû aller chercher des cisailles de jardinage pour couper le tissu et détacher la jeune fille.

*

L'assemblée se retira de la chapelle après le service comme une mer sombre et maussade. Cassie ne prononça pas un mot, et personne ne lui adressa la parole. Mais elle sentait les regards posés sur elle et des murmures lui parvenaient, étouffés.

— C'est elle qui l'a trouvée.

— Il y a eu aussi cette histoire avec Sebastian.

— Pourquoi elle n'a rien dit ?

— Cassie ?

Au début, elle n'entendit pas qu'on l'appelait, à cause de la brume qui engourdissait ses pensées. Puis elle cligna des yeux comme pour se réveiller et se retrouva face aux parents d'Evie. Le chagrin ravageait leur visage.

— Nous rentrons à Londres pour l'inhumation, dit le père d'une voix enrouée. Mais nous souhaitions vous remercier. S'il y a quelque chose que nous puissions faire…

235

Cassie secoua la tête.

— Non, dit-elle. Vous ne devriez même pas avoir à le proposer. Bon retour.

La mère d'Evie hésitait à lui sourire.

— Ça me gêne terriblement de vous demander ça, mais les affaires d'Evie…

— Ne vous inquiétez pas, dit Cassie aussitôt. J'emballerai tout et je demanderai aux gardiens de vous les envoyer, si…

Elle marqua un temps.

— … si vous le souhaitez…

Les parents échangèrent un regard, puis la mère d'Evie approuva du chef en serrant son mouchoir.

— Oui. Ce que vous penserez utile… Je veux dire, ce qu'elle aimait particulièrement. Et si vous avez envie de garder quelque chose, un bijou, un vêtement…

Cassie, intérieurement, s'insurgea contre cette idée et mentit :

— Merci. Je verrai.

— Je suis désolé, dit le père d'Evie, livide. Désolé pour tout ce que nous vous avons fait vivre. Désolé, vraiment.

— Non, protesta Cassie. Vous ne devriez pas…

— Prenez soin de vous, dit-il sans la regarder.

— Et faites bien attention, dit la mère.

Elle prit Cassie dans ses bras, et l'étreinte de cette femme accablée de douleur la désarma. C'est elle, et non eux, qui aurait dû présenter des excuses. Elle n'avait pas su voir les signes avant-coureurs. Les alertes minuscules, les changements d'humeur. Les mêmes phénomènes qu'avec sa mère. Elle aurait dû savoir. Mais elle les avait laissés passer, perdue qu'elle était dans ses propres problèmes.

C'était sa faute à elle, pas la leur.

La mère d'Evie s'éloigna enfin. Son mari l'enveloppa de son bras et l'entraîna vers sir Edmund qui attendait, l'air sombre, de monter avec eux dans le corbillard. L'enterrement se déroulerait à Londres dans la plus stricte intimité. Cassie était conviée, mais elle avait décliné poliment. Une journée dans cet enfer, c'était assez pour elle.

Alors qu'elle promenait un regard impavide sur le cimetière, elle aperçut Olivia et Paige. Elles se tenaient avec les autres à l'entrée de la chapelle. Elles avaient revêtu leur plus belle toilette de deuil – presque trop glamour pour un événement aussi sinistre. Hugo ne se trouvait pas avec elles. Cassie avait essayé de l'observer du coin de l'œil, mais il était parti pendant le service, apparemment. Avait-il deviné qu'une rage froide courait dans les veines de Cassie, qu'un reproche n'attendait que de s'échapper de ses lèvres ?

Olivia croisa le regard de Cassie et s'approcha d'elle.

— Cassie, dit-elle avec un semblant de sourire, en tendant la main pour lui serrer le bras. Tu tiens le coup ? C'est atroce.

— Ça ira, répondit Cassie tranquillement, en détournant les yeux.

— On va à Carlton. J'ai pensé que je devais inviter tout le monde à prendre un verre quelque part. Tu viens ?

— Vous allez faire une fête ? s'étonna Cassie, élevant la voix.

Elle n'en croyait pas ses oreilles. Olivia s'empressa de rectifier :

— Non ! Ce n'est pas ça. Plutôt une veillée, on va dire. Un moment pour échanger des souvenirs. Tout le monde est tellement bouleversé.

— Ah d'accord, dit Cassie en reprenant sa respiration. Mais non. Merci.

— S'il te plaît, insista Olivia.

Elle ne lui lâchait pas le bras, et ses yeux bleus brillaient d'impatience.

— Je sais, ce n'est pas ton truc, mais… on l'a tous perdue. Je pense que ça te ferait du bien, d'être avec du monde. Ne reste pas seule.

Cassie hésitait. Elle se rappelait les heures qui avaient suivi l'enterrement de sa mère. Son beau-père avait foncé droit sur le café du coin, histoire de se noyer dans l'oubli. Et Cassie s'était retrouvée toute seule à la maison. Une maison qui n'avait jamais été aussi vide.

Elle se rendit compte qu'elle acquiesçait.

— Je vous retrouve là-bas.

*

Elle aurait pu suivre le groupe, mais elle n'avait pas envie de porter une minute de plus cette robe de deuil achetée dans une boutique bon marché du centre-ville : un fourreau noir qu'elle était sûre de ne jamais remettre et qui partit au linge sale. Cassie enfila un jean et un sweat-shirt. Elle remit son manteau. Prête à sortir, elle ne put s'empêcher de s'arrêter dans le séjour.

Son regard s'éleva vers les poutres. Il lui semblait qu'Evie était toujours là. Cassie se sentit oppressée. C'était dur, vraiment très dur, de l'avoir trouvée ainsi dans ce décor si ordinaire : les papiers d'Evie bien rangés sur la table, un mug de thé à moitié plein, les miettes de biscuit dans l'assiette. Pour la centième fois, Cassie se demanda à quel moment avait été prise l'affreuse décision. Evie s'y était-elle résolue en buvant

son thé ? Avait-elle reposé le mug pour aller à la penderie ? Avait-elle pris le temps de ranger soigneusement ses notes avant de prendre le tissu, d'y faire un
nœud coulant et de le lancer par-dessus la poutre ?

Cassie endigua vigoureusement ces idées noires
avant qu'elles envahissent son esprit. Elle se détourna
et se précipita dehors, fuyant l'atroce vision. Ses pas
résonnèrent dans l'escalier.

*

Une vingtaine d'étudiants occupaient déjà la suite
d'Olivia quand Cassie en entrouvrit la porte. Ils sirotaient du vin en discutant à voix basse, installés sur
les divans. Ce fut à peine si Cassie reconnut les lieux.
Les murs étaient blancs et nus quand elle en avait
elle-même pris possession ; à présent y étaient accrochés des tableaux abstraits et des toiles colorées. Un
tapis exotique recouvrait le plancher. Un canapé bleu
pâle en velours molletonné se dressait devant la fenêtre,
près d'un bar vintage à roulettes, bien garni. Par la porte
de la chambre restée ouverte, on voyait des vêtements
étalés n'importe comment sur le lit, et des souliers à
talon par terre.

Paige s'approcha et accueillit Cassie par une embras-
sade.

— Si tu as besoin de quoi que ce soit… dit-elle, se
joignant au chœur de ceux qui répétaient la même proposition.

Cassie hocha la tête et se laissa guider vers un siège.
Miles et quelques-uns de la bande étaient déjà là,
ainsi que Lewis, le professeur d'Olivia. L'atmosphère

s'emplissait d'un silence pesant brisé seulement par des murmures, personne ne sachant trop que dire.

— Ses parents ont pu repartir ? Ça allait ? demanda Paige, vivement.

Cassie haussa les épaules.

— Aussi bien que possible, dit-elle.

Paige se tut. Miles tira sur le col de sa chemise.

— Elle aurait détesté ça, dit-il. Nous tous assis en rond. C'est trop morbide, merde.

— Miles ! protesta Paige.

Mais elle ne put le réduire au silence.

— Je suis sérieux, reprit-il. Evie aimait s'amuser. Elle était pleine de gaieté. C'était l'âme de la fête. Vous vous rappelez quand on a failli rater le bus pour rentrer de Londres ? Pas moyen de trouver un taxi ! Elle, elle s'est mise à chanter, comme ça, au beau milieu de Regent's Park.

Paige eut un pâle sourire.

— Eddie et toi, vous l'avez accompagnée. Et Hugo la faisait valser autour des range-vélos !

Le groupe se détendait. Les visages s'imprégnaient de nostalgie.

— J'ai bien cru qu'on allait se faire embarquer, ajouta Miles. Mais Evie a entraîné le policier dans sa danse. Il n'arrivait pas à décider s'il devait lui rappeler la loi, ou se prendre au jeu !

Paige rit. Les autres se rapprochèrent puis se serrèrent les uns contre les autres pour entendre la suite.

— Elle était dans mon groupe de bibliothèque, dit quelqu'un. Elle oubliait tout le temps son mot de passe. Elle n'arrivait pas à le retenir.

— C'était Perséphone ! dirent en même temps deux de ses camarades dans un éclat de rire.

— Elle devait penser que si tout le monde le connaissait, il y aurait toujours quelqu'un pour le lui rappeler, dit un autre avec un sourire affectueux.

Alors, chacun à son tour, ils racontèrent des anecdotes sur les mésaventures d'Evie. Quelqu'un monta le son de la musique et la pièce résonna bientôt de discussions, de rires et d'élans chaleureux. Cassie, dans cette ambiance, se sentit plus que jamais une étrangère. Elle n'avait pas vraiment connu cette Evie-là, celle dont ils parlaient. Certes, elles avaient passé des après-midi ensemble, lovées dans leur mansarde, à boire du thé au milieu des livres. De temps en temps, le matin, elles allaient courir. Il y avait eu aussi ce dîner habillé à Merton, auquel Evie avait invité Cassie. Mais à entendre Paige, Miles et les autres faire le récit des plats favoris d'Evie, de son goût pour les cocktails au gin, de cette habitude qu'elle avait d'enlever ses chaussures à talon avant l'aube pour exiger du premier homme de grande taille venu qu'il la porte sur son dos… à les entendre, Cassie se rendait compte qu'elle ne connaissait pas du tout Evie.

Eux, oui. Ils avaient fait la fête avec elle. Bu et dîné ensemble. Ils connaissaient assez de bonnes histoires à son sujet pour que la pièce s'emplisse de rires. Et pourtant, ils lui avaient tourné le dos quand elle avait eu grand besoin d'eux. Ils ne l'avaient pas rappelée, mais nul n'y faisait allusion. Il n'y avait donc personne pour se souvenir qu'ils l'avaient laissée tomber comme une indésirable, dès qu'Hugo s'était éloigné d'elle ?

Cassie sentit une morsure d'amertume. Voilà qui ressemblait fort aux cartons de condoléances reçus à la mort de sa mère. Ces phrases venues de tous ceux qui ne s'étaient pas souciés d'elle de son vivant. Gaspillage de papier et de temps. Elle se leva soudain, trop oppressée pour pouvoir respirer. Elle surprit le regard inquiet de Paige, mais nul ne la retint quand elle quitta la pièce. Ils étaient bien trop captivés par leurs joyeux souvenirs d'Evie, par tous ces jolis mensonges.

Dans le couloir, Cassie prit une bouffée d'air. Un orage de culpabilité, de chagrin et d'inexplicable fureur se déchaînait dans sa poitrine, demandant à sortir, exigeant de s'exprimer. Elle trébucha. Elle ne voyait plus rien, rattrapée par les sombres menaces du passé qui voulaient s'emparer d'elle, ne plus la lâcher. *Non !* se dit-elle. *Pas maintenant, pas ici !* Elle avait réussi à tenir ses démons à distance si longtemps, elle refusait de craquer aujourd'hui…

C'est alors qu'elle l'entendit, derrière les martèlements de son cœur. Le piano. Bach. Une des symphonies préférées de sa mère, un air chargé de mélancolie s'échappant par une porte entrouverte au bout du couloir. Les notes délicates submergèrent Cassie, douces et douloureuses à la fois, porteuses de visions du passé : une pièce inondée de soleil, des tulipes dans un vase sur la cheminée, le doux contact sur sa peau du sweat-shirt de sa mère.

Les battements de son cœur ralentirent.

L'obscurité se retira, juste assez pour qu'elle puisse respirer à nouveau. Le monde se stabilisa sur son axe.

Elle fit encore quelques pas et ouvrit davantage la porte.

Elle s'arrêta sur le seuil. Hugo, assis dans la pénombre, baissait la tête vers le piano, et ses doigts se déplaçaient lentement sur les touches. Il fit une fausse note et produisit un son discordant. Il rejoua la note en laissant échapper un rire crispé, la main tendue vers la bouteille de whisky posée en équilibre sur le piano.

Cassie ouvrit la porte en grand, les gonds grincèrent. Hugo se retourna.

— Cassandra, Cassandra… dit-il d'une voix traînante et avinée. Tu es ravissante, ce soir.

La colère en elle était de retour, lui étreignant le ventre. Hugo était venu se planquer ici. Il n'avait pas eu le courage d'affronter les autres à la cérémonie.

— Tu es parti pendant la messe, dit-elle, glaciale.

— Je t'ai manqué ?

Il rabattit violemment le couvercle du piano et fit pivoter son tabouret.

— Tu aurais pu présenter tes condoléances. Ses parents étaient là.

— Tu crois qu'ils avaient envie de me voir ?

Elle fixait son regard sur lui. Il leva la bouteille, comme pour porter un toast amer. Son visage était blême, émacié sous le faible éclairage, et des cernes assombrissaient ses yeux.

— Je me suis dit que j'allais me dispenser de ces conneries et lui offrir plutôt une veillée à l'irlandaise.

Elle secoua la tête, écœurée.

— Comment peux-tu rester assis là, comme ça ? dit-elle, toujours plus furieuse. À ne rien faire ! À t'apitoyer sur toi-même ! Alors que, alors que…

— Alors que tout est ma faute, dit-il, complétant la phrase lui-même. C'est ce que tu veux dire, n'est-ce pas ?

Il se leva.

— C'est ce qu'ils disent, tous. Mais crois-moi, vous ne pourrez rien me reprocher que je ne me sois déjà reproché moi-même.

Il effaça la distance qui les séparait. Elle perçut la tension qui faisait trembler les mâchoires d'Hugo, l'énergie que son corps irradiait.

— Tu ne vois pas que je n'en dors plus ? dit-il, changeant de ton. Que je n'arrête pas d'y penser ? Tu crois que je ne me demande pas si je n'aurais pas pu agir autrement ? Si seulement j'avais vu les choses venir, si j'avais su… J'aurais dû me rendre compte. J'aurais dû voir combien elle était déjà loin. J'aurais dû l'empêcher. J'aurais dû m'y prendre autrement.

Ses yeux s'emplissaient de souffrance, et la culpabilité les assombrissait davantage. Cassie connaissait ce sentiment mieux qu'aucun autre : ses propres émotions lui étaient renvoyées en miroir. La douleur du remords – si seulement tout s'était passé d'une autre façon. La honte à l'idée que tout est de votre faute.

Elle respira plus vite. La colère s'en allait, laissant un vide en elle, encore une fois. Elle lui prit la bouteille des mains et se dirigea vers la fenêtre. Elle regarda la nuit au-delà des jardins éclairés. Elle but une longue rasade de whisky. L'alcool brûlant lui glissa dans la gorge et lui réchauffa tout le corps.

— On l'a laissée tomber, murmura-t-elle, les yeux fixés sur l'obscurité.

Elle perçut un mouvement à côté d'elle. Hugo s'était rapproché. Il posa une main légère sur l'épaule de Cassie.

— Tu n'as rien fait de mal, dit-il.

— Si, murmura-t-elle, les doigts serrés sur le verre froid. J'ai vu ce qu'elle était en train de vivre. Elle était déprimée, perdue.

Cassie ravala un sanglot.

— Je connais ces signes. J'ai refusé d'y croire, c'est tout.

— Erreur, dit Hugo, fermement. Tu ne pouvais pas savoir.

— Toi oui, peut-être ? dit-elle en se tournant vers lui. C'était ma coloc. J'étais présente. Et même la seule à être présente. Toi, tu n'étais pas là. Ni Olivia. Ni personne.

Hugo serra les mâchoires.

— Quoi, Olivia ? Qu'est-ce qu'elle t'a dit ?

— Rien, soupira Cassie en secouant la tête. C'est ce que j'essaie de te faire comprendre. Vous autres, vous ne pouviez pas savoir. Evie faisait semblant d'aller bien. Et j'étais la seule à voir la vérité, à voir combien elle allait mal. J'aurais dû en parler.

Un sanglot remonta dans sa gorge.

— Cette fois, j'aurais pu tout arrêter.

Elle se rendit compte trop tard de son erreur. Elle voulut s'écarter, mais Hugo l'en empêcha en lui effleurant la joue.

— Comment ça, « cette fois » ? demanda-t-il doucement, son regard plongé dans celui de Cassie.

Elle se détourna. Elle avait oublié son histoire de famille heureuse, elle trébuchait sur ses propres mensonges.

— Cassie ? chuchota Hugo.

Cette invitation glissa sur elle. Cassie sentit qu'elle déposait les armes.

— Ma mère s'est ouvert les veines dans la baignoire quand j'avais quatorze ans, dit-elle dans un souffle, avant d'ajouter d'une voix qui se brisait : Je n'ai rien vu venir. Mais maintenant… Maintenant, je sais de quel côté il faut chercher. Et je ne l'ai pas fait. Je n'arrive pas à le croire…

Ces mots moururent dans sa gorge au moment où Hugo l'attirait contre lui pour l'envelopper dans une soudaine étreinte. Cassie résista, mais il la retint fermement. L'instant d'après, elle consentait à s'abandonner à la chaleur de ce contact. Elle entendait battre le cœur d'Hugo, dont l'haleine exhalait un relent de whisky. Une étrange sensation s'emparait d'elle : un sentiment de confort avec quelque chose en plus, la présence d'un corps. Une impression qui n'était pas la bienvenue mais qu'elle ne pouvait ignorer.

Un moment de faiblesse, songea Cassie, le front appuyé contre l'épaule d'Hugo. Rien de plus qu'un moment de faiblesse. Voilà tout ce qu'elle s'autorisait.

Hugo ne faisait pas un geste, ne prononçait pas un mot. Elle non plus. Ils se contentèrent de rester là, l'un contre l'autre, dans le silence et la pénombre. Puis un bruit se fit entendre dans le couloir.

Ils se séparèrent.

— Vous êtes là.

Olivia les regardait, enregistrant cette vision. Soudain, elle changea d'expression :

— Mon Dieu, Hugo ! De quoi tu as l'air !

Elle s'avança vers eux pour repousser Hugo.

— Je m'excuse pour mon cousin, dit-elle. Il a été comme ça toute la journée. Je lui ai dit de se reprendre, mais...

— Tout va bien, se hâta de dire Cassie.

Mais Olivia continuait de l'accuser. Elle pinça les lèvres et siffla :

— Mais tu pues l'alcool ! Alors que tout le monde te cherche. Je n'arrive pas à croire que tu puisses te conduire de cette façon un jour comme aujourd'hui...

— Désolé d'avoir raté votre parfaite petite fiesta, dit-il d'un air mauvais, amer. Il faut croire que je ne sais pas faire comme si tout allait bien, merde !

— Je ne discute pas avec toi dans l'état où tu es, reprit Olivia d'un ton sévère. Va cuver et ressaisis-toi.

Elle se tourna vers Cassie avec un sourire forcé :

— Allons-y, dit-elle, tendue.

Elle la prit par le bras et l'entraîna dehors.

Cassie lança un regard à Hugo. Il était défait et porta la bouteille à ses lèvres. Cassie se laissa emmener.

— Je suis vraiment désolée, dit Olivia, s'excusant une fois de plus. Il ne t'a pas importunée, si ? La mort d'Evie est un sacré coup dur pour lui. Je veux dire, on est tous choqués, mais lui, il est complètement dévasté. On a fait tout ce qu'on a pu pour le tirer de son lit…

Cassie en était encore à se remettre de l'étrange étreinte.

— Non. Ça va.

— Tant mieux. Tu viens boire un verre ? Je suis si contente que tu sois venue.

Elle lui pressa chaleureusement la main, mais Cassie ne se voyait pas retourner à la veillée, plus maintenant.

— Je ferais mieux de rentrer, dit-elle. Il faut que j'emballe les affaires d'Evie, pour ses parents…

— Mon Dieu ! dit Olivia en ouvrant grand ses yeux bleus. Mais c'est atroce. Tu as besoin d'aide ?

— Non, ça ira. Merci quand même…

Olivia était l'une des seules personnes à lui avoir adressé la parole après la cérémonie. À admettre qu'il fallait associer à leur deuil le chagrin de Cassie, au lieu de la considérer comme une étrangère, de la planter là et de la laisser seule avec ses émotions.

— Tu habites où, maintenant ? voulut savoir Olivia dans l'escalier.

— Comment ça ? Je vis toujours dans la mansarde.

Olivia s'arrêta.

— Tu veux dire qu'ils ne t'ont pas proposé autre chose ? s'écria-t-elle. Tu es obligée de regagner tous les soirs l'endroit où…

Elle ne trouvait plus les mots. Elle parvint à reprendre :

— C'est ridicule. Tu vas rester ici, avec moi. J'ai plein de place. Et le canapé fait lit…

Cassie l'interrompit :

— Ça ira. Ce n'est pas la peine. Je suis bien là où je suis.

Olivia secouait la tête.

— Je vais aller leur parler. Ils ne peuvent tout de même pas s'attendre à ce que tu…

— Ne le fais pas. J'apprécie ton offre, mais je dois vraiment rentrer, dit-elle en ajoutant à voix basse : C'était une bonne idée. Evie aurait aimé.

Elle quitta Olivia pour dévaler les marches, et le bruit de ses pas résonna dans l'entrée. Dehors, le crachin et le froid lui giflèrent le visage, mais elle n'avait pas le courage de retourner directement à la mansarde. En dépit de tout ce qu'elle venait de dire à Olivia, l'appartement était hanté par les ombres et les fantômes, et elle ne se sentait pas en état de le supporter après cette cérémonie qui lui avait mis les nerfs à rude épreuve.

Elle retourna à la chapelle et jeta un œil à l'intérieur. Il n'y avait plus personne. L'endroit, désert, sonnait creux. Le scintillement des bougies formait sur l'autel une ligne dorée. Les fleurs s'alignaient toujours le long du mur. Cassie prit une profonde inspiration et entra. La porte se referma lourdement derrière elle. Et là, dans le silence, sous les vitraux, près des cierges, elle eut le sentiment de se retrouver. Les églises l'avaient toujours aidée à se recentrer. C'était étrange, car elle n'avait pas le temps de pratiquer une religion, d'observer des règles et des rituels, d'assister aux services, de suivre les prières et leurs réponses. Mais elle considérait les édifices religieux comme des refuges, des abris sûrs pleins de grandeur et de puissance. Ils la soulageaient, habités par l'espérance des croyants, par cette foi qu'elle pouvait seulement leur envier.

Remontant la travée, elle se rapprocha de l'autel. Le portrait commémoratif reposait toujours dans le chœur : une lumineuse photo d'Evie entourée de fleurs et de bougies. Une Evie heureuse. Une Evie qui respirait la liberté.

Un bruit derrière l'autel fit sursauter Cassie.

— Bonjour ! dit-elle.

Un ouvrier en bleu de travail apparut.

— Excusez-moi, reprit-elle. Je ne savais pas qu'il y avait quelqu'un.

— Je viens de finir de graver, répondit-il en levant sa boîte à outils.

Cassie dut paraître interloquée, car il fit un signe de tête en précisant :

— Le mur des *In memorandum*. Ils rendent toujours hommage aux étudiants décédés pendant leur passage ici.

Il ajouta gauchement :

— Mes condoléances.

Il toucha sa casquette et s'en alla.

Cassie, en écartant au fond l'épais rideau de velours, découvrit une pièce où une plaque de bronze était fixée au mur et, sur la plaque, une liste de noms soigneusement gravés.

William Randall Jefferson. 1840-1862. Étudiant et ami.

Jeremiah Saracen Hargeaves. 1880-1901. Profond regret.

Et ainsi de suite. Cassie tendit la main vers les noms, les effleura, imagina les destins susceptibles d'avoir emporté ces êtres dans leur prime jeunesse. Il y avait plusieurs noms autour de l'année 1918, d'autres dans les années 1940. La guerre avait donc touché Oxford et ses tours d'ivoire. En dehors de ces années sombres, les listes faisaient apparaître d'autres noms.

Juliet Annabeth Hopkins. 1963-1980. À ma fille bien aimée, RIP.

Rose Caitlin Smith. 1976-1995. Le ciel nous réunira.

Cassie se pétrifia, touchant les lettres finement creusées. Ses pensées s'affolaient. Elle relut la mention. Rose. La colocataire de sa mère. La meilleure amie de Margaret.

Prise d'un frisson, elle s'éloigna du mur. Rose était morte en 1995, l'année même où Margaret avait quitté Oxford pour traverser l'océan, changer de nom et effacer toute trace de sa vie passée – à part ces mots en mémoire de son amie.

Cassandra Rose Blackwell.

Cassie avait cherché à comprendre pourquoi sa mère était partie. À présent, elle sentait dans sa chair qu'elle avait la réponse. La clef était là, devant elle, gravée dans le cuivre sur le mur de la chapelle.

Tout avait commencé avec la mort de Rose.

19

— Ça ne dit pas comment elle est morte.

Cassie battit des paupières devant l'écran. Ses yeux fatiguaient. Ce dimanche après-midi, il ne restait plus qu'elle et Elliot dans les archives au sous-sol de la bibliothèque Radcliffe. Poussant des soupirs de lassitude, Elliot remettait en rayon les volumes rendus et Cassie, pendant ce temps, faisait défiler avec soin des microfilms : les journaux locaux du mois correspondant au décès de Rose.

— « La police a mis fin aux recherches concernant la disparition de Rose Smith, étudiante de première année à Raleigh, après que des plongeurs ont exploré trois jours durant la rivière Cherwell. Les recherches avaient été déclenchées par la découverte, près du pont, dimanche matin de bonne heure, du manteau de mademoiselle Smith et d'effets lui appartenant », lisait Cassie à voix haute en scrutant sur la plaque l'article jauni. « Un porte-parole de la police a déclaré qu'elle était désormais considérée comme morte, et que l'affaire n'avait donné lieu à aucun avis de recherche. Il semble n'y avoir aucun suspect… »

Cassie leva les yeux.

— Qu'est-ce que ça veut dire ? Qu'elle s'est noyée accidentellement ?

Elliot descendit de son échelle pour parcourir l'article à ses côtés.

— Non. Ça veut dire que c'est un suicide.

Elle frissonna.

— Comment tu le sais ?

— C'est la politique des forces de l'ordre, expliqua Elliot en reprenant son travail. Ne pas parler de suicide. Ils pensent que ça pourrait faire des émules, ou ce genre de choses. Ce que tu as lu, c'est leur façon codée de faire passer le message. Si la mort était accidentelle, ils l'auraient précisé. En l'absence de suspect, ça ne peut signifier qu'une chose. Elle s'est foutue en l'air…

Il se ravisa et se retourna pour lancer à Cassie un regard affolé.

— Merde, excuse-moi, dit-il aussitôt. J'avais oublié. Je veux dire, je n'ai pas pensé que…

— Aucun problème, dit-elle alors qu'une sourde douleur naissait dans sa poitrine. Tu ne l'as pas fait exprès.

Ravalant sa peine, elle regarda de nouveau l'écran. L'enterrement d'Evie remontait à plusieurs jours désormais, et Cassie avait survécu toute la semaine en se plongeant dans ce travail qui consistait à exhumer la moindre parcelle d'information susceptible de l'éclairer sur Rose Smith. Elle voulait absolument échapper au sentiment d'impuissance, de honte et de culpabilité qui la taraudait quand elle passait le matin sous la poutre basse du séjour, quand elle entendait à la fac les conversations s'interrompre autour d'elle. Pourtant, rien de ce qu'elle avait pu mettre au jour n'apaisait sa douleur au ventre, ni la sensation atroce d'avoir fait quelque chose de terriblement mal.

C'était Rose qui figurait aux côtés de sa mère sur la photo. Elle qui levait sa coupe en souriant. Les annuaires et les listes mentionnaient d'autres camarades, colocataires, amies et coéquipières de hockey – mais seulement jusqu'en mai 1995, le mois où Rose était morte. Une semaine plus tard, la mère de Cassie avait fait ses valises, quitté Oxford et disparu. Elle avait changé d'identité, et tout laissé derrière elle. Elle ne prononcerait jamais un mot sur ce qui s'était passé.

Margaret. Rose. Evie. Encore une fille morte, encore un suicide désespéré. Encore une vie tranchée net. Encore une tragédie inexpliquée. Et qui touchait Cassie de trop près. Les affaires d'Evie étaient toujours dans des cartons ; elles attendaient, dans la mansarde, de repartir chez elle. Et cet article, à présent : au lieu de l'aider à y voir plus clair, à se fixer un but, il soulevait d'autres questions.

— C'est intéressant.

Elle leva les yeux. Elliot, installé devant un ordinateur, surfait dans les archives internes de la bibliothèque.

— Ta Rose est enregistrée comme auteur d'un livre figurant au catalogue.

— Mais elle était en première année ! s'étonna Cassie en fronçant les sourcils. Elle a fait deux trimestres à peine, avant de… avant de mourir.

— Je sais, c'est assez bizarre, sauf que…

Il tapa rapidement sur le clavier puis cliqua.

— Ah… Tout s'explique. La collection anniversaire de Raleigh.

Il releva les yeux.

— Tous les collèges font ça. Le grand centenaire et tout le tralala. Une importante exposition présentant des travaux réalisés par les étudiants. Tu vois le genre ? Des poésies tarabiscotées sur les reflets de la neige dans le parc aux cerfs… expliqua-t-il en levant les yeux au ciel. Ou une douzaine de photos de la tour de l'horloge au coucher du soleil. Raleigh a célébré son quatre centième anniversaire. Rose doit avoir présenté quelque chose pour la circonstance.

— Tu peux savoir quoi ? demanda Cassie.

— Bien sûr, dit Elliot en haussant les épaules. Il suffit d'ouvrir le fichier. Mais…

Une expression soupçonneuse passa sur son visage.

— Tu veux creuser encore profond, dans ce terrier ?

— De quoi parles-tu ? dit Cassie en refermant son calepin d'un coup sec.

Elle se leva et étira ses membres engourdis.

— Je veux dire, reprit Elliot en hésitant… On a commencé avec Margaret. Juste une vieille amie de la famille, soi-disant. On en est maintenant à courir après cette Rose. Et ne viens pas me dire que c'est pure curiosité de ta part. De quoi s'agit-il, en fait ?

Cassie attendit un instant. L'espace d'une seconde, elle envisagea de lui dire la vérité. Mais elle se rappela la menace imprimée au dos de la photographie, et les questions sans réponse qui hantaient ses nuits. *Le noir est le blason de l'enfer…*

— Rien, dit-elle finalement, en essayant de donner le change avec un sourire. Je veux dire… J'imagine que je suis en quête de quelque chose de compréhensible, après ce qui…

Elle laissa délibérément sa phrase en suspens, puis ajouta, sincère :

— Ça aide, d'avoir un sujet sur lequel se concentrer, en dehors des travaux universitaires et tout ça. Je suis peut-être devenue un peu obsessionnelle. Mais les vacances de Noël arrivent, et je voudrais que ce soit réglé avant.

Elliot la regarda de nouveau. L'explication sembla le satisfaire.

— Je comprends, dit-il. On a tôt fait de se laisser entraîner, quand on commence à fouiller dans ces fichiers. C'est comme un puzzle. Il paraît qu'on peut même devenir accro à Wikipédia !

Cassie se débrouilla pour rire.

— C'est vrai. C'est ça, le défi.

— Très bien, dit Elliot en se remettant sur ses pieds. Je tâcherai de te trouver ça demain. Il y a peut-être moyen de pêcher des infos sur la mystérieuse Rose Smith.

Il arqua les sourcils d'un air théâtral.

— Merci, dit-elle en lui pressant le bras au passage. Pas seulement pour ça. Merci pour tout. Pour ce travail : ça m'aide à sortir du campus… J'en avais grand besoin.

Elliot parut gêné.

— Avec plaisir. Et maintenant, on ne pourrait pas remonter respirer un coup ? Avant que je devienne mauvais comme une teigne ?

*

Après avoir bu un café sur le pouce avec Elliot, Cassie traversa la ville pour se rendre chez Thessaly. Elle avait dit à la thérapeute ne pas avoir besoin d'un autre rendez-vous – mais ça, c'était avant la mort d'Evie. Voilà qu'elle avait reçu une nouvelle convocation – l'œuvre de Tremain, sans doute. Et avec toutes les questions qu'elle se posait, avec cette culpabilité qui la rongeait, elle n'avait pas eu le cœur de refuser l'entretien. Elle n'avait personne d'autre avec qui parler.

— Je ne comprends pas, c'est tout.

Elle tira sur une petite peau autour de son ongle et la tritura jusqu'au sang. Thessaly, à son bureau, prenait des notes. Elle n'était pas moins élégante que la dernière fois. On avait beau être dimanche, et en dehors des heures de travail, elle était toujours impeccablement habillée.

— Elle était stressée, c'est sûr, mais suicidaire ? Non. Ça ne colle pas. Ça n'a pas de sens.

Thessaly hochait la tête.

— On peut voir les choses ainsi, de l'extérieur.

— Non, s'obstina Cassie. Vous ne comprenez pas. Evie était… heureuse. Elle était brillante, pleine de vie, d'énergie. Je sais qu'elle avait de petites sautes d'humeur, mais quand vous rencontrez des problèmes dans vos études, vous faites une pause, vous en discutez avec vos amis, avec votre tuteur, vous ne décidez pas d'en finir comme ça.

Elle revoyait le corps pendu, sans vie, brisé.

— Il est naturel de chercher des réponses, la rassura Thessaly. Mais la triste réalité est là : il arrive qu'il n'y ait pas de réponse. L'esprit humain… est complexe. Pour ma part, je n'ai même pas commencé à comprendre comment il fonctionne, alors que c'est mon travail, ma vie et l'objet de toutes mes recherches.

Cassie prit une profonde inspiration puis soupira, frustrée. Elle protesta :

— Mais c'est arrivé si vite ! Elle était la reine du monde, elle sortait tous les soirs… Et l'instant d'après… Quelque chose cloche. Je le sais.

Thessaly fronça les sourcils.

— Êtes-vous en train de dire…

Elle se tut une seconde avant d'enchaîner :

— Pour la police, tout est clair. Aucun signe d'effraction, de lutte. Evie a même appelé ses parents et laissé un message pour leur dire adieu.

— Je sais. C'est juste que…

Cassie se tut. Elle était désarmée. Elle n'arrivait pas à comprendre pourquoi, mais elle croyait dur comme fer que quelque chose clochait. Elle avait vécu auprès d'Evie, l'avait observée, l'avait vue en colère et dans tous ses états… et jamais elle n'avait craint de la voir mettre fin à ses jours. Être déprimée est une chose, se suicider en est une autre. Ce n'est pas parce qu'on est stressé qu'on en vient à ces extrémités.

— Je comprends que vous vous sentiez coupable, reprit Thessaly, interrompant les pensées de Cassie. Je ne dis pas que c'est normal, mais vous étiez colocataires, vous la fréquentiez de plus près que quiconque. Et vous dites vous-même que son état psychique avait changé…

— Pas à ce point, dit Cassie, catégorique. C'est allé trop vite. En deux semaines, c'était plié. Il rompt avec elle, et tout bascule. On ne se retrouve pas en miettes aussi rapidement.

Thessaly lui adressa un léger sourire.

— Apparemment, votre amie avait des problèmes plus sérieux. Ce n'est pas seulement dû à la rupture. Vous savez quelque chose sur son histoire, sur sa santé mentale ?

Cassie réfléchit.

— Je… Non. Pourquoi ?

— D'après ce que vous me dites, je pense qu'elle pourrait avoir eu des troubles bipolaires, expliqua Thessaly. Les crises de nerfs, le fait de craquer soudainement… C'est typique des sujets qui ont des problèmes depuis longtemps.

Cassie secoua la tête.

— Non, ce n'est pas ça. Evie allait bien.

— Vraiment ? insista Thessaly. Vous avez interrogé ses parents ? Savez-vous si elle prenait des médicaments ?

Cassie fit de nouveau non de la tête, doucement.

— Comme vous le dites, continua Thessaly, vous vous connaissiez depuis peu. Vous ne pouvez pas vous rendre responsable de difficultés qui ont très certainement commencé bien avant votre rencontre. Ce qui est tragique, c'est qu'elle n'ait pas réussi à trouver un moyen de s'en sortir. Mais, hélas ! c'est typique de ce genre de filles. Surtout ici.

Cassie frissonna au souvenir des noms gravés sur le mur de la chapelle, et des articles relatant le décès de Rose.

— Il y a beaucoup de suicides à Oxford ?

Thessaly approuva.

— Les caractéristiques qui définissent un étudiant brillant sont les mêmes qui peuvent conduire à des troubles mentaux. La pression de l'environnement, le sentiment d'être isolé, beaucoup le ressentent… C'est affligeant, mais c'est ainsi. Nous perdons chaque année plusieurs étudiants. Ça fait partie de mon travail : discuter avec mes collègues pour mettre en place un meilleur système de soutien.

Elle pinça les lèvres avant d'ajouter :

— Certains sont réceptifs, d'autres moins.

Cassie ne réagit pas. Elle ignorait si elle attendait d'autres réponses, ou des explications. Elle se sentait toujours anxieuse, perdue.

— Je sais que ça va vous paraître banal, reprit Thessaly, mais le mieux que vous puissiez faire, c'est admettre que vous ne saurez peut-être jamais ce qui s'est passé dans la tête d'Evie. Elle a fait ce choix, c'est tout. Son choix. En vous entêtant à vouloir le comprendre, vous prenez le risque de ne jamais guérir. Ce qui est fait est fait.

Elle conclut :

— Quelquefois, la seule chose que nous puissions faire est de laisser le passé en paix, et d'aller de l'avant.

*

Si seulement cette femme disait vrai, pensa Cassie en quittant le cabinet. Si seulement le passé pouvait être aussi facilement mis de côté, et sa quête de vérité, abandonnée à la poussière. Mais ces recherches sur ses parents, c'était tout ce qu'elle avait ! Elle n'avait pas de travail. Pas de vie en Amérique. Rien ne pouvait remplacer cette folle entreprise.

Cassie avait toujours considéré comme une vertu le fait de se débrouiller toute seule. Les amis, les relations… – elle avait appris dans la douleur, et de bonne heure, que les gens finissaient toujours par vous laisser tomber. Ils abusaient de votre confiance, puis ils vous trahissaient. Ils s'en allaient. Mais Cassie voyait maintenant les étudiants passer dans la rue, unis par petits groupes et par affinités. Ils rentraient après un verre, ils emplissaient le soir de leurs rires et discussions. Ils vivaient à l'abri, dans un monde beaucoup plus simple que son monde à elle. Ils assistaient à des cours, se croisaient dans les bars, se donnaient rendez-vous, planifiaient leur brillant avenir. Pour la première fois, Cassie désirait autre chose, et ce désir lui faisait mal. Elle n'avait cessé de se répéter qu'ils ignoraient ce qu'était le monde réel, comme si ses difficultés à elle étaient une médaille dont elle pouvait s'enorgueillir, la preuve qu'elle en savait tellement plus qu'eux. À présent, elle aurait voulu pouvoir être comme eux, avoir leur innocence et leur naïveté. Même Elliot n'avait pas idée des forces qui animaient Cassie : cette faim qui lui dévorait le cœur, l'amère détermination qui guidait chaque instant de sa journée. Si elle décidait de s'arrêter, fût-ce une minute, alors que lui resterait-il ? Qui deviendrait-elle ?

Elle marchait, perdue dans ses pensées, quand un visage familier lui fit brusquement reprendre pied dans le présent. Hugo était dans la file d'attente, au camion de kebab. Il avait remonté le col de son manteau noir. Ses mèches blondes, capricieuses, s'agitaient dans le vent. Il leva les yeux et la vit s'approcher. Il leva la main en un semblant de salut.

Cassie ne l'avait pas revu depuis l'après-midi des obsèques. Elle ne pouvait oublier son regard brisé, hanté ce jour-là, ni le bref réconfort qu'elle avait ressenti entre ses bras.

— Salut, dit-elle.

Parvenue à sa hauteur, elle ne sut trop que faire.

— Cassie, dit-il en la considérant d'un œil prudent, comme s'il s'était attendu à un autre accueil. Je... Comment ça va ? Tu vas bien, depuis… ?

Elle haussa les épaules.

— C'est ton tour, répondit-elle, esquivant la question et faisant un geste vers l'homme qui patientait derrière le comptoir.

Hugo avança d'un pas et commanda. Puis, se retournant :

— Tu veux quelque chose ?

— Oh non… dit-elle.

Mais il insista d'un hochement de tête.

— Laisse-moi t'offrir à dîner. C'est le moins que je puisse faire.

Cassie n'avait rien avalé depuis le sandwich englouti sur le pouce au moment du déjeuner, des heures auparavant.

— Merci, dit-elle. Alors, des frites. Avec du fromage au curry.

Hugo, avec un petit sourire, passa la commande.

— C'est ce que prenait Evie.

— C'est elle qui m'a fait connaître le camion. Elle jurait que c'était un régal. Elle n'avait pas tort.

Hugo paya et tendit le bras pour récupérer les barquettes en plastique dans leur sac marron. Ils s'éloignèrent. Hugo donna à Cassie une barquette d'où s'échappait un nuage de vapeur aux parfums d'épice.

— Tu ne m'as pas répondu, quand je t'ai demandé si tu allais bien.

Cassie bataillait avec sa barquette. Elle en souleva délicatement le couvercle, puis planta sa fourchette dans le monticule de frites et de fromage fondu.

— Je… Ça va, dit-elle en haussant à nouveau les épaules. Je ne peux pas changer les choses, c'est comme ça. La vie continue.

— C'est ce que tout le monde dit, enchaîna Hugo paisiblement.

Ils se rapprochaient de la fac, mais quand les grandes portes de Raleigh furent en vue, Hugo bifurqua vers un banc de fer, près d'un petit café fermé le soir.

Cassie hésita, avant d'aller s'asseoir à côté de lui.

— Et toi ? demanda-t-elle. Tu t'en sors comment ?

Il la regarda. Ses yeux noirs brillèrent dans la clarté du lampadaire.

— Tu veux dire, depuis la dernière fois qu'on s'est vus ? Je tiens à m'excuser pour ma conduite. Olivia avait raison. J'étais ivre, je n'aurais pas dû t'importuner.

Il posa la main sur celle de Cassie.

— Il n'y a pas de problème, dit-elle.

Elle regardait la main d'Hugo recouvrant la sienne dans le noir. Ses doigts étaient pâles, cependant ils la brûlaient. Elle frissonna et retira vivement sa main.

— C'était une dure journée pour tout le monde, continua-t-elle.

— Pour toi, surtout.

Elle perçut dans sa voix une note d'attention prudente. Levant les yeux, elle vit qu'il l'observait avec détermination. Elle se rappela l'autre jour, quand, dans un moment de faiblesse, elle s'était ouverte à lui à propos du suicide de sa mère.

— Oublie ce que j'ai pu dire, répliqua-t-elle.

Elle s'intéressa à sa nourriture, prit une bouchée et se brûla les lèvres.

— Tout le monde jouait un rôle.

Il n'insista pas, et elle en fut soulagée. Ils restèrent encore un moment silencieux, mangeant sous la clarté du réverbère. Quand il ne resta plus dans les barquettes que des reliefs de nourriture froide, Cassie se leva.

— Je ferais mieux de rentrer. J'ai un tutorat demain matin.

— J'aurais pensé qu'ils t'accorderaient une dispense, reprit Hugo.

Il se leva aussi, alla jeter les barquettes et les sacs dans une poubelle.

— C'est le cas, reconnut-elle.

Il était évident que ses tuteurs s'étaient réunis, car même si elle n'avait rendu aucun devoir ces dernières semaines, personne n'avait rien dit – pas même Tremain. Elle suivait les cours, assistait aux débats entre ses camarades, puis filait à la fin sans un mot, sentant tous les regards fixés sur elle, et sachant que les spéculations allaient bon train.

— Mais je ne peux quand même pas tout laisser tomber. Je dois au moins faire acte de présence.

— Je t'accompagne.

Il lui emboîta le pas et ils traversèrent la rue. Cassie ne lutta pas. Mais quand ils arrivèrent sur l'esplanade, il ne la laissa pas continuer sans lui et la suivit jusqu'à l'entrée.

— Maintenant ça ira, dit-elle.

Elle vit que la porte n'était pas fermée à clef. Elle hésita, se rappelant la dernière fois qu'elle était tombée sur une porte non verrouillée.

Hugo surprit l'expression de Cassie.

— Quelqu'un d'autre habite ici ? demanda-t-il en la précédant dans l'escalier.

Elle secouait la tête.

— Non, il n'y a que des salles de cours. Et notre appart.

Hugo montait les marches, suivi de près par Cassie qui protesta :

— Je suis sûre que ce n'est rien. Le gardien a dit qu'il allait envoyer quelqu'un chercher les affaires d'Evie. Ils auront oublié de fermer en partant.

Hugo s'arrêta soudain, et Cassie lui heurta le dos.

— Quoi ?

Il ne bougeait plus. La porte de la mansarde était grande ouverte. Cassie prit une profonde inspiration et entra.

Tout était saccagé. Les chaises étaient renversées et les tables, entièrement retournées. Le sol était jonché de tasses brisées et de livres. Dans la cuisine, les robinets étaient ouverts, et le sol, inondé.

Hugo se dépêcha de couper l'eau.

— Tu avais laissé des objets de valeur ? demanda-t-il en prenant des torchons à vaisselle pour éponger les dégâts.

Cassie était sous le choc. Elle se fraya un passage dans la pièce en désordre. Elle essayait de comprendre.

— Rien. Bon, j'ai mon ordi, mais c'est à peine s'il fonctionne encore. Pas de bijoux, pas d'argent...

Elle regarda autour d'elle puis, soudain :

— Les affaires d'Evie !

Elle se précipita dans la chambre : une zone sinistrée, là aussi. Les cartons dans lesquels Cassie avait soigneusement rangé les vêtements et les affaires d'Evie étaient éventrés. Les délicates robes de soie et les jolis foulards si bien pliés étaient éparpillés dans la pièce.

— Ils n'ont pas touché aux tableaux ! lança Hugo depuis le couloir.

— Je ne les avais même pas remarqués, répondit Cassie. Ils valent quelque chose ?

— Ils auront jugé que non.

Songeant à ce qui, pour elle, avait de la valeur, elle courut jusqu'à sa chambre. Tout était dévasté. Mais quand elle vérifia le fond de la penderie, elle vit que le panneau était en place – on n'avait pas ouvert sa cachette. Les dossiers sur sa mère, les photos, le ticket : rien ne manquait. Pas même son passeport, toujours là, en lieu sûr.

— Tout va bien ?

La voix d'Hugo lui parvenait depuis l'autre pièce. Cassie se hâta de fourrer les dossiers dans son sac. Elle sortit de la penderie.

— Je ne comprends pas, dit-elle en considérant le désastre. Comment ont-ils pu pénétrer dans l'enceinte du collège ? Qu'est-ce qu'ils espéraient trouver ?

— Je ne sais pas. Peut-être de l'argent. Des ordis. Des iPhone.

Avec précaution, il remit une chaise sur ses pieds.

— Il y a eu pas mal d'effractions depuis le début du trimestre. Les voleurs doivent s'imaginer que tous les étudiants de Raleigh possèdent des joyaux de la Couronne, et si tu ne fermes pas en partant…

— J'ai fermé en partant ! protesta Cassie. En tout cas, je ne pense pas avoir…

Elle essaya de se remémorer le début de sa journée. Elle était partie en courant. Elle ne se revoyait pas verrouiller la porte. Le matin, elle était toujours en retard. Et elle ne pensait qu'à quitter cette maudite mansarde. Elle n'avait pas envie de penser à la poutre, ni au silence qui emplissait l'espace.

— Tu ne peux pas rester ici, dit Hugo. Prends le nécessaire, tu vas venir chez moi.

Elle ouvrit la bouche, mais il la fixait d'un regard d'acier.

— Tu veux te bagarrer aussi là-dessus ? demanda-t-il. Ça peut attendre demain. Là, il est trop tard.

Inutile de protester, se dit-elle. Elle ne se voyait pas dormir au milieu de ce chaos.

— Je n'ai besoin de rien.

De nouveau, elle regarda autour d'elle et frissonna. Qui était entré ? Qui avait fouillé dans ses affaires ? Qui avait saccagé celles d'Evie ? Plus vite elle s'en irait d'ici, mieux cela vaudrait.

— Allons-y.

*

Cassie pensait qu'Hugo vivait sur le campus, mais ils quittèrent l'université pour se rendre deux rues plus loin et gagner un ensemble résidentiel tortueux, près de Magdalen Fields. Hugo s'arrêta devant une maison en grès, la dernière d'une rangée, et ouvrit le portail.

— Ce n'est pas une résidence étudiante, fit observer Cassie.

Hugo alluma la lumière d'un hall d'entrée qui s'élevait sur deux étages. Son appartement contrastait avec l'élégance baroque des vieux logements raleighiens. Il offrait un décor moderne dans le style loft, tout en blancheur, en verre et acier chromé. Cassie considéra le séjour, les tirages papier servant à ses recherches et les livres éparpillés sur les canapés de cuir.

Hugo eut un petit sourire ironique.

— Comment t'as deviné ? Ils ont perdu patience et m'ont foutu dehors.

Elle hocha la tête. La fatigue la submergeait.

— Merci de m'accueillir.

— Pas de problème.

Il l'entraîna vers l'escalier de fer en spirale qui donnait accès à une mezzanine meublée d'un lit et d'une table de chevet.

— Il y a des draps propres et des couvertures dans le placard. La salle de bains est derrière cet écran. Je suis en bas, si tu as besoin de quelque chose.

Mais Cassie hésitait.

— Oh… Non, non. Je peux dormir sur le divan…

— Ne sois pas ridicule, dit Hugo doucement. Je m'y suis écroulé de sommeil je ne sais combien de fois. Il a pris la forme de mon dos. Dors bien !

Il lui adressa un sourire en coin et redescendit.

Cassie se laissa tomber au bord du lit. Tout était blanc, tout était vierge. C'était le contraire de Raleigh, où des ombres dansaient au milieu des souvenirs anciens et se cachaient dans le noir. Elle se débarrassa de ses chaussures et se glissa dans le lit. L'instant d'après, elle basculait dans le sommeil, à bout de forces.

20

Elle courait.

Traversait les tunnels, pieds nus sur le sol de pierre. Les torches embrasaient les principaux passages du labyrinthe, alors elle bifurqua, dévala des escaliers cachés, s'enfonça dans l'obscurité de couloirs sinueux, sentit l'air devenir lourd et vicié ; les portes, quand elle les poussait, lâchaient des grondements de protestation. Elle courait toujours.

La psalmodie se rapprochait, bourdonnement étourdissant dont chaque mur renvoyait l'écho, d'aussi loin qu'il provienne. C'était dans sa tête, se dit-elle. Forcément. Une ombre se cabra soudain dans les ténèbres et la fit trébucher d'effroi, tomber et s'écorcher méchamment la peau sur une pierre coupante. Mais il n'y avait pas de place pour la douleur ; pas avec ce couteau qui lui glissait des mains, pas avec ce bruit de pas qui retentissait toujours plus fort. Toujours plus proche.

Elle se précipita pour bifurquer encore et grimper une autre volée de marches. Quand elle reconnut la voûte du porche sculpté, elle faillit en crier de

soulagement. Elle savait ce qu'il y avait après : une
galerie latérale. Et encore après : la liberté.
　C'est alors qu'il surgit de l'ombre…

— Cassie !
Elle se réveilla dans un cri, encore prisonnière de
cette peur terrible qui l'entraînait dans les tunnels. Il
était là, telle une ombre noire, et il n'y avait pas d'issue.
Il s'emparait de Cassie, et sa griffe lui mordait le bras,
la secouait inlassablement.
— Cassie, regarde-moi. Réveille-toi !
La voix d'Hugo franchissait les ténèbres. Cassie
haletait. Elle se replia sur elle-même. Elle vit qu'elle
était dans le lit d'Hugo, emmêlée dans ses draps. La
lumière du jour s'engouffrait par les fenêtres et éclairait
le visage soucieux du jeune homme. Il tenait les bras de
Cassie fermement.
Elle récupéra son souffle. Elle tremblait.
— Je suis désolée, j'ai juste… J'ai…
— Fait un cauchemar, compléta Hugo. Tu m'as fait
peur.
Il relâcha doucement son étreinte.
Cassie ravala sa salive. Son cœur s'apaisa. De nou-
veau, le sang battit régulièrement à ses oreilles.
Hugo s'assit en riant tristement.
— Bon, dit-il, c'est une manière de me faire émerger
avant dix heures. C'était quoi, ce rêve ?
— Je ne me rappelle plus.
Elle cligna des yeux. Les derniers vestiges de ses
visions se dissipaient dans la lumière. Le décor autour
d'elle était agréable, vivifiant, d'un modernisme
confortable et pur.
— Mais c'était tellement réel…

— Après Evie, je n'ai pas pu dormir pendant une semaine. Rien que des rêves catastrophiques. Tout s'écroulait dans une nuit sans fin.

Elle secouait lentement la tête.

— Là, c'était différent. J'ai eu l'impression d'y avoir déjà été.

— Où ça ?

Elle fronça les sourcils, fit un effort pour se souvenir.

— Je… C'est fini.

Après un moment, Cassie s'aperçut qu'elle se cramponnait toujours à la main d'Hugo. Elle se dépêcha de la lâcher.

Hugo se leva.

— Il est presque six heures. Je vais aller voir les gardiens. Les informer de l'effraction.

— Je peux le faire, protesta Cassie.

— Ça ira, la rassura Hugo. Récupère. Prends ton temps.

*

Lorsque Cassie vit son reflet en pleine lumière dans le miroir de la salle de bains, elle comprit pourquoi Hugo avait paru à ce point soucieux. Sa peau était livide. Des cernes noirs avaient éclos sous ses yeux. Elle était maigre, faisait peine à voir, et ses cheveux sombres étaient hirsutes. La mort d'Evie l'avait tellement perturbée et angoissée ! Pas étonnant que son état ait inquiété Thessaly.

Elle se doucha sous un jet puissant puis s'habilla. Elle enfila son jean et un tee-shirt appartenant à Hugo. Quand elle descendit, il était au téléphone dans le patio. Elle retourna dans la cuisine et prit dans le réfrigérateur des œufs et de la farine. Elle trouva tout ce qu'il lui fallait dans les placards. Quand Hugo reparut, elle battait des œufs dans un bol et une poêle chauffait sur la plaque de cuisson.

— Je ne savais pas que tu cuisinais, dit-il.

— Ça m'arrive, dit-elle en haussant les épaules.

À la vérité, elle n'avait jamais eu à sa disposition une cuisine comme celle-ci, dotée d'un plan de travail en marbre et d'un four digne de l'ère spatiale. Elle était encore nerveuse, après sa mauvaise nuit, et cherchait du réconfort dans des ustensiles ordinaires et des gestes rassurants.

— Ma mère m'a appris deux ou trois recettes, expliqua-t-elle en versant dans la poêle une louche de pâte épaisse. Les pancakes. À l'américaine.

Hugo prit des assiettes et des couverts et dressa la table pour deux. Maintenant que se dissipait la fatigue de la nuit, Cassie pouvait observer l'appartement avec plus d'attention : de l'art moderne et des touches de vie, tels ce globe en bronze sur la cheminée et ces livres reliés sur les étagères. Hugo demanda :

— Tu avais quel âge, tu m'as dit, quand…

Il se dépêcha de se corriger :

— Excuse-moi. Tu n'es pas obligée d'en parler.

— Quatorze ans, répondit Cassie après un instant, concentrée sur sa préparation.

— Je suis désolé.

Elle leva la tête. Il la fixait de ses yeux sombres emplis d'une compassion silencieuse. Cassie chassa les mauvaises pensées.

— Tu habites ici depuis longtemps ? reprit-elle vivement. Olivia dit que tu es inscrit à Raleigh depuis des lustres. C'est vrai ?

— Sept ans, soupira Hugo, peu fier de lui. Dont trois en premier cycle. La quatrième année, j'ai essayé de venir à bout d'un master. Maintenant, c'est le doctorat. J'ai trouvé cette maison il y a quelque temps. Livvy m'a aidé. Elle a aussi aidé pour la déco…

Il ajouta :

— Comme tu peux le constater d'après l'état de mes ustensiles, je ne m'en étais encore jamais servi.

Elle remarqua la désinvolture avec laquelle il évoquait l'achat d'un appartement. Il n'était pas en location, ne faisait pas mention d'une aide de ses parents. Il bénéficiait sûrement d'un fonds et de virements mensuels arrivant avec la régularité d'une horloge.

— Pourquoi tu restes ? demanda-t-elle en enlevant les pancakes de la poêle afin de les déposer sur la table. Ce n'est pas pour les études, je n'ai pas le souvenir de t'avoir entendu en parler. Au fait, ton doctorat, c'est sur quoi ?

— Oh ! un truc autour de la logique et des mathématiques pures. Je ne vais pas t'embêter en entrant dans les détails.

— Alors, pourquoi rester ?

Elle prit une chaise. Le service du petit déjeuner était en porcelaine blanche, épaisse, et le jus d'orange versé dans des verres droits en cristal taillé, comme ceux utilisés lors des dîners officiels à la fac. Hugo lui adressa un semblant de sourire.

— Je crois entendre ma famille, dit-il. « Quand te décideras-tu à grandir, à prendre tes responsabilités ? Tu as un autre destin que celui d'assistant à l'université. »

— Ah… murmura Cassie en prenant conscience de la vérité. En fait, tu te planques.

Il se défendit :

— Je fais des études supérieures.

— Tu te planques, insista Cassie. C'est vrai, Oxford est l'endroit idéal pour ça. C'est comme une... une bulle éloignée de tout. Un endroit où les règles habituelles n'ont pas cours.

— Ça n'empêche pas le monde de tourner, dit Hugo avec un léger sourire. Mais ici, rien ne change jamais. Enfin, pour l'essentiel.

Sa voix avait faibli à la fin de cette phrase. Il baissa les yeux. Cassie songeait à Evie qui n'était plus là.

— Et ils voudraient que tu fasses quoi, là-bas, dans le monde réel ?

Il haussa les épaules. Ses cheveux lui retombèrent devant les yeux.

— Que je reprenne les affaires familiales.

— À savoir ?

— Le pouvoir, dit-il avec une grimace. Les Mandeville... On est à la tête de pas mal de choses. Des sociétés, des journaux, des propriétés.

— Le père d'Olivia, se souvint Cassie, est au Parlement.

— Oncle Richard. Mon père est mort quand j'étais petit. Alors mon père, c'est un peu lui.

— Je suis désolée.

Elle ressentit une bouffée de compassion. Pas étonnant qu'il ait l'air de la comprendre aussi bien quand elle parlait de sa mère : lui aussi avait perdu quelqu'un. Il secoua la tête.

— J'étais trop jeune. Je ne me souviens même pas de lui. Ma mère n'a pas trop assuré, si bien que j'ai vécu le plus gros de mon enfance de ce côté-là de ma famille. Grand-père a un domaine dans le Sussex. On s'est tous entassés là-bas.

Cassie n'avait aucune difficulté à se représenter le tableau : une troupe de gamins bruyants. Aurait-elle eu ce destin, si elle avait connu son père ? Elle avait vécu, elle, dans des maisons solitaires, avec un beau-père, puis des familles d'accueil. Elle insista :

— Et aujourd'hui ? Vous êtes restés proches ?

— Ça veut dire quoi, proches ? répondit Hugo doucement. On est une famille. C'est tout ce qui compte. C'est une bonne famille.

Adroitement, il trouva une porte de sortie permettant d'esquiver le sujet :

— Comment tu fais pour qu'ils soient aussi légers ?

— Secret de fabrication.

Elle sourit. Elle se rappelait sa mère en pleine forme dans la cuisine, chantonnant de la musique country en accompagnant la radio. Pendant une minute, ce fut comme si sa mère était là, plus forte que jamais, rassurante – au lieu d'être écrasée par un fardeau ou par le poids d'un secret honteux.

Ils continuèrent de manger paisiblement, sans plus rien dire, jusqu'à ce qu'un bruit retentisse dans l'entrée. La clef tourna dans la serrure, une porte claqua. Cassie se crispa.

— Hugo ? Tu vas te décider un jour à faire réparer cette marche à l'entrée ? Je te l'ai déjà dit cent fois.

Olivia débarqua dans le séjour, chargée de provisions et de journaux. Elle sourit, nullement surprise, apparemment, de trouver Cassie dans la maison.

— Salut, Cassie. Qui veut des bagels tout frais ? Je me suis arrêtée en route.

Hugo s'irrita :

— Li, je t'avais dit que j'étais occupé, ce matin !

— Je sais. Mais j'ai entendu parler de l'effraction et je me suis dit que je devais passer tout de suite.

Elle s'adressa à Cassie :

— Ça va ? Ils ont volé quelque chose ? Je n'arrive pas à y croire, qu'on puisse entrer comme ça.

Cassie se demandait comment la nouvelle avait pu se répandre aussi vite. Elle n'avait encore fait aucune déposition.

— Ça va. Quand on est arrivés, ils étaient partis depuis longtemps.

— Heureusement qu'Hugo était avec toi, dit Olivia. On devrait déposer plainte contre les gardiens. Et la sécurité, alors ? Ils passent la nuit à regarder la télé, ou quoi ?

— Non, non, ça ira, protesta Cassie. Ce n'est pas comme s'ils avaient volé quelque chose.

— Bien.

Olivia alla dans la cuisine, alluma la radio et se débarrassa de ses sacs. Elle sortit des assiettes en emplissant l'espace de sa bruyante agitation.

— J'ai invité Paige et les autres à bruncher, lança-t-elle. Miles a encore piqué sa crise, mais il a promis d'apporter du champagne.

Hugo murmura à Cassie :

— Désolé. Je lui avais dit de ne pas venir.

— Ce n'est rien, répondit Cassie en se levant. De toute façon, il faut que je m'en aille. Je vais aller signaler l'effraction, m'occuper de mes cours…

— Oh ! dit Hugo, surpris. Je comprends…

— Mais merci de m'avoir laissée dormir ici.

Un regret la visita. Elle aurait volontiers passé toute la matinée chez lui, loin du monde extérieur. Hugo hocha la tête.

— Quand tu veux… dit-il.

*

De retour à Raleigh, Cassie fit sa déposition auprès d'un agent accablé d'ennui, en présence des gardiens. Elle s'était demandé si elle tomberait sur Charlie, mais ils envoyèrent quelqu'un d'autre. Ayant vaguement jeté un œil sur l'appartement saccagé, il soupira :

— Et rien n'a été volé ?

— Je ne crois pas. Il n'y avait pas d'objets de valeur.

Elle redressait les chaises et remettait de l'ordre, de nouveau oppressée.

— Alors vous ne savez pas si vous aviez fermé ou pas ? Dans ce cas, il n'y a pas grand-chose que je puisse faire, dit-il avec un haussement d'épaules. Je vais rédiger mon rapport. Et je vous tiens informée si on arrête quelqu'un.

L'agent redescendit l'escalier, laissant Cassie seule avec Rutledge qui leva les yeux au ciel en disant :

— Eh bien ! C'est ce qui s'appelle aider les gens. Ces flics locaux, toujours partisans du moindre effort !

Il entreprit d'aider Cassie à ranger. Il remit une table basse sur ses pieds, ramassa des livres par terre.

— Vous n'êtes pas obligé ! protesta Cassie.

— Ne vous en faites pas pour moi, dit Rutledge avec un sourire qui creusa davantage encore les rides de son visage buriné. Ces gamins, quand il leur faut quelqu'un pour changer une ampoule, ça doit être réglé sur-le-champ.

Cassie commença par les affaires d'Evie. Elles étaient dispersées dans la pièce. Tout en pliant les vêtements pour les ranger dans les cartons, elle demanda :

— Vous serez bientôt en mesure de les renvoyer à ses parents ? Je sais qu'il n'y a pas urgence, mais… je n'aime pas voir tout ça.

Il hocha la tête.

— Je vais m'en occuper. Ils souhaitent laisser quelque chose ici ? Ses travaux universitaires, peut-être ? Il y a des gens qui en font don aux bibliothèques.

— Je ne sais pas, dit Cassie, préoccupée. Je ne leur ai pas posé la question. Il est possible que...

Un téléphone sonnait. Cassie eut besoin d'un instant pour comprendre que c'était le vieil appareil fixe qui dormait sur une table basse depuis des mois. Elle décrocha :

— Allô ?

— Et une semaine de plus sans accès aux technologies modernes, dit Elliot d'un ton impatient.

Cassie sourit.

— Comment tu as eu ce numéro ?

À l'autre bout de la pièce, Rutledge lui mimait qu'il devait s'en aller. Elle prononça un remerciement muet. Il sortit en refermant derrière lui.

— Grâce à quelque chose qui s'appelle l'annuaire étudiant, répondit Elliot. Crois-moi, il y a des années que personne ne l'avait consulté. Cette fois, tu peux remercier la fac de vivre comme au Moyen Âge.

— Merci, Elliot, dit-elle doucement. Bon, de quoi as-tu besoin ?

— La question, en fait, c'est de quoi as-tu besoin, toi. J'ai cherché dans le registre des prêts le titre du livre écrit par cette Rose.

Cassie essaya de se rappeler. Tant d'événements s'étaient produits depuis qu'elle avait quitté la bibliothèque, la veille ! Le suicide de Rose s'en était trouvé relégué aux confins de son esprit.

— Bien sûr, reprit-elle. Merci. Et alors ?

Elliot répondit après un temps :

— Il s'agissait d'un essai sur les origines de Raleigh, et sur l'École de la Nuit.

Cassie eut un frisson puis répéta :

— L'École de la Nuit… Tu veux dire qu'elle travaillait sur ce sujet ?

— En un sens. Comme je le disais, c'est en rapport avec cette histoire d'anniversaire. Il ne s'agit pas d'un travail universitaire officiel. Elle a dû trouver deux ou trois vieux articles et les synthétiser bien proprement pour la circonstance.

Elliot paraissait tendu.

— Ce livre, où est-il ? demanda Cassie. Je peux le lire ?

— Pas dans l'immédiat, répondit Elliot, réticent. Il a été emprunté.

— Par qui ? voulut savoir Cassie, les doigts crispés sur le combiné. Je pourrais peut-être retrouver le lecteur. Le livre doit être rendu bientôt ?

— Non.

Elliot se taisait. La frustration arracha un soupir à Cassie.

— Qu'est-ce que tu ne veux pas me dire ? reprit-elle.

Il attendit un long moment avant de répondre vivement :

— Le lecteur, c'est Evie. Ta coloc. C'est la dernière personne à l'avoir emprunté. Et la seule. Nul n'avait demandé ce livre depuis dix ans.

Cassie retint son souffle.

— J'arrive, dit-elle, ne bouge pas.

Elle raccrocha. Elle courut jusqu'à la chambre d'Evie, rouvrit les cartons où elle avait soigneusement rangé ses livres et ses dossiers. Cette fois, elle fouilla attentivement. Elle vérifia chaque titre. Le livre n'était pas là. Et ses notes non plus – ces épais cahiers pleins de feuilles et d'articles, dont elle se rappelait qu'ils s'étaient promenés dans tout l'appart. Elle avait parlé trop vite en affirmant dans la précipitation que rien n'avait été volé...

Les dossiers d'Evie avaient disparu. Toutes ses recherches sur Raleigh, sur la création du collège, sur sir Walter Raleigh.

21

Cassie allait à pas lents le long de la rivière et soulageait par des étirements ses épaules fatiguées. C'était le petit matin. De nombreux joggers parcouraient le sentier sinueux, mais pas celui qu'elle cherchait.

Elle tournait et retournait les pièces du puzzle qui hantaient ses pensées, ces débris qui refusaient de s'emboîter.

Geneviève DuLongpre. Rose Smith. Deux filles mortes à vingt ans d'écart, et rien pour les relier l'une à l'autre, à part l'École de la Nuit.

Une rumeur. Un bruit. Une phrase menaçante griffonnée au verso d'une photographie glissée dans la boîte aux lettres de Cassie. Les documents d'Evie, volés.

Rose était morte. La mère de Cassie avait disparu. Evie s'était suicidée. Ces trois événements étaient connectés. Et ce n'était peut-être que le début.

Il y eut un mouvement rapide sur le sentier devant elle. Un jogger vêtu d'un sweat-shirt noir à capuche courait sur le sol glacé à longues foulées régulières.

Elle s'écarta du chemin. Elle le salua tandis qu'il s'approchait :

— Charlie !

Il s'arrêta, courant sur place et affichant un petit sourire.

— Mademoiselle Blackwell…

— J'ai besoin de votre aide.

Charlie rit. Il plaisanta :

— C'est comme ça qu'on dit bonjour ? On dit « Il fait frisquet, tout à coup » ou « Ce match du week-end, ça s'est bien passé ? » Non ! Vous commencez par demander un service. On se la joue comme ça, maintenant ?

Elle éprouva une vague culpabilité mais la chassa aussitôt et lui rappela :

— Vous avez une dette envers moi.

Le sourire de Charlie retomba. Il ôta ses écouteurs et s'arrêta :

— En quoi puis-je vous aider ?

*

Ils allèrent prendre un café à l'écart des lieux fréquentés par les étudiants, ce qui n'empêcha pas Cassie de se sentir angoissée et de regarder sans cesse derrière elle. Quelqu'un était entré par effraction dans l'appartement pour voler les notes d'Evie, alors qui sait s'il n'était pas maintenant après elle ?

— Il faudrait que je puisse consulter les fichiers de la police, dit-elle quand ils furent rencognés dans un box autour d'un café.

— Pas de problème, répondit-il en se calant sur sa banquette. Vous n'avez qu'à passer. Les clefs sont sur la table. Regardez tout ce que vous voudrez…

— Je parlais sérieusement.

Elle tira de sa poche un bout de papier qu'elle fit glisser vers lui.

— Ces deux filles étaient étudiantes à Raleigh. Toutes les deux sont mortes. Suicide. Je dois consulter les rapports de police.

Charlie restait sur ses gardes.

— Quel est le problème ? demanda-t-il.

— Je ne sais pas encore, répondit Cassie d'un ton sincère. Mais il y a… quelque chose qui ne va pas.

Il considéra le papier sur lequel elle avait écrit les noms des filles, et leur date de décès.

— Celle-ci est morte récemment ?

Elle acquiesça :

— Evie. Ma coloc. Elle allait bien, et l'instant d'après…

— Je suis désolé, dit Charlie en fronçant les sourcils. Mais si vous êtes en quête de réponses, je ne suis pas la bonne personne. Interrogez plutôt ses amis, ses parents…

Elle l'interrompit.

— Ce n'est pas ça. Il ne s'agit pas seulement d'elle. Toutes les deux s'intéressaient à la même chose : une société secrète de Raleigh…

Elle précisa en voyant l'expression de Charlie :

— Je sais ce que vous pensez. Sauf qu'il y a un problème. Je le sens dans mes tripes. L'une et l'autre creusaient cette histoire d'École de la Nuit. Et dans les deux cas, ça s'est mal terminé.

Elle se tut, le temps que la serveuse dépose sans aménité leur commande sur la table : des toasts pour elle, et un petit déjeuner anglais pour lui – le complet, avec des œufs, des saucisses et des haricots. Quand la serveuse fut retournée dans la cuisine, Cassie se pencha en avant et reprit :

— Je sais que ça semble dingue…

— Semble ? dit Charlie.

Il avait levé les yeux tout en attaquant son assiette.

— Il y a trop d'éléments qui ne cadrent pas, insista Cassie. Evie n'était pas suicidaire, quoi qu'en disent les gens. Et l'autre soir, on a cambriolé notre appart. Ils ont tout saccagé et sont repartis avec les documents d'Evie, des recherches qu'elle semble avoir effectuées sur cette société secrète.

— Qu'elle semble, encore une fois, fit-il remarquer.

— Ce n'est pas tout. Après la mort de Rose, sa meilleure amie a quitté le pays. Elle a changé de nom, pris une autre identité. C'est ce que font les gens quand ils cherchent à fuir quelque chose, un danger.

Charlie ne semblait toujours pas convaincu. Cassie ajouta d'un ton désespéré :

— Vous ne pouvez vraiment pas me trouver ces rapports ? S'ils ne présentent rien de suspect, on n'en parlera plus. Mais des gens sont morts. Et tout ça… C'est vraiment trop bizarre. Je ne peux pas rester sans rien faire.

Il la regarda longuement, puis soupira et finit par consentir :

— D'accord. Je vais vous trouver ces rapports. Pas parce quelque chose déconne dans votre histoire ! Mais parce que j'ai une dette envers vous. Après ça, on sera quitte, d'accord ? Ne venez pas ensuite me demander de faire sauter vos contraventions.

— Je ne conduis pas.

— Vous voyez très bien ce que je veux dire.

Comme il reposait son couteau et sa fourchette, Cassie se rendit compte qu'il avait englouti son petit déjeuner en deux minutes.

— Ça marche ?

— Ça marche, dit-elle après un temps.

— J'espère que vous n'avez pas monté toute cette affaire afin d'avoir un prétexte pour me revoir, dit-il en riant. Parce que si c'est le cas, il suffisait de me proposer de boire une bière. Ce n'était pas la peine d'inventer un polar avec des morts mystérieuses et des sociétés secrètes.

Cassie eut du mal à trouver ça drôle.

— Evie est morte, dit-elle calmement. Pour moi, ça n'a rien d'une plaisanterie.

Il cessa de rire.

— Bien sûr. Désolé.

Il sortit des billets de sa poche et les jeta sur la table.

— Je vais voir ce que je peux vous trouver. Vous avez un numéro où je puisse vous joindre ?

— Il est sur le papier.

— En effet, dit-il en hochant la tête. Vous avez eu d'autres problèmes avec ce Sebastian ?

— Non, dit Cassie qui tressaillit à ce souvenir. Il est en congé jusqu'à la fin du trimestre.

— Très bien. Je vous fais signe.

Il s'éloigna d'un pas tranquille, non sans s'arrêter pour dire un mot à la serveuse qui éclata de rire et lui donna un coup de torchon.

Cassie s'attarda un moment dans le box. Elle but lentement son café en regardant la vie s'agiter derrière la fenêtre. Décembre était là. Le ciel était couvert et gris. Les acheteurs se pressaient dans les rues, et les étudiants matinaux se rendaient à leurs cours en bâillant.

Cassie avait encore un devoir à rendre avant la fin de l'année, puis viendraient quatre longues semaines de vacances.

Elle tourna lentement sa cuiller dans son café. Elle faisait la chasse aux fantômes dans une ville étrange, loin de chez elle. Mais la providence ne s'était jamais vraiment manifestée chez elle. Elle cherchait quelque chose à quoi s'accrocher. Et depuis l'arrivée de ce colis au nom de sa mère, rien d'autre n'avait plus compté : la perspective de découvrir la vérité n'avait cessé de briller dans la nuit tel un flambeau. Cependant, tout comme l'horizon lui-même, cette vérité reculait toujours, restait hors d'atteinte, prenait la forme d'un nouveau défi, d'une autre question sans réponse. Il y avait d'abord eu le père de Cassie, puis l'identité de sa mère, la mort de Rose, et finalement les recherches menées par Evie.

Cassie regardait la ville et s'interrogeait. Trouverait-elle jamais ce qu'elle cherchait ?

*

La fin du semestre donna lieu à une explosion de festivités estudiantines sous les fenêtres de Cassie. Il y eut des soirées et des cocktails. Le bar en sous-sol de la fac fut même un soir transformé en boîte de nuit, et résonna jusqu'au petit jour de pop music ringarde. Cassie ignora tous ces événements. Puis, comme par enchantement, les étudiants disparurent ; et bientôt elle traversait seule le campus désert, dans un silence brisé seulement par la cloche qui sonnait les heures, en haut de sa tour.

Elle s'était dit que ce changement serait le bienvenu : un peu de calme, une pause dans les exigences des profs et dans ces chuchotements qui continuaient de la poursuivre le long des couloirs. Mais ce fut le contraire. Le silence lui tapa sur les nerfs. Elle se sentait stressée, se vivait comme une intruse. Depuis le jour où elle avait trouvé le corps d'Evie, la mansarde ne lui apparaissait plus comme un abri sûr. Certes, au-dehors, les rues étaient animées par les lumières de Noël et la folie des cadeaux ; mais dans l'enceinte de Raleigh régnait un silence menaçant. Cassie fuyait le campus aussi souvent que possible. Elle s'attardait à la bibliothèque après son travail, allait au café Blackwell dorloter sa tasse de thé jusqu'à l'heure de la fermeture, explorait les ouvrages de fiction dans les rayons de la librairie. Certains jours, à Raleigh, elle ne croisait pas âme qui vive, excepté les gardiens ou un prof de l'acabit de Tremain : elle le voyait traverser la cour à grands pas, l'air distrait, absorbé sans doute par quelque point de recherche.

Une semaine s'écoula puis une deuxième. Le 23 décembre, Cassie ferma les portes de la bibliothèque pour la pause de Noël. Même les intellectuels les plus assidus consentirent à abandonner leurs travaux pour quelques jours, certes à contrecœur : à voir la réticence avec laquelle ils rangeaient leurs affaires, se résignaient à quitter les lieux, on devinait qu'ils auraient préféré passer les fêtes dans la poussière, avec leurs livres.

— Je me demandais si j'allais te trouver ici.

Cassie ressentit un choc en reconnaissant cette voix. Elle se retourna. Hugo était dehors, sur les marches, les mains dans les poches, les joues rougies par le froid.

Ils ne s'étaient pas parlé depuis qu'elle avait passé la nuit chez lui. Ayant eu le sentiment de s'être imposée, elle n'avait pas jugé utile d'en reparler.

— Salut, répondit-elle, gênée. Tu es resté en ville ?

— Je suis revenu pour la journée. Un rendez-vous que je ne pouvais pas manquer. Je me suis dit que tu travaillais peut-être aujourd'hui. Je te raccompagne ? Si tu n'as rien d'autre de prévu, évidemment.

Cassie secoua la tête.

— Non. Rien de prévu.

Ils descendirent l'escalier ensemble et prirent la direction de Raleigh. Les rues étaient plus animées qu'à l'ordinaire. Les boutiques du centre fermaient tard en vue des achats de dernière minute. Hugo eut un regard ironique pour une femme cramponnée au fardeau de ses sacs en papier.

— À chaque fois, dit-il, je me demande à quoi ça rime. Tout ça, ça va finir au fond des placards, à ramasser la poussière.

— C'est un rituel, voilà tout, concéda Cassie. On échange des cadeaux, on dîne, on sort le grand jeu. En tout cas, en Amérique, c'est comme ça.

Hugo sourit.

— Ici, on a le Boxing Day. Le foot. On se réunit, on picole, on réveille de vieilles querelles. À la fin, on n'a plus qu'une envie : s'en aller.

— Chez toi, c'est comme ça ?

Cassie se montrait curieuse. Ces dix dernières années, elle avait dû se contenter de vivre les fêtes en spectatrice, de regarder passer les familles dans les cafés ou les magasins où elle faisait des extras.

— Pas tout à fait, répondit Hugo. Cette année, ce sera les stratégies politiques et les plans de bataille. Les élections générales tombent en mai, et il n'y a rien d'autre à l'ordre du jour. Mon oncle Richard a déjà installé son équipe de campagne à Gravestone.

— Tu penses qu'il va gagner ?

Elle trouvait bizarre d'entendre Hugo parler avec un tel détachement de la campagne de son oncle, un homme qui visait les plus hautes fonctions du pays. C'était un autre monde, où l'exercice du pouvoir semblait aussi naturel que la respiration : il y avait quelque chose à prendre, un objectif tangible, pas un rêve vague et inatteignable.

Hugo laissa échapper un rire cassant.

— Il a intérêt. Sinon, les prochaines réunions de famille risquent d'être un cauchemar.

Il réfléchit, puis rectifia :

— Non, je ne dirais pas ça. Oncle Richard ferait un bon Premier ministre. Je l'ai toujours vu œuvrer dans ce but. Toute ma vie, pratiquement. Maintenant, il tient le bon bout. Il joue le tout pour le tout… Tu comprends pourquoi on est tous un peu à cran, ici.

— Et Olivia ?

Cassie se rappelait le feu qui avait brillé dans les yeux d'Olivia quand la discussion s'était orientée vers la politique, lors de cette soirée à l'Union. Hugo soupira.

— Elle aime ça. Elle se lance, là. Conseil en image. Comment toucher les jeunes électeurs. Je ne pourrais rien imaginer de pire.

— Elle échangerait volontiers sa place contre la tienne, tu sais.

Cassie ne savait pas pourquoi elle avait dit ça, mais trop tard : c'était sorti.

Hugo cessa de marcher et la fixa d'un œil curieux.

— Je sais, dit-il doucement. Je le leur ai répété cent fois. C'est elle qui est faite pour porter publiquement le nom de la famille. Elle pourrait diriger un petit pays : elle le fait déjà la moitié du temps. Mais ils ne s'en rendent même pas compte, accrochés comme ils le sont à leur vision du monde. Les femmes, dans notre famille, ne sont pas sur le devant de la scène. Elles font de bons mariages, puis elles se tiennent dans l'ombre et se contentent d'observer depuis les coulisses.

— Voilà qui est très élisabéthain, plaisanta Cassie.

Ils s'étaient remis à marcher, et ils virent apparaître le camion d'Ahmed, le marchand de kebabs, brillant de tous ses feux. Sans même se concerter, ils allèrent prendre place dans la file d'attente.

— Si seulement je pouvais en rire, soupira Hugo, comme pour se fustiger lui-même. Au lieu de me plaindre ! Je suis heureux, je sais bien. C'est juste que je voudrais…

Il regarda Cassie avec une intensité soudaine.

— Tu n'as jamais eu le sentiment que le passé t'emprisonnait dans ses chaînes, refusait de te laisser partir ? Que toutes les décisions prises par les autres ne faisaient que te ramener en arrière ? Jusqu'à ne même plus savoir quelle direction tu devais prendre…

— Si, répondit-elle avec un triste sourire. Plus que tu ne l'imagines.

— Si seulement on pouvait me laisser tranquille, reprit Hugo après un temps. Me laisser prendre mes propres décisions. Pour une fois.

— Tu ferais quoi ? lui demanda Cassie.

Elle se tourna vers le vendeur pour commander. Elle se rappelait ce qu'Hugo avait pris la dernière fois. D'un geste, elle refusa de le laisser payer. Une fois servis, ils reprirent le chemin de Raleigh et Cassie précisa sa question :

— Je veux dire, si tu n'avais pas de parents, pas d'exigences familiales. Tu ferais quoi ? Tu deviendrais qui ?

Il resta un moment silencieux – un si long moment que Cassie se demanda si elle n'avait pas mis les pieds dans le plat. Mais il répondit tranquillement :

— J'aimerais voyager. Pas comme ils voyagent, eux : les hôtels de luxe, les grands tours. J'aimerais juste voir le monde pendant quelque temps. Comment c'est, ailleurs. J'arrêterais cette thèse idiote. J'ai toujours pensé… Non. Tu vas trouver ça idiot…

— Vas-y ! le pressa Cassie.

Étrangement, elle cédait à la curiosité. Elle avait envie d'en savoir plus, de découvrir qui se cachait derrière le charme et les privilèges.

— Plus jeune, je voulais devenir explorateur, avoua Hugo d'un air timide.

Cassie ne l'avait jamais vu aussi gêné.

— Il reste des régions du monde où personne n'a encore mis les pieds. Tu imagines ? Des jungles, des forêts tropicales, des chaînes de montagnes. Aller où personne n'est allé, voir ce que personne n'a vu.

Pendant une minute, c'est un visage éclairé par l'enthousiasme de la jeunesse qui se détacha de l'obscurité. Cassie entrevit le jeune garçon en lui, l'enfant plein de curiosité aux yeux grands ouverts qu'il avait été, avant qu'un personnage sarcastique et blasé ne vienne ravir son âme. Puis, tout aussi rapidement, le masque de l'autocritique reparut.

— J'imagine qu'il n'y a pas besoin de faire appel à Freud pour comprendre le bonhomme, reprit-il. Il veut fuir à l'autre bout du monde, loin de sa famille et des obligations. Le gros cliché, quoi. Et toi ? Tu serais qui, si ta famille ne te mettait pas la pression ? Mais tu n'es peut-être pas un être faible, comme moi. Tu n'es peut-être pas restée enchaînée à leur joug.

La porte de Raleigh était en vue. Cassie regarda Hugo. Elle avait la tête vide. Lui était prisonnier de sa famille ; elle était gouvernée par l'absence de famille. En un sens, sa mère lui avait laissé un héritage aussi étouffant que les attentes auxquelles Hugo devait se confronter. Cassie savait qu'elle n'avait pas le choix : son destin s'était dessiné à l'instant où elle avait reçu ce colis avec la mention « Oxford ». Elle poursuivrait la vérité jusqu'à la voir se révéler tout entière ; c'était moins un choix qu'un appel.

Les questions, encore une fois, s'attardaient dans son esprit. Quand tout serait terminé, qui serait-elle ? Quels problèmes devrait-elle affronter lorsque la chasse aurait pris fin ?

— Je ne sais pas. J'ai toujours été la même, reconnut-elle finalement.

— Non, rectifia Hugo.

Il tendit la main vers elle. De la paume, il lui effleura la joue, lui prit le menton. Il la fixait intensément.

— Tu es bien plus que tu ne l'as jamais imaginé.

Elle se figea. Elle ressentit ce frisson, éprouva cette sensation : la main d'Hugo brûlante sur sa joue. Et plus encore : cet éclat dans ses yeux, une noire solitude, qui lui était très familière puisqu'elle était sa compagne de tous les jours. Une faim qui la tenaillait.

Les yeux d'Hugo s'assombrirent encore. Tout à coup il se pencha vers elle, s'approcha tout près. Elle sentit sa respiration sur sa peau. Elle n'avait plus qu'à poser ses lèvres sur celles d'Hugo. Pourtant elle resta pétrifiée, paralysée par une hésitation tendue dans l'air, et qui les séparait.

Qu'attendait-il d'elle ? Cassie vacilla en arrière.

— Bonne nuit, laissa-t-elle échapper en s'écartant de quelques pas.

Il se raidit et cligna des yeux.

— Heu… Bon, d'accord. Ça ira ?

— Ça ira, dit-elle vivement.

Agrippée à l'emballage de son repas, elle recula davantage et se glissa entre les portes.

— Attends, dit Hugo. Je… Il y a une fête pour la nouvelle année. À Gravestone. Avec plein de monde. Viens.

Cassie décida de lui mentir :

— Je ne peux pas. J'ai un autre plan. Mais merci.

Sans attendre sa réponse, elle fit demi-tour et s'éloigna en marchant aussi rapidement que possible. Et alors qu'elle traversait à grands pas la cour plongée dans l'obscurité, dans l'air nocturne qui lui gelait la peau, elle continua de sentir sur sa joue le contact laissé par la paume d'Hugo. Une sensation obscure, vivante, tournoyait dans ses veines et la faisait frémir.

Elle s'était efforcée d'oublier leur première rencontre sur l'esplanade, le vif malaise ressenti en sa présence. Puis Evie était morte et tout semblait être passé au second plan, noyé dans le chagrin et la culpabilité, dans cette façon aussi qu'avait Hugo de deviner quelle épreuve elle devait vivre. À présent la panique recommençait d'enflammer sa vie, tel un ouragan d'adrénaline dans son sang. Une peur mêlée à quelque chose de plus dangereux encore.

Le désir.

22

Charlie appela le matin de Noël. Cassie n'avait rien à faire, à part zapper sur de vieux films. Ils se donnèrent rendez-vous dans un pub de la périphérie. Elle le trouva attablé dehors, tout seul dans le froid, une pinte à la main.

— On ne pourrait pas aller à l'intérieur ? demanda-t-elle en frissonnant.

Emmitouflée dans son duffle-coat et son écharpe, elle avait néanmoins les doigts gelés. Charlie secouait la tête en jetant autour de lui des regards inquiets.

— Il vaut mieux que personne ne nous entende.

Cassie sentit son cœur se serrer. Elle avait pensé que Charlie ne la rappellerait pas, après deux semaines de silence. Elle s'était demandé s'il ignorait sa requête ou s'il était trop occupé pour prendre le temps de s'intéresser à la mort de Rose.

— Ça a traîné, commença-t-il, pour avoir les dossiers. J'ai dit que vous faisiez des recherches sur le suicide en milieu étudiant, sans me douter que ça poserait problème. Des demandes comme celle-là, on en a sans arrêt. Alors j'ai rempli le formulaire habituel.

Il se tut un instant. Son regard bleu chercha celui de Cassie.

— Le lendemain matin, l'inspecteur m'a fait venir et m'a cuisiné pendant une demi-heure. Il veut savoir qui vous êtes, pourquoi vous avez besoin de ces documents. Il a essayé de jouer sur le côté confidentiel, vous voyez. Genre, le respect dû aux familles. Mais c'était du baratin. Je lui ai dit que ça m'était égal et j'ai laissé tomber.

Cassie s'efforça de cacher sa déception.

— Merci quand même.

Elle se demandait déjà comment elle allait s'y prendre pour essayer de les récupérer quand même, ces rapports, mais Charlie n'avait pas fini :

— Attendez. J'ai dit à l'inspecteur que je laissais tomber, et puis j'ai attendu. Je n'ai pas trop l'occasion de m'approcher de ces dossiers, vous comprenez, vu que tout est sous clef dans un bel entrepôt tout neuf, avec du monde partout. Sauf que cette semaine, il n'y avait plus personne. Beaucoup de congés maladie. Les gens se font porter pâles au moment des vacances. J'ai pu aller y faire un tour, creuser la question…

— Et ? demanda Cassie.

Une lueur d'espoir lui fit oublier le froid et le banc inconfortable sur lequel ils étaient assis. Elle n'avait d'yeux que pour la liasse de photocopies que Charlie, cérémonieusement, tirait de la poche intérieure de son manteau.

— Et vous avez raison, dit-il. Il y a bien un truc bizarre.

Il étala les pages sur la table. Cassie attrapa celle qui était à portée de sa main.

— Il n'y avait pas grand-chose sur votre amie Evie. Le médecin légiste a fait au plus simple. Asphyxie par pendaison. Rien de criminel. Mais Rose Smith…

Il soupira.

— J'ai lu le rapport d'enquête du début à la fin, et ça ne colle pas. Ils parlent de suicide, d'accord ? Sauf que personne ne l'a vue près de la rivière ce jour-là. Ils ont retrouvé son manteau sur le pont, et un mot dans sa chambre. C'est tout. Bon, le suicide, c'est plausible. Ça ne me dérange pas. Mais ils n'ont même pas lancé un avis de recherche. Ils ont publié une déclaration une fois l'affaire classée. C'est trop vite expédié.

— Comment ça ?

— Je sais lire un rapport d'enquête. Le sous-texte, ce qui se dit entre les lignes, et… Et on voit bien qu'ils se sont dépêchés de boucler le dossier en vitesse, merde ! Ils ont dragué la rivière, trouvé les affaires de Rose, et basta. Normalement, quand on ne retrouve pas le corps, l'enquête dure des mois. Là, c'était plié en quelques jours. Et ce n'est pas tout.

Charlie reprit son souffle.

— Ça m'a fait réfléchir. Je me suis demandé pourquoi ils ont conclu au suicide aussi vite. La réponse, c'est qu'une vague de gens ont mis fin à leurs jours, cette année-là. Cinq suicides dans les deux mois précédents ! Ça explique tout, pas vrai ? Puisque ces gamins se sont foutus en l'air à cause du stress et autre, alors cette fille a dû faire pareil. Du coup, j'ai regardé tout ça de plus près. Les autres suicides.

Il tendit la main et poussa vers Cassie une liasse épaisse.

— C'était seulement le début. Entre 1990 et 1995, seize suicides ont été déclarés au sein de l'université.

— C'est beaucoup ? demanda Cassie qui cherchait à comprendre où il voulait en venir.

Il hocha sombrement la tête.

— C'est deux fois plus que la moyenne nationale.

— Mais Oxford est un environnement stressant.

Elle répétait ce que lui avait dit Thessaly.

— C'est vrai. Cependant les taux devraient rester les mêmes, argumenta Charlie. Alors que… regardez !

Il tira de sa poche un morceau de papier bien plié. C'était un brouillon de chronologie avec des « x » portés en marge des années.

— Des groupes se forment. Et quand on remonte en arrière aussi… J'ai étudié tous les rapports mentionnant un suicide, en cherchant aussi loin que possible. C'est pareil. Le taux ne change pas. Quelques personnes chaque année. Et puis, à peu près tous les vingt-cinq ans, un nombre important. Au milieu des années 1960, ils ont eu dix cadavres sur les bras en cinq mois.

— Personne n'avait fait cette observation ? dit Cassie qui réfléchissait à toute vitesse.

Charlie haussa les épaules.

— Qui va se donner la peine de relier les points entre eux ? dit-il. De notre côté, les morts n'ont pas à faire l'objet d'une enquête. Quand le suicide est avéré, l'affaire est classée. Et les familles sont enfermées dans la douleur. De temps en temps, un chercheur ou autre évoque une série d'événements tragiques, alors les collègues lancent une campagne de prévention sur la santé mentale, ou un numéro vert, mais ça s'arrête là. Et les gens déménagent, vous comprenez : les étudiants, les employés de la fac… personne ne reste ici longtemps. Ils s'en vont, une nouvelle fournée d'étudiants arrive, et tout le monde oublie ce qui s'est passé.

Cassie considérait le tableau, les croix minuscules en face de tant de vies.

— C'étaient tous des étudiants ?

— La plupart. Et quelques habitants d'ici également. Mais ça n'a pas fait beaucoup de bruit. Des gens pas assez importants.

Cassie hasarda encore :

— Et vous êtes sûr qu'il ne s'agit pas d'une coïncidence ?

Il n'était plus question de deux morts étranges, mais de dizaines, sur au moins un demi-siècle. Le problème était beaucoup plus important.

— L'université attire des personnalités brillantes et instables, dit-elle. Ces gens sont obsédés par leurs études. Le moindre grain de sable peut les précipiter dans le vide.

— Regardez ça, reprit Charlie en tapotant la feuille. Ça a l'air d'une coïncidence, d'après vous ?

Impossible d'ignorer la chronologie. Cassie y fit courir son doigt en réfléchissant à toutes ces morts inexpliquées. Comment pouvait-on détourner les yeux et regarder ailleurs pendant si longtemps ?

— Qu'est-ce que c'est, à votre avis ? demanda-t-elle. Un tueur en série ? Plusieurs ?

Charlie secoua lentement la tête.

— Ça a duré bien trop longtemps. Un tueur en série frappe pendant dix, vingt ans. Là, on remonte jusqu'au XIXe siècle. Au moins.

— Ça dépasse de très loin le cas d'une seule personne, dit Cassie en frissonnant. Qu'est-ce qu'on va faire ?

Charlie referma son manteau.

— Eh bien, vous, je ne sais pas, mais moi, il faut que je rentre. Ma mère a mis au four un rôti de Noël. Si je ne vais pas lui éplucher ses patates, ça va être l'enfer.

Cassie cligna les yeux de détresse. Il lui fournissait la preuve qu'il existait à Oxford des dizaines de morts inexpliquées, et son problème, c'était le repas de Noël ! Sans doute perçut-il l'angoisse qu'il avait suscitée, car il laissa échapper un soupir.

— Écoutez, dit-il, il y a bien quelque chose. Je vous crois. Il va falloir essayer de comprendre ce qui se passe. Mais aujourd'hui, on ne peut rien faire. C'est Noël. Rentrez à la maison, détendez-vous. On reprendra tout ça la semaine prochaine.

— À la maison… répéta Cassie en écho.

Comme si elle pouvait mettre la question de côté aussi facilement ! L'affaire était beaucoup plus importante qu'elle ne l'avait imaginé.

— Bien sûr, dit-elle. Entendu.

Elle se leva pour partir, mais Charlie la retint :

— Où fêtez-vous Noël ?

Elle avait toujours en tête les groupes de jeunes gens suicidés marqués d'une croix. Sa réponse sortit toute seule :

— Heu… Nulle part. Je ne fête pas vraiment Noël.

— Vous ne… Très bien, alors venez.

Il lui fit signe.

— Ma mère m'étranglerait si elle apprenait qu'il y a une âme errante dans les parages…

— Je ne suis pas une âme errante ! Et tout va bien, vraiment. Je vais m'acheter un plat cuisiné et regarder *La vie est belle* à la télé. Tout va bien, d'accord ?

Elle se força à sourire. Charlie se contenta de lever les yeux au ciel.

— Vous voulez dire que vous allez ruminer cette histoire, oui !

Il ajouta doucement :

— Venez. Où est le mal ? Nous sommes un clan bruyant et mal élevé, mais c'est Noël ! Et Noël, on le passe en famille, même si ce n'est pas dans la sienne.

Elle eut un pincement au cœur. Le dernier Noël avec sa mère avait été un bon millésime. Sa mère n'était pas en crise. Elle avait mis des cadeaux au pied du sapin, préparé des gâteaux à la cannelle, chanté. Cassie l'avait observée depuis la cuisine, essayant à toute force d'assimiler ces instants de sécurité, de réconfort et de joie. Elle savait qu'elle ne vivrait plus un Noël comme celui-là. Elle savait qu'il n'y en aurait plus jamais d'autre.

Sa gêne se transforma en abandon.

— D'accord, dit-elle. Merci. Je viens.

*

La famille de Charlie vivait en banlieue, dans une impasse résidentielle où se multipliaient les maisons en briques rouges et les jardins mal entretenus. Plusieurs habitations étaient habillées de guirlandes électriques aux couleurs criardes, mais la maison de Charlie présentait la décoration la plus sophistiquée : un père Noël en plastique et des skieurs dévalant la toiture sous un arc-en-ciel d'ampoules visibles même en plein jour.

— Tenez-vous prête, prévint Charlie en claquant la portière de sa Honda cabossée. Quand je suis parti, ils attaquaient au Bailey. Maintenant, ça doit être le cirque.

Cassie, curieuse, le suivit dans la légère pente. Elle entendait déjà le bruit venu de l'intérieur. Quand Charlie ouvrit la porte, il explosa en vacarme.

— Maman ! Kirsty m'a pris ma jupe Topshop, elle va la déformer !

Une ado dégringolait les marches, suivie d'une autre fille de seize ans en gilet moulant et minijupe rouge.

— C'est pas vrai ! Tu n'as qu'à arrêter de manger tous mes Ferrero Rocher !

Elles passèrent devant Charlie et Cassie sans reprendre leur souffle puis se précipitèrent vers le fond de la maison.

Charlie adressa un sourire à Cassie.

— Bienvenue chez les dingues.

Une autre fille surgit du séjour, un bébé sur la hanche.

— Liam ! Liam ! Repose immédiatement cette prise électrique ! Combien de fois je t'ai dit que ce n'était pas un jouet !

Elle pivota et vit les nouveaux arrivants dans le couloir.

— Charlie, te voilà enfin… Tu veux bien empêcher ton neveu d'électrocuter le chat ? S'il fait sauter les plombs, adieu le repas !

Charlie fit les présentations :

— Cassie, ma sœur Rhiannon.

Rhiannon eut à peine un regard pour Cassie, mais elle lui dit :

— Tiens, tu veux bien t'en occuper ?

Et elle lui colla le bébé dans les bras.

— Je… Je quoi ?

Cassie n'eut pas le temps de discuter : l'enfant était déjà sur elle.

— Juste une minute. Il faut que j'aille engueuler son père. Charlie, la prise !

Elle se dirigea vers la sortie.

300

— L'appel du devoir, dit Charlie en riant.

Il prit la direction du séjour.

Cassie retint son souffle, seule dans le couloir avec un bébé. Elle n'avait pas bien compris ce qu'avait voulu dire Charlie en parlant de clan. L'espace d'une seconde, elle pensa s'excuser et filer rapidement, mais le visage de Charlie reparut à la porte. Il était tout sourire, amical.

— Ne restez pas là, dit-il.

— Oui, pardon.

Elle le rejoignit dans le séjour, une pièce encombrée de vieux canapés décolorés, d'une télé écran large et d'un immense sapin de Noël. Charlie, à genoux, chatouillait un bambin qui hurlait de plaisir. Il leva la tête :

— Désolé pour Rhiannon. Ça, ce sont ses lardons.

— Oh… dit Cassie en fronçant les sourcils.

Quel âge avait donc Rhiannon ? Pas plus de dix-huit ans…

Charlie surprit l'expression de Cassie et gloussa :

— Ben oui, ça résume la situation. Vous auriez dû voir la tête de maman quand Rhiannon est rentrée de l'école en disant qu'elle était enceinte de celui-là.

Il recommença à faire des chatouilles au petit.

— C'était sûr qu'il deviendrait une vraie terreur. Elle, c'est Daisy.

Il hochait la tête en direction du bébé que Cassie tenait gauchement dans ses bras.

— Et quant aux deux filles que vous avez vues se chamailler, ce sont mes jeunes sœurs, Kirsty et Laura.

— Waouh ! s'exclama Cassie. Une famille nombreuse.

— Ouais, dit Charlie en soulevant Liam au-dessus de sa tête pour l'asseoir sur ses épaules. Oncle Fred et tante Trudy sont là aussi.

Il ajouta :

— Ne vous inquiétez pas. Ils sont trop occupés à discuter entre eux pour faire attention à vous.

Il avait raison. Cassie s'aperçut qu'elle pouvait rester dans son coin, alors que les membres du clan entraient et sortaient de la pièce. On la laissait tranquille. Elle berçait sagement la petite Daisy sur ses genoux. Autour d'elle, le bruit était incessant. Charlie et ses sœurs se disputaient pour tout. Cassie avait du mal à tenir le coup, mais elle avait décidé de ne pas s'en faire : elle se détendait rien qu'en assistant à cette folie, à l'agitation bruyante et affectueuse de la vie familiale. Nul ne l'interrogea sur sa propre famille ou sur ses projets. Ils la prièrent seulement de venir éplucher les pommes de terre dans la cuisine pleine à craquer. Pendant ce temps, la mère de Charlie surveillait ses fourneaux et ses sœurs feuilletaient des magazines people, ou échangeaient des SMS avec leurs amis.

À un moment, il fallut que Charlie grimpe sur le toit pour régler l'antenne de la télé. Maureen, la maman, en profita pour demander :

— Alors ? Vous le connaissez depuis quand, notre Charlie ?

C'était une femme forte et rougeaude d'une cinquantaine d'années, avec des mèches décolorées en guise de coupe de cheveux, et un regard vif auquel rien n'échappait.

— Depuis deux mois, répondit Cassie. Mais je ne le connais pas très bien.

— Tu n'es pas sa copine, c'est ça ? cria une des sœurs.

Était-ce Laura ? L'autre ado répondit à la place de Cassie :

302

— Nan. Ce n'est pas elle, sa copine. Il l'a larguée l'autre jour, tu ne te rappelles pas ? Elle commençait à trop le coller.

— Elles le collent toutes ! dit Laura en levant les yeux au ciel. Un coureur pareil.

— Ne parle pas comme ça de ton frère ! gronda Maureen. Il cherche l'âme sœur, c'est tout.

Elle se retourna vers Cassie avec une expression préoccupée.

— Et vous étudiez dans une de ces universités, n'est-ce pas ? Vous êtes une fille intelligente.

— Pour un an seulement, expliqua rapidement Cassie.

Que Laura n'aille pas voir en elle la fameuse âme sœur.

— Après, je rentre en Amérique.

— Oh… dit Maureen. Dommage.

Elle se retourna pour remuer sa sauce.

— Pas facile, pour lui, de se trouver une fille bien. Il travaille tout le temps.

— Quand il ne va pas au pub se saouler, grommela Kirsty.

— J'imagine que vous n'avez pas trop d'amis…

Maureen se tut : Charlie était de retour.

— Qu'est-ce que j'ai manqué ? dit-il en regardant autour de lui.

— Je sais tout de votre vie amoureuse, le taquina Cassie avec un sourire.

Charlie grogna :

— Maman ! Qu'est-ce que tu lui racontais ?

— Rien de mal ! protesta Maureen. Je ne comprends pas pourquoi un garçon comme toi n'arrive pas à se trouver une fille bien, c'est tout. Tu es un bon parti !

— Je suis trop jeune pour me caser.

Charlie mima celui qui s'ennuie, mais Cassie devina qu'il n'en pensait pas un mot.

— J'ai encore dix ans de célibat devant moi, facile.

Il fit un clin d'œil à Cassie. Maureen enveloppa son fils d'un regard d'adoration.

— C'est exactement ce que ton père disait avant de me connaître. Crois-moi, quand tu rencontres l'âme sœur, c'est après que tu t'en aperçois.

Cassie les regardait. Il était évident qu'ils avaient eu cette conversation cent fois, et qu'ils l'auraient encore. Son cœur se serra, une douleur familière. L'amour qui unissait Charlie à sa famille était si naturel ! Ils ne devaient même pas se rendre compte de leur chance : cette façon qu'ils avaient de s'engager dans des discussions, d'entrer dans la pièce ou de la quitter au milieu d'une phrase, et même d'évoluer dans la maison comme dans un ballet, emportés par un mouvement aussi incessant qu'inconscient.

— Ça va ? lui demanda Maureen.

— C'est juste que… les oignons.

Elle venait d'en éplucher plusieurs.

— Il faut que je sorte prendre l'air.

Elle posa son couteau et se dirigea vers la porte du fond. La cuisine se prolongeait par un étroit patio et par un carré de gazon bruni, échevelé par l'hiver. Un petit toboggan pour les enfants s'y dressait. Cassie alla s'y percher et prit de profondes inspirations en frissonnant dans l'air froid.

Les vacances, se dit-elle en retenant ses larmes. Cette période de l'année réveillait toujours des souvenirs, et tout ce qu'elle avait réussi à enfouir au prix d'un effort pénible remontait à la surface, stimulé par les parfums de cannelle et de noix de muscade venus de la cuisine. *Ça va passer*, se dit-elle. Ça passait toujours.

— Hé !

Elle leva la tête et s'essuya rapidement les yeux. Charlie traversait le jardin.

— Ne me dites pas qu'ils vous ont déjà chassée ! dit-il. Je pensais qu'ils tiendraient au moins jusqu'au déjeuner.

— Ce n'est pas ça.

Elle se forçait à sourire. Il tendit la main vers elle.

— Ça va. J'avais juste besoin de…

— De respirer.

Il l'observait avec attention. Il retira son blouson et le posa sur les épaules de Cassie.

— Vous allez attraper la mort, ici.

— Merci, dit-elle, mal à l'aise.

— Vous êtes sûre que ça va ?

Elle fit oui de la tête.

— C'est à cause des vacances.

— Votre famille vous manque ?

Il s'assit sur la marche à côté d'elle et tira de sa poche un paquet de cigarettes.

— Ne lui dites rien, reprit-il. Ça n'en finirait plus.

— Avec moi, répondit Cassie, vos secrets seront bien gardés.

Il alluma une cigarette et en inhala une longue bouffée.

— Et les vôtres ? demanda-t-il en tournant vers elle un regard interrogateur.

— Mes quoi ? dit-elle.

Elle cligna des yeux.

— Vos secrets.

Il tira sur sa cigarette.

— C'est quoi, en fait, toutes ces recherches que vous faites ?

Cassie réfléchit. Le mensonge qu'elle avait servi à Elliot lui restait dans la gorge. Rien de plus facile que de raconter la même histoire : l'amie de sa famille, son naturel curieux. Sauf que le mensonge refusait de sortir, pour une raison quelconque. Était-ce à cause des bruits et des voix venus de la maison ? Cette maison où Charlie l'avait invitée spontanément, comme si exposer sa vie était la chose la plus normale du monde.

Cassie mit la main dans la poche de son jean et en tira son mince portefeuille. Lentement, elle déplia la photo de sa mère avec Rose et la tendit à Charlie.

— La fille morte, dit-il.

Il l'avait reconnue.

— Elle, c'est ma mère, dit Cassie, le doigt pointé sur le visage de Margaret. Après la mort de Rose, elle a changé de nom et déménagé aux États-Unis. Elle est morte. Elle aussi s'est suicidée. Il y a dix ans. Elle ne m'avait même jamais dit qu'elle avait étudié à Oxford. C'est pour ça que je pense qu'il y a quelque chose de pourri, ici.

Elle ajouta, les yeux dans les yeux bleus de Charlie :

— Elle s'est enfuie. Elle a fui quelque chose, et j'ai besoin de savoir quoi.

Charlie soutenait son regard, concentré. Alors qu'il repliait soigneusement la photo, il vit l'inscription au verso.

— « Le noir est le blason de l'enfer, lut-il, la couleur des cachots et l'École de la Nuit. »

— Quelqu'un l'a mise dans ma boîte aux lettres. C'est une référence à une société secrète de Raleigh. Du moins, je le pense. Rose a écrit un essai sur cette société. Et Evie a emprunté cet essai à la bibliothèque une semaine avant de mourir.

— De plus en plus étrange.

Il inhala une nouvelle taffe. Ayant écrasé le mégot sous son talon, il se leva.

— On va trouver le fin mot de l'histoire, dit-il vivement en tendant les mains pour l'aider à se lever. On trouvera les réponses que vous cherchez.

Il semblait si sûr de lui ! Cassie ne put s'empêcher de le croire. Il affichait son sourire habituel.

— Mais pour le moment, une dinde rôtie nous attend. Et cinq sortes de légumes. Les crimes et les embrouilles, ça peut attendre. Commençons par manger.

*

Ce fut un déjeuner de Noël interminable et bien arrosé, avec les traditionnelles papillotes et couronnes en papier. Cassie se laissa porter par le flux des rires et des discussions, non sans savourer ce bref aperçu des joyeux dysfonctionnements de la vie de famille. Après avoir débarrassé la table, les sœurs s'en allèrent traîner avec leurs copines, et les autres se retirèrent dans le séjour, devant la télé.

— Restez encore un peu, d'accord ? dit Charlie, affalé sur le divan à côté d'elle. Je mange trop. Et là, je ne peux plus bouger un orteil. Je vous raccompagnerai en voiture après le film.

— Bien sûr, approuva Cassie, heureuse d'avoir une excuse pour s'attarder, enveloppée d'une écharpe de laine, abandonnée à l'amitié de cette famille.

— Attendez avant de démarrer le film ! lança Maureen depuis la cuisine. Le temps que je fasse du thé.

Charlie commença à zapper mais son oncle intervint :

— Stop ! Que je voie les infos.

Charlie augmenta le volume. C'était un sujet sur les prochaines élections. Les candidats présentaient leurs vœux aux électeurs et posaient avec le père Noël. Cassie observa attentivement Richard Mandeville à l'écran, un élégant politicien d'une bonne quarantaine d'années aux cheveux poivre et sel, au sourire aimable.

— Que pensez-vous de lui ? demanda-t-elle à Charlie.

Il haussa les épaules.

— Tous les mêmes. Ils aiment jouer les durs sur la loi et l'ordre. Et je vous parie qu'une foi élus, ils nous sabreront notre budget.

— Je connais sa famille, dit-elle.

Elle ne quittait pas l'écran des yeux. Mandeville, qui avait pris la parole lors de quelque événement, s'adressait à la foule, sincère et sûr de lui.

— Sa fille est à Raleigh.

— Évidemment, dit Charlie en riant. Ils passent tous par Oxford. Les gens avec qui vous sortez, dans vingt ans, ils gouverneront le pays.

Cassie allait répondre quand un détail attira son attention. Son cœur cessa de battre. Dans un reportage sur un événement antérieur, Mandeville échangeait une poignée de main, mais ce n'étaient pas les gens qui intéressaient Cassie. C'était le lieu.

— Charlie, dit-elle à voix basse, en tirant à nouveau la photo de son portefeuille. Regardez !

Sa mère et Rose attablées sous les portraits accrochés au mur.

À l'écran, Richard Mandeville discutait avec un dirigeant, chef d'entreprise ou politicien. Ces mêmes portraits étaient accrochés au mur derrière eux, c'était la même salle à manger.

Le manoir de Gravestone. Le domaine familial des Mandeville.

Charlie regarda Cassie, cherchant à lire l'expression de son visage.

— Non, dit-il sans lui laisser le temps de parler. Vous ne pouvez pas.

— Je dois aller là-bas, affirma-t-elle.

— Vous ne pouvez tout simplement pas vous y pointer, dit Charlie en secouant la tête. Il est sur le point d'être élu Premier ministre. La sécurité va occuper tout le secteur. Et même si vous trouvez un moyen d'entrer, ils vous sortiront par la peau des fesses à la seconde où vous commencerez à fouiner.

— Ils ne me vireront pas, dit-elle.

Elle venait de comprendre la chance qui était la sienne.

— J'ai une invitation.

23

Hugo insista pour lui envoyer une voiture sous prétexte que Gravestone était un coin perdu, que c'était
le nouvel an et qu'il n'y aurait ni trains régionaux ni
bus en circulation. Cassie se retrouva dans une élégante
BMW noire avec chauffeur à casquette. Nerveuse,
elle vit Oxford disparaître dans le rétroviseur et apparaître des autoroutes qui sillonnaient des paysages verdoyants, nuageux.

Le téléphone vibra dans sa main : un SMS.

Tout va bien ?
Super. Pas encore à destination.
Appelez-moi dès qu'il se passe quelque chose.

Charlie, qui lui avait donné rendez-vous le matin du
départ, ne voyait pas d'un bon œil cette idée d'aller se
perdre dans le Sussex profond, sans possibilité d'appeler au secours. D'où ce téléphone qu'il lui avait
confié d'autorité – un appareil hors d'âge appartenant à
sa sœur. Il l'avait aussi mise en garde :

— Pas de bêtise. Vous tâtez le terrain, c'est tout.
Jusqu'à preuve du contraire, il n'existe aucun lien entre

les Mandeville et cette affaire. La photo, c'est peut-être juste une coïncidence.

— Il n'y a aucune coïncidence, répondit Cassie avec gravité.

Mais elle prit quand même le téléphone. Contrariée de voir Charlie s'inquiéter ainsi, elle le rassura :

— Je n'y vais pas pour leur lancer des accusations sans fondement. Tout ce que je veux, c'est voir à quoi ressemble l'endroit. De toute façon, c'est une fête. Il y aura du monde. Je pourrai jeter un coup d'œil sans attirer l'attention.

Dans la voiture, Cassie continua de s'interroger. Qu'allait-elle chercher là-bas, au juste ? Depuis le début, elle se laissait guider par son instinct et par des soupçons : elle tirait des fils minuscules qui s'effilochaient sans jamais mener à rien d'autre qu'à de nouvelles suppositions. Mais maintenant que Charlie était engagé dans l'affaire, tout semblait plus réel ; les doutes et murmures qui se bousculaient dans l'esprit de Cassie prenaient forme suite aux discussions avec le jeune homme dans les arrière-salles de pubs bruyants de banlieue.

Charlie la croyait. Il se passait bel et bien quelque chose. Le nombre de corps augmentait avec les décennies ; ils s'ajoutaient à une longue série de déchirements tragiques.

La clef de l'affaire se trouvait-elle à Gravestone ? Cette équipée mènerait-elle à quelque chose ? Derrière les vitres de la voiture, les forêts du Sussex se faisaient impénétrables. Cassie s'éloignait de la ville protectrice et des routes fréquentées. Les battements de son cœur s'accéléraient, elle était anxieuse. La crainte s'emparait d'elle. Quels secrets se cachaient à Gravestone ? Et s'il y rôdait effectivement quelque sombre conspiration, cela voulait-il dire qu'Hugo y était mêlé ?

*

Les deux heures de voiture mirent les nerfs de Cassie à rude épreuve. Puis le chauffeur s'engagea enfin sur les lacets d'une route menant vers des bois. La forêt s'éclaircit. Gravestone apparut. Le domaine était à couper le souffle.

C'était un magnifique et immense manoir élisabéthain dressé sur une colline, avec ses murs en briques rouges polies par les ans et sa toiture en ardoise. L'allée contournait une belle fontaine. Les pelouses des jardins bien dessinés partaient de la maison en formant un éventail. Un rayon de soleil fit scintiller brièvement un lac au loin.

Les graviers crissèrent sous les pneus de la BMW qui s'arrêta au pied du grand escalier. C'était la fin de l'après-midi. Une vingtaine de voitures étaient déjà garées – un alignement de Bentley et de Rolls rutilantes. Des employés en uniforme s'occupaient de décharger les deux vans blancs qui livraient les fleurs et le buffet. Cassie descendit sans laisser au chauffeur le temps de lui ouvrir la portière. Elle leva les yeux vers le mur où le lierre serpentait sur trois étages, entre les fenêtres à meneaux.

— Puis-je prendre votre bagage, madame ? dit le chauffeur en soulevant le sac de voyage usé, bouclé au dernier moment.

— Merci…

Elle ne put en dire plus : il disparaissait déjà dans la maison.

Ayant pris une grande inspiration, elle gravit les marches. Les portes étaient ouvertes. Elle entra. Ses yeux s'accommodèrent à la pénombre, et elle découvrit un vaste et imposant foyer orné de boiseries. Un escalier monumental s'élevait vers les étages et une mezzanine. De l'ensemble émanait une impression de splendeur ternie : de lourds rideaux de velours occultaient les fenêtres, les meubles étaient damassés ou habillés de brocart, des tables anciennes et des porte-manteaux occupaient chaque recoin.

Elle s'aventura plus avant. Elle découvrit une grande pièce puis une autre. Toutes présentaient le même genre de décoration : meubles massifs et vieux tissus. On aurait dit un musée dont tous les objets auraient été merveilleusement restaurés. Cassie imagina des gens foulant ces parquets cinq siècles auparavant.

— Cassie !

Elle se retourna. Olivia la prit dans ses bras.

— Ne reste pas à errer toute seule ! On est tous dans l'aile est. Viens.

Elle prit le bras de Cassie et l'entraîna.

— Tu t'es bien amusée à Noël ?

Elle portait un jean et un chemisier de soie. Ses cheveux étaient noués en une tresse lâche.

— La route jusqu'ici est d'un ennui, je sais bien ! Mais je suis si heureuse que tu sois des nôtres pour la fête… Ma mère passe toute l'année à la préparer. C'est le couronnement de ses efforts.

Elle riait. Ayant longé un couloir, elles bifurquèrent vers ce qui semblait être la partie récente de la demeure. Les murs ici étaient blancs et nus. Certes, on y trouvait aussi beaucoup de meubles anciens, mais les pièces avaient presque un côté méditerranéen, rustique et fané. Olivia poursuivit :

— On manque un peu de place. J'ai été obligée de t'installer dans la suite Hartley. Ça donne sur les écuries, alors tu n'auras pas la belle vue, hélas ! Mais au moins, tu seras loin des cuisines.

Elle ajouta sur le ton de la confidence :

— C'est Miles qui s'y collera. Il dort toujours jusqu'à midi, alors je me suis dit que ça lui ferait du bien de se réveiller avec le chant du coq ! On y est !

Elle précéda Cassie dans un salon-cuisine. Paige, Miles, Hugo et les autres étaient vautrés dans de confortables canapés, autour d'une table de ferme, dans un flot de lumière entrant par les portes-fenêtres.

— Regardez qui voilà ! lança Olivia.

Cassie salua de la main. Hugo se leva, tout sourire, et s'approcha.

— Le voyage s'est bien passé ?

Cassie repensa brièvement à la façon dont ils s'étaient quittés à l'entrée de Raleigh – la tension, le baiser avorté…

— Oui, très bien, répondit-elle en présentant sa joue au baiser de bienvenue.

Il lui effleura la peau de ses lèvres ; une bouffée de sensations l'envahit.

— Tant mieux, dit-il, satisfait. Heureux que tu aies changé d'avis.

— Ma foi… Oxford, c'est vraiment mort en ce moment, reprit-elle, gênée. Je me suis dit que ça pouvait être marrant.

— Il n'y a pas plus marrant, intervint Paige en venant embrasser Cassie. Le nouvel an des Mandeville, c'est une fête quasi légendaire.

314

— Littéralement, enchaîna Miles. Je crois qu'un romancier lauréat du Booker Prize a même situé ici une scène décisive de son dernier bouquin.

— Ce n'est qu'une rumeur, précisa Olivia dans un rire.

— Oui c'est ça, dit-il. Combien y a-t-il de labyrinthes du XVe siècle dans ce pays ?

— Il y a un labyrinthe ? demanda Cassie en allant s'asseoir près de la grande table.

— Oui, et ne t'avise pas de t'y balader toute seule, la prévint Paige. Pour s'y orienter, c'est la galère.

Olivia étreignit Paige.

— Celle-là, l'an dernier, a pris une cuite. Elle a erré à l'aveuglette pendant une heure, avant d'avoir l'idée de m'appeler.

— Mais il faisait noir ! protesta Paige.

— Ne t'inquiète pas, dit Hugo en souriant à Cassie. Nous apprenons de nos erreurs. Cette année, il y aura un marquage.

— Ça enlève tout le côté amusant, dit Olivia avec une moue.

Cassie sourit. Son après-midi consista à voir défiler de la nourriture et à écouter des bavardages. Elle étudia les lieux. Elle observa ses compagnons avec une attention nouvelle. Étaient-ils une composante du mystère ? Étaient-ils liés à l'École de la Nuit ? Olivia et Paige se penchaient sur des magazines de mode, et Miles lisait paresseusement sur son iPad : difficile d'imaginer que des horreurs se cachaient derrière leurs sourires détendus. Leurs existences étaient pleines de fêtes et de loisirs, ils fréquentaient les clubs et les bars sélects de Londres et d'Oxford. Quel intérêt, pour eux, d'être mêlés à des crimes et autres sombres événements ? En étaient-ils même capables ?

Hugo surprit le regard de Cassie.

— Tout va bien ? demanda-t-il en haussant un sourcil.

Elle hocha la tête. Mais les yeux d'Hugo, une fois encore, éveillèrent en elle une sensation familière, et elle fut soulagée quand Olivia annonça aux filles qu'il était temps d'aller s'habiller.

En sortant, Olivia avertit Hugo affectueusement :

— Essaie de faire un effort. Le tee-shirt n'est pas de mise.

Elle accompagna Cassie à la chambre qu'elle lui avait choisie. Elle s'était longuement excusée pour le manque de place, alors que la pièce était grandiose, haute de plafond, meublée d'un lit à baldaquin et ornée de tapisseries.

— Le *dress code*, pour ce soir… commença Cassie.

Ce n'est pas sans réticence qu'elle avait mis dans son sac la robe de soie noire qu'Evie lui avait prêtée pour le dîner à Merton. Elle l'avait retrouvée froissée dans le panier à linge sale. À présent, vu l'animation qui régnait en bas, et ce que les autres avaient raconté de leurs agapes, elle se demandait si elle ne devait pas porter quelque chose de plus habillé.

— Ce sera protocolaire ?

— Hugo ne t'a pas dit ? Mon Dieu, les hommes… Je ne sais pas où ils ont la tête, parfois.

Elle leva les yeux au ciel.

— Ne t'inquiète pas. Je te prêterai quelque chose.

Cassie rougit.

— Tu n'es pas obligée…

Olivia l'empêcha d'en dire plus :

316

— C'est ridicule. Des robes, j'en ai à ne plus savoir qu'en faire. Papa me traîne tout le temps à des soirées pour lever des fonds ou autre. Et nous faisons la même taille, toi et moi.

Elle jaugea Cassie d'un regard efficace.

— Je sais ce que tu vas mettre. Je vais demander à Perkins de te l'apporter. C'est réglé, n'en parlons plus.

— Merci.

Cassie avait le sentiment d'accepter beaucoup trop facilement les faveurs d'Olivia et d'Hugo, ces derniers temps, mais leurs propositions étaient si spontanées ! On aurait dit que pour eux, ce n'était rien du tout. Or, ce n'était pas rien. Mais dans leurs vies de privilégiés, tous leurs besoins étaient toujours comblés. Ils ignoraient la peur du lendemain, n'avaient aucune idée de la façon dont on se cramponnait à ses biens quand ils se réduisaient à peu de chose. Au début, elle leur en avait voulu pour ça. Elle avait même commencé par les snober, à cause de ce regard amer et blasé qu'ils semblaient poser sur tout. Pourtant, si elle voulait être honnête avec elle-même, elle devait reconnaître qu'elle les avait mal jugés. Surtout Hugo et Olivia. Ils l'avaient volontiers accueillie dans leur monde, au point qu'elle se sentait presque coupable, aujourd'hui, d'entrer chez eux sous un faux prétexte.

Quand elle sortit de la salle de bains après une longue douche, elle trouva sur le lit un sac de pressing qui contenait une robe longue. Elle était en soie, dans les tons rose pâle. Cassie n'avait jamais rien porté de tel. C'était si vaporeux, si féminin ! Après l'avoir passée, l'effet produit par le tissu léger sur son corps mince et ses courbes lui coupa le souffle. On aurait dit une autre femme. Une femme raffinée, élégante, innocente.

Une femme tout à fait à même de parcourir les couloirs de Gravestone sans éveiller le moindre soupçon – et c'était exactement ce qu'elle voulait.

Elle enfila ses souliers à talon et noua simplement ses cheveux en arrière. Elle s'engagea lentement dans l'escalier. Des bruits de conversations et de la musique lui parvenaient depuis l'autre côté du manoir. Au lieu d'aller dans cette direction, elle bifurqua discrètement vers une longue enfilade de corridors et de pièces. Elle traversa des bibliothèques et des salons, ainsi qu'une galerie de portraits et d'autres salles encore. Chaque fois, elle étudiait avec soin les meubles et les tableaux, en quête du décor de la photographie, gravé dans sa mémoire.

Elle arriva enfin dans une salle à manger, tout à fait au bout de la demeure. Elle eut un choc en reconnaissant l'endroit. Les murs vert sombre, les tableaux aux cadres ouvragés… C'était là. Elle se plaça soigneusement face à un portrait majestueux, à l'endroit même où le photographe s'était positionné pour prendre son cliché. Sa mère alors… Sa mère était assise exactement là-bas, sur la chaise sculptée qui ressemblait à un trône. Cassie fit le tour de la table et s'assit à cette place. Elle effleura du bout des doigts le bois gravé en forme de volutes et de cocardes en essayant de se représenter la scène, le jour où la photo avait été prise : Rose à côté d'elle, les verres levés pour porter un toast. Qui d'autre était présent ? Quelle était l'occasion ? Une fête, comme aujourd'hui ? La maison était-elle pleine d'étrangers ? Ou s'agissait-il d'une réception plus discrète, plus intime ? Un dîner de travail ? Une réunion entre adeptes, entre conspirateurs…

— Vous appréciez le confort des lieux ?

Cassie sursauta. Un homme d'un certain âge l'observait depuis le seuil. Quand il se détacha de l'ombre, elle vit que c'était l'homme qu'elle avait rencontré à son arrivée à Raleigh – celui qui l'avait surprise dans le bureau du président. Il portait aujourd'hui un smoking immaculé. Sa chevelure blanche était lisse, peignée en arrière. Sa figure se creusait de rides profondes. Mais son regard noir comme le charbon, aussi glaçant que la première fois, transperçait Cassie.

Elle se leva aussitôt, son cœur battant la chamade, et bredouilla :

— Je suis désolée. Je ne voulais pas…

— Je vous en prie, restez assise, dit-il avec un geste.

Les mots étaient polis, mais c'était un ordre.

Cassie se rassit gauchement, tout en s'efforçant de reprendre ses esprits. Elle se rappela qu'elle comptait parmi les invités. Cet homme ne pouvait absolument pas connaître la véritable raison de sa présence ici.

Il s'approcha, se déplaçant avec une surprenante agilité pour un homme de son âge. Il balaya la table des yeux, puis observa Cassie avec une curiosité manifeste.

— Beaucoup de grands hommes ont occupé cette place, dit-il.

— Aucune grande femme ? ne put-elle s'empêcher de répliquer.

Il cligna des yeux puis plissa les lèvres pour esquisser un sourire.

— Si, dit-il.

Il observa Cassie de ses yeux noirs. Elle s'efforçait de dissimuler son malaise.

— Nous n'avons pas été présentés. Henry Mandeville, dit-il.

Il ne lui offrit pas d'échanger une poignée de main.

— Le grand-père d'Hugo ? demanda-t-elle.

Il leva un sourcil. Elle avait vu juste. C'était bien la même expression ironique tant de fois observée sur le visage d'Hugo, les mêmes mâchoires, mais les joues d'Henry étaient affaissées.

Le trouble désagréable qui s'empara de Cassie était le même que le soir où elle avait rencontré Hugo pour la première fois.

— Vous connaissez mon petit-fils ?

— Je suis à Raleigh, répondit Cassie. Avec Olivia aussi.

Henry hocha légèrement la tête, mais il continuait de la scruter.

— Et vous avez décidé de faire le tour du propriétaire.

Elle avait l'impression de se flétrir.

— Pardon. La curiosité…

— Vous devriez vous en méfier, dit-il en appuyant sur elle un regard sans faiblesse. Vous savez ce qu'on dit à ce sujet…

Cassie se rendit soudain compte à quel point ils étaient seuls, loin de la réception. Dans cette aile déserte et calme, il n'y avait personne.

— Bien sûr, un vilain défaut, s'excusa-t-elle de nouveau. Je suis désolée. Je ferais mieux de regagner la fête. Ils vont se demander où je suis passée.

Elle se leva hâtivement et se dirigea vers la porte. Henry n'avait pas bougé. Il réfléchissait, la tête légèrement inclinée.

— Comment avez-vous dit que vous vous appeliez ? demanda-t-il quand elle passa devant lui.

Elle se figea puis parvint à répondre :

— Cassandra.

Pour la première fois de sa vie, elle fut reconnaissante à sa mère d'avoir changé d'identité.

— Cassandra Blackwell.

— Mmm…

Henry Mandeville l'observa pendant un long moment encore. Cassie comptait les secondes. La panique lui broyait la poitrine.

— Enchanté de vous connaître, mademoiselle Blackwell.

Elle hocha brièvement la tête. L'instant d'après, elle fuyait vers les explosions de bruit et de rire pour se réfugier en lieu sûr.

*

Le compte à rebours démarra dans un tourbillon de champagne, de musique, de bijoux étincelants, de robes de soie et de smokings. La salle de bal, à Gravestone, tenait ses promesses. Elle s'étendait sur toute la surface du bâtiment. Des centaines de convives ivres foulaient ses parquets vernis. Cassie but de tout, submergée par un déchaînement de sons et de couleurs. L'assemblée était de plus en plus excitée par l'attente. Les heures passaient trop vite : impossible de les retenir. Chaque minute se dissolvait dans une nouvelle coupe. Cassie s'efforça de rester vigilante, et même sur ses gardes, mais Olivia et Paige l'entraînèrent dans leur tourbillon. Elles avaient dansé toute la soirée au milieu de la foule. Elles s'étaient débarrassées de leurs chaussures depuis un bon moment et ne s'en souciaient pas. Leurs partenaires les faisaient danser à tour de rôle. Cassie avait besoin d'air, elle se sentait étourdie. Elle allait sauter d'une année à l'autre avec éclat, ce qui la changeait du lourd engourdissement dans lequel elle avait si longtemps vécu.

— Tu t'amuses ?

Olivia criait pour couvrir la musique. Elle serra les deux mains de Cassie dans les siennes et sourit jusqu'aux oreilles. Elle l'entraîna dans la cohue.

— Oui ! répondit Cassie en riant.

Son cœur s'emballait au rythme de la danse. Les bulles de champagne pétillaient dans ses veines. Les derniers lambeaux de culpabilité et de chagrin s'étaient dissipés dans les lumières et les paillettes ; elle-même n'était plus qu'un kaléidoscope de sensations, une euphorie dans laquelle elle aurait voulu vivre à jamais.

À force de tourner, elle en eut le vertige. Son estomac était en proie à de périlleux soubresauts.

— Je vais faire une pause, cria-t-elle au milieu du vacarme.

Mais Olivia et Paige s'étaient déjà trouvé d'autres partenaires de danse, des hommes en smoking qui les faisaient virevolter.

Cassie joua des coudes pour sortir de la mêlée. Ayant interrogé un serveur, elle prit la direction des toilettes où elle put profiter d'un instant de calme, les paumes en appui sur le marbre blanc, régulier. L'eau fraîche sur ses joues la soulagea. Elle reprit son souffle en considérant son image dans la glace entourée de dorures. Elle avait les yeux brillants, les traits pleins de vie et de joie. Mais une pointe de culpabilité lui perça le cœur. Elle n'était pas là pour s'amuser, faire la fête. Elle était venue dans un but précis. Ces danses et ces rires ne faisaient que la détourner de son objectif – Evie, Rose, ces cadavres par dizaines.

Les portes s'ouvrirent sur un groupe de femmes qui se précipitèrent à l'intérieur en caquetant et en lâchant des cris d'ivresse. Cassie, dégrisée, se lissa les cheveux et tira sur sa robe avant de retourner à la fête. Dans la grande salle, on attendait minuit et les exclamations fiévreuses atteignaient leur apogée. Des couples et des convives se dispersaient dans les salons et les couloirs. Ils brandissaient des bouteilles de champagne et célébraient par des cris l'approche du nouvel an. Cassie fit un écart pour éviter juste à temps une bande de jeunes gens en smoking blanc, aux joues cramoisies, qui traversaient la maison au pas de charge en hurlant.

Elle était si occupée à recouvrer son équilibre qu'elle faillit ne pas voir le grand-père d'Hugo. Il fendait la foule d'un air résolu, entraîné par un homme vêtu d'un costume affreusement mal coupé. Tremain.

Elle sursauta. Elle ignorait qu'il frayait avec ces gens, mais cela pouvait se comprendre. Après tout, n'avait-il pas soutenu Sebastian lors de cette réunion dans le bureau du président ? Elle le regarda entraîner Henry Mandeville vers la salle de bal. Il avait une expression apeurée. Elle releva sa robe et se lança à leurs trousses.

Difficile d'avancer dans cette foule, dans ce tourbillon de couleurs et de sollicitations, mais Cassie parvint à se faufiler à la suite des deux hommes. Ils ne s'arrêtèrent pas pour boire un verre. Ils ne se souciaient pas de la fête, marchant avec détermination vers les portes-fenêtres au fond de la salle.

Cassie ralentit le pas et s'approcha. Elle jeta un coup d'œil à l'extérieur en prenant garde à ne pas se faire voir. Elle découvrit un vaste balcon à balustrade de pierre. Il n'y avait personne, à part un couple, au fond, qui s'étreignait passionnément. Elle sortit, désorientée. Elle regarda alentour, mais pas le moindre signe d'Henry ni de Tremain. Elle s'approcha de la balustrade. Des voix s'élevaient d'en bas, dans l'obscurité du jardin.

— La fête vous attend. Je ne devrais pas vous retenir.

— Je vous ai fait venir pour avoir des nouvelles. Alors, parlez.

Cassie ne pouvait voir les hommes qui discutaient dans l'escalier, mais elle reconnaissait leurs voix. Tremain semblait hésitant, ce qui ne lui ressemblait pas. Henry Mandeville, lui, parlait d'un ton glacial et autoritaire. Ils échangeaient à voix basse, laissant échapper des bribes de phrases dans l'air froid et nocturne. Cassie dut se pencher et tendre l'oreille.

— Il n'y a rien de nouveau. L'affaire est close. Pour le légiste, c'est un suicide.

— Et ce policier qui s'est mis à fouiner ? Quel est son nom ?

— Charles Day, dit la voix de Tremain.

Le cœur de Cassie se pétrifia. Ils parlaient de Charlie… Tremain poursuivit :

— Ce policier n'est pas un problème. Notre homme, au poste central, a dit qu'il avait laissé tomber. C'était juste une demande de routine pour les médias. Vous savez bien, l'histoire tragique d'une université de légende.

Mandeville murmura, à en faire froid dans le dos :

— Mmm… Vous savez s'il a rencontré quelqu'un ? D'après ma source au département des banques de données, quelqu'un a aussi fouillé les archives de l'université. Je n'aime pas ça, Matthew.

Il ajouta, mécontent :

— Cette fille, Genevieve, c'est une chose. Mais aller chercher le dossier de Rose ! Quelqu'un a dû parler.

— Je suis sûr que ce n'est rien, dit Tremain sur un ton désespéré.

La voix d'Henry se fit menaçante :

— Je vous l'avais dit, mon vieux. Le boulot a mal été fait. Je vous ai laissé vous occuper de Rose, et je l'ai toujours regretté. Nous ne pouvons tolérer les erreurs, pas maintenant. La levée est proche. C'est une question de semaines. Aucun faux pas ne peut être toléré.

Il ajouta après un temps :

— On devrait peut-être s'occuper de ce Charles.

— Ce ne sera pas nécessaire, se hâta d'objecter Tremain. C'est réglé, maintenant. Rien n'a filtré. Je vous assure qu'il n'y a aucune inquiétude à avoir.

— Il vaudrait mieux.

S'ensuivit un long silence. Puis Mandeville reprit :

— Vous êtes au service de l'École. Alors, ne me décevez plus.

Cassie entendit des bruits de pas. On venait vers elle. Elle s'écarta brusquement et traversa le balcon pour se glisser dans l'ombre d'un renfoncement. Elle retint son souffle, espérant être hors de vue.

Tremain et Mandeville montaient l'escalier. Mandeville disparut dans la salle de bal, mais Tremain s'arrêta un instant pour regarder du côté des jardins. Les éclairages projetèrent une ombre sur son visage. Il était crispé. Il se tourna de nouveau vers l'entrée de la maison puis la franchit.

Cassie sortit du renfoncement. Elle réfléchissait rapidement, et son cœur battait fort. Evie, Rose… Les Mandeville étaient responsables de leur mort. Ce qu'elle venait d'entendre ne pouvait s'expliquer autrement. Mais comment s'y étaient-ils pris ?

Cassie fouilla sa pochette pour y prendre le téléphone. Elle écrivit rapidement un SMS.

Ne posez plus de questions jusqu'à mon retour. Vous expliquerai.

— Tu discutes avec qui ?

Cassie se retourna en laissant échapper un cri de surprise. Hugo.

— Il faut que tu arrêtes de me faire ce coup-là !

Elle envoya le SMS et rangea le téléphone.

— Avec une amie. Je lui souhaite la bonne année.

— Tu es en avance, s'amusa Hugo en consultant théâtralement sa montre. Il reste soixante secondes, d'après mon estimation.

Cassie se dépêcha d'afficher un sourire.

— En Amérique, c'est dans plusieurs heures.

Son cœur s'emballait de nouveau, et le regard d'Hugo dans l'obscurité en fit encore accélérer les battements.

— Où tu étais passé ? demanda-t-elle. Je ne t'ai pas vu de la soirée.

Il haussa les épaules.

— Les fêtes, ce n'est pas mon truc.

Elle poussa une exclamation d'incrédulité.

— Oh, je t'en prie ! Chez vous, c'est tout un art. Evie rentrait toujours à cinq ou six heures du matin.

Il y eut un silence. Hugo se rembrunit en entendant le nom d'Evie.

— Excuse-moi… murmura Cassie.

— Il n'y a pas de mal, dit-il en secouant la tête.

Il fit un pas vers elle, puis un autre.

— Il faut croire que les choses changent, c'est tout. Les gens changent.

— Tu crois que ça t'a changé ? demanda-t-elle à voix basse.

Ils étaient seuls dans la pénombre du balcon, comme suspendus entre les puissantes acclamations de la fête et les ténèbres désertes des jardins en contrebas.

Hugo ne répondit pas. Il tendit la main vers Cassie, écarta une mèche de son visage. Un effleurement comme une brûlure.

— Tu es en beauté, ce soir, dit-il.

Elle respirait avec peine, déstabilisée. Elle était si près de lui ! Trop près.

Dans la maison, la foule commença à hurler le compte à rebours.

— Dix, neuf, huit…

— Dis-moi tes résolutions pour la nouvelle année, murmura-t-il en inclinant la tête vers elle.

Une attirance enfouie en elle la paralysait. Respirant à peine, elle essaya de répondre :

— Je…

— … cinq, quatre…

Hugo glissa une main dans le dos de Cassie et l'attira contre lui. Elle vacilla.

— … trois, deux, un !

— Bonne année, murmura Hugo.

Ses lèvres se rapprochèrent, et il lui donna un baiser incandescent.

Cassie ne resta pas jusqu'à la fin. Dès que la pluie
de confettis eut cessé, elle se retira dans sa chambre.
Pourtant, même au calme, seule, loin de la fête, ses
lèvres continuaient d'éprouver le baiser d'Hugo, et le
vif-argent de l'adrénaline se précipitait toujours dans
ses veines.

Il n'avait duré qu'un instant, ce baiser. Dès que
furent retombées les clameurs du passage à la nouvelle
année, Hugo s'était écarté en affichant un léger sourire.
Les invités se répandaient sur le balcon autour d'eux :
le charme était rompu. Mais comment oublier les sensations éprouvées dans les bras d'Hugo ?

Elle en redemandait.

Elle referma la porte en tremblant. Elle ôta sa robe,
enfila un vieux sweat-shirt et se glissa dans le lit, sous
les couvertures épaisses. Mais le sommeil ne vint pas.
Son cœur battait encore trop vite, les questions tournoyaient dans sa tête. Elle s'agitait, se retournait. Ses
efforts pour réunir les éléments et leur donner un sens
débouchaient toujours sur un magma de semi-vérités
et de soupçons. Une seule certitude s'imposait : elle
n'avait personne, ici, à qui faire confiance.

Au bout de combien de temps céda-t-elle à l'appel des ténèbres ? Elle bascula dans un sommeil sans repos. Elle rêva une fois de plus de catacombes. Elle courait dans le noir, paniquée. Elle cherchait son chemin dans des cryptes de pierre. Il était là, ombre dans l'ombre ; il l'appelait avec une force qu'elle ne s'expliquait pas, jusqu'au moment où...

Cassie fut réveillée par le bruit de ses propres halètements. Elle cherchait de l'air dans la chambre sans lumière. Cramponnée aux draps, elle attendit que le cauchemar se dissipe. Elle était encore imprégnée de la chaleur sèche des tunnels, un âpre goût de sang persistait dans sa bouche. *C'était juste un rêve*, se dit-elle. Elle psalmodia ces mots dans sa tête jusqu'à ce qu'ils la délivrent de l'effroi. *C'était juste un rêve*. Peu à peu, son pouls redevint régulier. De nouveau elle respirait normalement. Elle regarda autour d'elle, ses yeux s'accommodèrent.

Un faible rayon de lumière traversait la pièce. La porte était entrouverte.

Le cœur de Cassie s'arrêta. Elle batailla pour se défaire des couvertures et traversa la chambre en courant. Elle ouvrit grand la porte. Sur le palier, il n'y avait personne.

Elle revint dans la chambre et claqua la porte. Ses pensées s'affolaient. Elle avait mis le verrou en rentrant de la fête : elle en était sûre. Elle avait verrouillé cette porte qu'encadrait un lourd chambranle sculpté, qui ne pouvait certainement pas s'ouvrir toute seule.

Quelqu'un était entré.

Elle tremblait. Elle se sentait brusquement vulnérable, exposée, dans cette maison où les apparences étaient trompeuses.

Des rires légers lui parvinrent de l'extérieur. Cassie tira sur son sweat-shirt pour cacher ses cuisses nues. Elle traversa la pièce, ouvrit les croisées serties de fer, se pencha vers la nuit noire. Les éclairages de sécurité fixés le long des murs projetaient leur clarté sur le flanc de la maison. Des ombres longèrent le bâtiment. On parlait à voix basse. Des éclats de rires s'élevèrent, accompagnés de « chut ! ».

Cassie recula. De nouveau, son cœur battait à tout rompre, non pas de peur, cette fois, mais d'impatience. À tâtons dans le noir, elle enfila son jean et ses baskets. Elle sortit de la chambre en courant et gagna le grand escalier sur la pointe des pieds pour descendre au rez-de-chaussée. Elle eut besoin de quelques instants pour se repérer. L'entrée était faiblement éclairée. Elle se hâta de retourner dans la salle de bal. Des confettis et des verres vides jonchaient le sol de la pièce. Cassie, en allant sur le balcon, fut saisie par la fraîcheur. Elle dévala les marches de pierre menant au jardin, tout en jetant autour d'elle des regards hésitants.

La nuit était nuageuse, et le froid vif. La lune se cachait. Il n'y avait plus aucun signe des mouvements qu'elle avait observés de sa fenêtre. Elle était seule. Dans l'obscurité qui s'étendait autour d'elle se découpaient de hautes haies sombres.

Elle surprit une lueur, un clignotement sur la pelouse, semblait-il. Une lampe ? L'écran d'un téléphone ? Elle marchait au bord du jardin pour rester dans l'ombre, hors de vue, sans quitter des yeux cette lumière qui sautait, dansait et s'éloignait davantage du manoir. En se rapprochant, des voix lui parvinrent – plus sonores à présent qu'elles étaient hors de portée de la maison.

— Pourquoi c'est toujours moi qui dois tout porter ?

— Parce que tu es costaud, idiot.

— Si je comprends bien, tu jettes ton féminisme aux orties dès que tu as besoin d'un service.

— Chut ! Boucle-la, on va t'entendre !

— Détends-toi, Liv. Il est quatre heures du mat'. Personne n'entendra rien.

Cassie les suivait toujours, et tendait l'oreille. Olivia, Paige, Miles… Le groupe se composait d'au moins cinq ou six personnes. Ils se dirigeaient vers les grandes haies, à l'autre extrémité de la pelouse. Cassie gardait ses distances de peur qu'ils ne l'entendent, mais leurs rires étaient si bruyants ! Bientôt, la lumière cessa de clignoter dans le noir, et les voix furent englouties à leur tour.

Cassie était arrivée au bout du jardin, à l'entrée du labyrinthe. Un chemin gravillonné s'enfonçait dans le noir, entre des haies bien taillées. Le cœur de Cassie menaçait de lâcher. Elle entendait s'éloigner Olivia et les autres, les buissons devant elle étaient à peine visibles. Si elle laissait le groupe prendre de l'avance, saurait-elle retrouver son chemin dans les ténèbres ?

Elle était allée trop loin pour faire demi-tour. Elle ne pouvait regagner sa chambre comme si de rien n'était. Le gravier crissait sous ses pas. Longeant le mur de feuillage dont les branches lui griffaient le bout des doigts, elle s'enfonçait dans le labyrinthe. Les haies menaçantes voilaient les rayons de lune. Cassie n'entendait plus d'autre bruit que son cœur battant à tout rompre.

Elle trébucha et pria pour ne pas se perdre. Olivia et les autres devaient connaître le domaine par cœur ! Mais elle, elle se voyait déjà perdue, en détresse, obligée de chercher son chemin jusqu'au petit jour. Et ce serait encore pire quand il lui faudrait s'expliquer sur ses errances nocturnes ! Elle s'interrogeait. Le mieux n'était-il pas de rebrousser chemin, de retourner vers la maison ? Ses doigts touchèrent quelque chose de doux dans les feuilles. Un ruban était tendu entre les branches. Cassie, soulagée, se cramponna à ce guide. Peu importait, à présent, si les autres devant allaient trop vite. Quelqu'un avait accroché ce fil d'Ariane pour guider les gens au détour des allées. Cassie s'en servit, faisant glisser ses mains. Désormais, elle pouvait progresser plus vite. Et les voix ne tardèrent pas à lui parvenir à nouveau.

— J'en veux encore !

— Chut !

— Ça va. On est à des kilomètres de la maison. Personne n'entendra rien.

Cassie s'approcha à pas de loup. Elle repéra une ouverture dans la haie, se baissa pour observer sans être vue.

Accroupie, elle découvrit le cœur du labyrinthe : une fontaine en ruine et des statues. Olivia, Paige, Miles et d'autres disposaient des lanternes, emplissant l'espace de lumière. Cassie n'aurait pas cru qu'il y aurait tant de monde. Elle reconnut Lewis, le professeur ami d'Olivia. Il y avait aussi plusieurs des employés engagés pour la fête : deux serveuses encore en tenue, mais décoiffées, et un garçon aux joues rouges qui ne devait même pas avoir dix-neuf ans. Ils se cramponnaient à leurs bouteilles de champagne en riant bêtement, dévorés d'impatience.

— Alors c'est quoi, cette grande surprise ? demanda une des filles.

Paige lui sourit, s'approcha d'elle et, d'un geste caressant, lui écarta les cheveux du visage.

— La surprise, dit-elle en riant, c'est l'*after*. Tu t'attendais à quoi ?

— Elle veut parler des bonnes choses, intervint Miles, indolent.

Il se prélassait près de la fontaine.

— Quelqu'un a la came ?

— Moi, dit Olivia.

Elle s'assit sur une couverture et donna des tapes à côté d'elle. Lewis, obéissant, s'assit. Olivia tira de son sac une petite boîte ouvragée. Elle en souleva le couvercle et la présenta à Lewis. Il y prit quelque chose qu'il porta à ses lèvres.

Olivia fit passer la boîte aux filles. L'une d'elles hésita :

— Je ne sais pas… Je crois que je vais rester à l'alcool.

— N'aie pas peur.

Paige plongea les doigts dans la boîte puis les approcha des lèvres de la fille. Cassie, de sa cachette, vit briller un cachet blanc.

— C'est super, tu verras… murmura Paige.

Elle glissa les doigts dans la bouche de la fille puis se pencha vers elle pour l'embrasser. La fille se détourna avec un rire stupide, nerveux.

La boîte circula jusqu'à ce que tout le monde ait son cachet. Mais Cassie observa que seuls les invités y avaient droit : la bande de Raleigh n'en prenait pas.

— C'est tout ? dit une fille en regardant autour d'elle. Ça ne me fait rien.

— Ça va venir, sourit Olivia. Tu vas voir.

Lewis s'allongea et posa la tête sur les genoux d'Olivia, comme un animal de compagnie. Elle lui caressa doucement la tête.

Cassie, l'œil collé à l'ouverture dans la haie, assistait à cette scène avec un malaise croissant. Le champagne circulait à la ronde. Les invités bavardaient. Olivia était trop calme : elle attendait qu'il se passe quelque chose, Cassie l'aurait juré. Les autres aussi, d'ailleurs. Ils considéraient leurs proies avec une force paresseuse et tranquille, tels des lions dans la savane.

Lewis poussa un gémissement qui fit sursauter Cassie.

Olivia, les yeux à demi clos, renversa la tête en arrière, une expression d'extase sur le visage. Des soubresauts secouèrent le corps de Lewis qui se mit à rebondir sur le sol. Cassie fut certaine de voir l'air s'enflammer, comme si une étincelle d'énergie avait jailli au point de contact entre la main d'Olivia et la tête de Lewis.

Retenant son souffle, elle observa les autres. L'une des filles gémissait aussi, couchée sur le banc à côté de Paige qui la berçait. Le garçon était à terre auprès de Miles. Il tressaillait, comme empêtré dans un cauchemar. L'air continuait de brûler autour d'eux, et un vif rougeoiement pareil à une aura, à un tourbillon d'énergie, émanait de leur corps. Cassie frissonna. Impossible de détourner les yeux. Sans pouvoir s'expliquer vraiment ce qui se passait, elle en avait une idée. Ceux de Raleigh puisaient de l'énergie dans les corps de leurs victimes. Ils s'abreuvaient à cette source, fruit d'un lien profane. Ce qu'ils faisaient était mal : aucun doute. C'était du viol. Les invités produisaient des sons étouffés, bestiaux, pareils à des plaintes désespérées. Et pendant ce temps, Olivia et les autres jouissaient, euphoriques et radieux, pour ainsi dire en plein orgasme. Cassie entendait au fond d'elle-même une voix lui hurler de s'enfuir. Mais elle serra les dents et refoula cette pulsion, car elle voulait en savoir davantage.

Peu à peu, le groupe recouvra ses esprits. Tous se détachèrent des invités qui gisaient auprès d'eux, immobiles. Tous sauf Olivia. L'énergie grondait toujours autour d'elle. Lewis recommença de s'agiter, ses gémissements se muèrent en cris. Une voix inquiète se fit entendre :

— Liv…

Hugo sortait de l'ombre. Cassie étouffa une exclamation. Il était donc là depuis le début ?

— Liv, fais attention, insistait Hugo. Liv !

Il la détacha de Lewis. Olivia battit des paupières, rouvrit les yeux. Elle haletait. Elle avait les cheveux défaits.

— Qu'est-ce qui te prend ? demanda-t-elle.

— Tu vas trop loin, la gronda Hugo. Je te l'ai dit, tu lui en as trop pris. Trouve une autre source.

— Mais c'est celle-là que j'aime, répliqua Olivia d'un ton boudeur. Son esprit est si… délicieux.

À nouveau, elle caressa jalousement les cheveux de Lewis.

— Il ne restera bientôt plus rien, reprit Hugo, mécontent. Mon Dieu ! tu ne pourrais pas te contrôler, de temps en temps ? Rappelle-toi ce qui s'est passé la dernière fois.

Olivia reprenait son souffle. Ses cheveux scintillaient dans la clarté de la lanterne. Sa peau irradiait d'excitation.

— Combien de fois faudra-t-il te répéter que je suis désolée ? Je ne pouvais pas deviner qu'elle était si fragile. Lewis, lui, ça va. Je sais ce que je peux lui prendre.

Elle caressa le professeur en affichant un charmant sourire. Mais Hugo refusait de céder :

— Evie aussi, ça allait. Jusqu'à ce que tu la pousses au-delà des limites.

Cassie sentit son sang se glacer dans ses veines. Elle dut se tenir aux branches pour ne pas perdre l'équilibre. Elle repensa rapidement à ce qu'elle venait de voir. Ils avaient fait ça à Evie ?

— Hugo ! intervint Miles. Arrête de jouer au père Fouettard ! Tu gâches tout.

Il s'étira paresseusement et passa la main sur le corps inerte du garçon.

— Viens essayer le mien. Il est plein de fraîcheur. Il déborde de possibilités.

— Je ne suis pas d'humeur, répliqua Hugo, le visage hermétique, les mâchoires crispées.

— Écoute, soupira Olivia, je suis désolée. C'était un accident. Ce n'était pas ta faute.

— Tu n'aurais jamais dû commencer par elle ! s'emporta Hugo. Il y a des règles. Elle était des nôtres.

— Si c'est là ce qui t'énerve tant, où est Cassie ? demanda Olivia avec un sourire mauvais. Tu avais promis de l'amener. Ça ne te ressemble pas, de louper une ration.

Cassie fut effrayée d'entendre prononcer son nom ; tous ses muscles se tendirent.

Il y eut un silence. Hugo finit par répondre :

— Elle montre… une certaine résistance.

Les autres se dressèrent, intéressés.

— Comment ça, une résistance ? voulut savoir Paige.

Hugo répondit à contrecœur :

— Je ne sais pas. Je n'ai jamais rien éprouvé de tel. J'arrive à établir la connexion, mais après, c'est comme si elle fermait son esprit. Quelque chose la retient.

Cassie se sentait mal. Il lui avait fait ça à elle aussi – du moins il avait essayé.

Mais ici, au cœur du labyrinthe, cette révélation ne surprenait personne : ils s'étonnaient seulement d'apprendre qu'Hugo avait échoué.

— Elle doit être forte, médita Olivia, pensive. Elle est candidate ?

— Non, se hâta de répondre Hugo.

— La levée est proche, reprit Olivia d'un ton pressant. On a besoin de fournir une offrande.

— On a Lewis, dit Hugo. Tu disais qu'il était volontaire.

— Il a fait tout ce que je lui ai demandé, dit Olivia avec dédain. Mais si Cassie est plus forte…

— J'ai dit non ! cria Hugo. Tu ne la touches pas, compris ?

Ils se turent. Cassie, dans sa cachette, se contraignait à respirer calmement. Accroupie, elle ne faisait pas un geste. Au moindre mouvement, elle risquait d'être repérée. Et dès lors, qu'adviendrait-il d'elle ?

Oliva jeta à Hugo un regard glacial :

— J'ai compris, cousin. C'est clair.

— Assez de chamailleries, bâilla Miles. C'est le moment d'échanger. Paige ?

— Je t'en prie.

Chacun retourna à sa proie et l'air, à nouveau, brûla d'énergie. Cassie observait la scène, impuissante. Elle vit les corps se tordre, gémir et se vider de leur substance. On leur dérobait quelque chose que nul n'aurait jamais dû leur prendre. Cassie en tremblait d'écœurement. Elle en avait assez vu. Elle décida de quitter sa cachette, mais son pied dérapa sur le gravier.

Hugo tourna la tête.

Cassie se figea. Pendant quelques terribles secondes, elle eut l'impression qu'il la regardait. La voyait-il ? Le cœur de Cassie cognait à tout rompre. Ses muscles, restés trop longtemps immobiles, criaient de douleur. Enfin, Hugo se détourna sans un mot.

Cassie poussa un soupir de soulagement. Alors Paige parla, racontant quelque chose en rapport avec une fête prévue la semaine suivante. Cassie en profita pour repartir sur la pointe des pieds. Chaque pas lui était un supplice. Elle avait envie de courir, de fuir à toutes jambes cette scène abominable, mais elle savait que le plus léger bruit risquait de la trahir. Les haies se dressaient autour d'elle comme une enceinte de ténèbres. Sa main tremblante ne lâchait pas le ruban. Elle reprit la direction du manoir en suivant les courbes du labyrinthe jusqu'à ce que les voix ne soient plus qu'un lointain bourdonnement.

— Cassie…

Le murmure venait de tout près. Hugo, une silhouette dans le noir.

Cassie laissa échapper un cri. Elle essaya de courir, ses pieds foulaient à tâtons le gravier. Mais Hugo fut le plus rapide. Il posa une main sur sa bouche et l'attira dans les haies. Paniquée, elle voulut se défendre. Mais il la tenait fermement et lui bloquait les bras le long du corps. Il siffla :

— Chut ! Ils vont t'entendre !

Il l'obligea à le regarder en face. La panique s'emparait de lui aussi.

— Fais-moi confiance, Cassie. Calme-toi ! lui ordonnat-il.

Elle se débattit avec une férocité accrue. Son instinct ne l'avait pas trompée, ce fameux soir où ils s'étaient rencontrés pour la première fois. Tout ce temps-là, elle avait été une cible. Une victime potentielle. La nuit qu'elle avait passée chez lui, et cette nuit même, ici, à Gravestone, la porte de sa chambre ouverte... Que lui avait-il fait ? Qu'allait-il lui faire ?

— Cassie, je t'en prie !

Il la suppliait et elle refusait de l'entendre. Elle ne se laisserait pas abuser encore une fois. Elle lui envoya dans les côtes un coup de coude qui le plia en deux. Elle parvint à se libérer, mais il la rattrapa et ils tombèrent ensemble. Elle essaya de se défendre à coups de pied. Il la cloua à terre et se mit à califourchon sur elle. Il lui immobilisa les bras.

— Non ! cria-t-elle.

Il appuyait la main sur son front, exerçant une pression désagréable. Elle voulut se défendre, mais c'était peine perdue. Une force obscure envahissait son esprit, se glissait en elle et se faufilait dans ses pensées.

— Du calme, murmura de nouveau Hugo.

Elle se débattait, tentait de le repousser, de l'arrêter, mais elle n'y parvenait pas. Une résistance opérait. Une résistance reliée aux ténèbres, et qui refusait de lâcher prise.

Les ombres se ruaient en elle. Noires et froides comme une interminable nuit d'hiver. Hugo était partout : marée de sensations pures tournoyant en elle, brûlant dans ses veines comme des flammes obscures. C'était comme à la maison. Cassie avait beau se battre de toutes ses forces, son propre esprit la trahissait. Il exigeait plus et la poussait vers Hugo. Il voulait à tout prix se libérer.

— Laisse-toi faire, dit Hugo à voix basse. Ça va aller.

Il la retenait gentiment. Cassie ne put résister davantage. Les ombres se dressèrent, réclamant Cassie. Bientôt, il n'y eut plus rien que du noir et du rouge, de la fureur et de la force, et un tourbillon d'extase dans ses veines.

25

Lorsque Cassie se réveilla, la lumière traversait les lourds rideaux. Elle s'étira et resta un instant désorientée, sous ces draps et couvertures inconnus. Et le matelas était confortable, pas comme celui sur lequel elle dormait à Raleigh, étroit et plein de bosses.

Tout lui revint d'un coup. Le labyrinthe. Olivia et le groupe, leur cérémonie fiévreuse, les gémissements désespérés échappés des corps gisant à terre.

Hugo l'immobilisant dos au sol. La force noire pénétrant son esprit.

Elle se dressa d'un bond. Elle respirait vite. Comment était-elle revenue dans sa chambre ? Que s'était-il passé après qu'Hugo l'avait rattrapée ? Elle souleva les couvertures. Elle portait le sweat-shirt et le boxer qu'elle avait l'habitude de mettre pour dormir. Son jean était plié sur une chaise, dans le coin, là où elle l'avait laissé avant…

Avant quoi ?

On frappait doucement à la porte qui s'ouvrit sans laisser à Cassie le temps de répondre. Hugo passa la tête dans la chambre et lança, tout sourire :

— Bonjour, la marmotte.

Cassie se crispa, mais Hugo se contenta de bâiller. Ses cheveux étaient en désordre. Il portait un sweat-shirt et un jean.

— Le petit déjeuner est prêt en bas. Tu devrais descendre avant qu'il n'y ait plus de bacon.

Il ajouta avec un clin d'œil :

— Miles a décidé de tout dévorer jusqu'à la dernière tranche.

Il disparut et ferma la porte.

Cassie, assise dans son lit, le cœur battant, essaya de retracer le fil des événements. Hugo se conduisait comme si rien d'anormal ne s'était produit, comme s'il ne l'avait pas trouvée cachée dans le labyrinthe. Comme s'il ne l'avait pas clouée à terre et…

Et quoi ?

Elle frissonna. Elle s'efforçait de recoller des fragments de souvenirs pour les rendre réels ; mais avec cette lumière, les ombres de la nuit lui filaient entre les doigts, se dissipaient dans ses pensées. À quoi avait-elle assisté ? Elle se rappelait les faits incroyables. Impossibles. À chaque seconde qui passait, l'obscurité de son esprit semblait se métamorphoser davantage ; et elle s'aperçut en tremblant qu'elle ne savait plus ce qui était réel et ce qui relevait d'un rêve affreux.

Elle s'habilla puis fourra ses affaires dans son sac de voyage, le cœur serré par cet instinct profond qu'elle ne connaissait que trop bien. Fuir. Fuir sur-le-champ. Partir loin d'ici. S'échapper avant qu'il soit trop tard.

Elle s'obligea à rester calme. Hugo, en faisant comme si de rien n'était, allait obliger Cassie à lui tirer les vers du nez. Avait-il dit aux autres qu'il l'avait trouvée dans le labyrinthe ? Y avait-il d'ailleurs quelque chose à dire ? Elle devait se débrouiller et gérer la situation en attendant de pouvoir s'échapper de cet endroit.

En bas, il n'y avait personne. Les autres étaient dans la cuisine, à se lamenter. Ils avaient la gueule de bois. Une odeur de bacon frit flottait dans l'air. Il y avait partout des mugs de café et des assiettes pleines. L'ambiance était horriblement ordinaire. Il ne s'était rien passé.

— Tu es réveillée !

Olivia se leva vivement de sa chaise et prit Cassie dans ses bras.

— J'ai cru qu'on allait devoir monter te tirer du lit. Comment tu te sens ? Tu n'avais pas l'air de prendre ton pied quand tu es partie.

— Ça va, répondit Cassie, automatiquement.

Elle se força à sourire et regarda autour d'elle, choquée de découvrir que les invités de la nuit dernière étaient présents : les deux serveuses et le garçon. Ils dévoraient leurs toasts en discutant tout à fait normalement avec Miles et Paige.

— Et toi ? demanda Cassie.

Elle accepta le café qu'Olivia lui mit d'autorité dans les mains. Cassie l'observa attentivement, cherchant un indice sur son visage.

— Vous êtes restés longtemps, après mon départ ?

— Assez, oui, dit Olivia avec un sourire radieux.

Elle n'avait pas la tête de quelqu'un qui était resté debout toute la nuit. Sa peau était fraîche, ses yeux pétillaient d'énergie.

— Mais ils ne tiennent pas la distance, ces mecs. Ils prennent de l'âge. Pas vrai, petit cousin ?

Elle poussa légèrement du coude Hugo qui allait se chercher des toasts.

— On vieillit, dit-il. On se délabre. Bientôt, j'aurai besoin d'une canne et d'un fauteuil roulant.

Cassie fit taire son malaise. Elle prit des tranches de pain grillé et alla s'asseoir à côté de Lewis. C'est lui qui semblait le plus mal en point : des cernes profonds, un regard perdu derrière ses lunettes.

— Ça va ? lui demanda-t-elle à voix basse.

Elle se rappela avec un frisson les cris de douleur qu'il poussait quand Olivia le vidait de son énergie.

— Pardon ? dit-il en clignant des yeux. Oh oui… Deux ou trois coupes de trop.

Il sourit tristement.

— J'oublie quelquefois que je ne suis plus tout jeune.

— Je savais que je te trouverais ici.

La voix glaciale qui venait de s'élever sur le seuil de la pièce était celle d'Henry Mandeville. Il était impeccablement vêtu. Cassie se raidit au souvenir de la discussion qu'elle avait surprise entre Tremain et lui. Henry plissa les yeux, observa le groupe et les posa sur Hugo d'un air mécontent.

— Rappelle-toi, nous assistons à la course du Nouvel An à midi. On t'attend pour la photo.

Les mâchoires d'Hugo se crispèrent.

— Je croyais que c'était Olivia qui y allait.

— Il faut la famille au complet, dit Henry d'un ton sans réplique. La voiture part dans une heure.

Il regarda les autres, à nouveau, et Cassie en particulier. Elle se sentit transpercée.

Le noir est le blason de l'enfer…

Elle détourna les yeux. Henry donna quelques instructions à Olivia puis sortit. Cassie interrogea Hugo :

— Un super plan ?

Il afficha un air triste.

— Une manifestation de charité. Tradition locale. Il faut aller sourire pour la photo.

Il se pencha vers le milieu de la table pour attraper un morceau de bacon dans l'assiette.

— Tu devrais venir, proposa-t-il. Je veux dire, c'est une corvée pour nous, mais toi, ça pourrait t'amuser. Une bonne tranche de vie rurale bien britannique.

— Je ne sais pas, répondit Cassie précipitamment. Je dois rentrer à Oxford.

— Vraiment ? dit-il avec un sourire qui se voulait charmeur. On n'a pas eu l'occasion de se reparler, depuis hier soir.

Elle faillit s'étrangler en avalant son café.

— Hier soir, répéta-t-elle en réfléchissant vite.

— À minuit, reprit Hugo.

Il la regardait. Son sourire faiblit un peu.

— Tu te rappelles ? On a… fêté le nouvel an. Après, tu t'es enfuie. Pour aller te coucher. Qu'est-ce qui s'est passé ?

Elle le fixa. Cette phrase faisait-elle partie d'un mensonge élaboré, ou avait-elle tout imaginé ? Hugo offrait une expression sincère, ouverte, mais comment oublier la noirceur de ses yeux, et les ombres qui s'insinuaient dans les confins de ses pensées à elle ?

— Je suis désolée, murmura-t-elle. Je ne me sentais pas bien.

— Ne m'en parle pas, intervint Paige avec un bâillement. On a tous perdu le contrôle.

— Parle pour toi.

Olivia rit. Elle passa la main dans les cheveux de Lewis. Un geste, se dit Cassie, qui trahissait un instinct de propriété. De possession, même.

— Moi, je me sens très bien.

345

*

Olivia l'invita à rester un jour de plus : ils avaient prévu une excursion, et de passer la soirée à visionner des films. Cassie fit de son mieux pour les persuader qu'elle regrettait de devoir partir.

— Je dois aller au travail.

— À la bibliothèque, c'est ça ? demanda Olivia avec un regard inquisiteur. Ça doit être pratique, d'avoir accès aux archives, à tous les vieux dossiers.

— Ce n'est pas vraiment le cas, mentit Cassie. Je suis au bureau de prêt. Les livres rendus, le rangement en rayon. Ils ne nous font pas confiance au point de nous confier les trucs importants.

— Ah… En tout cas, c'était super de t'avoir. On se revoit à la reprise des cours, OK ? On ira déjeuner. On ira à des soirées.

— Et comment ! Je n'attends que ça.

Cassie s'efforçait de paraître enthousiaste. Elle essaya de ne pas craquer quand Olivia la prit dans ses bras pour les adieux.

— Je t'accompagne, dit Hugo.

Il souleva le sac de Cassie sans lui laisser le temps de protester. Il l'entraîna dehors, puis dans l'escalier qui descendait vers l'allée.

— Je serai de retour à Oxford la semaine prochaine, dit-il en rangeant le sac dans le coffre de la voiture.

— Entendu.

Elle tâchait de garder son calme, alors que son pouls s'accélérait sous l'effet de la peur. Vite, que ce chauffeur arrive !

Hugo s'avança vers elle et se pencha pour lui glisser à l'oreille :

— Tout va bien. Je ne leur ai rien dit.

— À quel sujet ? fit-elle en fuyant le contact.

— Au sujet de cette nuit.

Le cœur de Cassie s'emballait. Essayait-il de la piéger ? Elle maîtrisa son effroi.

— Le baiser, tu veux dire ? reprit-elle en prenant délibérément un air gêné. Excuse-moi, mais c'est confus dans ma tête. Je n'ai pas bien dormi. Tu sais, mes cauchemars…

Elle eut un petit rire insouciant.

— Je crois que j'ai abusé du champagne, vraiment.

Hugo la sondait du regard.

— Pas de problème, dit-il enfin en reculant d'un pas. On en reparlera à Oxford. C'est quoi, ton numéro ?

Cassie ne voulait pas s'attarder une minute de plus : elle débita les chiffres.

— Merci de m'avoir accueillie.

Elle avait l'impression de parler d'une voix aiguë, paniquée. Elle s'obligea à embrasser rapidement Hugo sur la joue avant de monter dans la voiture.

C'est lui qui ferma la portière. L'angoisse de Cassie persista jusqu'à ce que le moteur tourne et que la voiture s'éloigne.

Alors elle soupira. Elle tremblait de tout son corps.

— Voulez-vous que je monte le chauffage ? demanda le chauffeur en se tournant vers elle.

Elle se raidit et répondit aussitôt :

— Ça ira.

Elle compta les secondes jusqu'à voir Gravestone disparaître dans le rétroviseur, englouti par les forêts et les collines. Puis elle sortit son téléphone et envoya un SMS à Charlie :

Je rentre. Il faut qu'on parle.

*

Le chauffeur avait déposé Cassie à Raleigh, mais elle fit demi-tour dès que la voiture fut hors de vue. Elle voulait courir rejoindre Charlie. Il lui avait fixé un rendez-vous par SMS, une adresse à l'autre bout de la ville, après High Street. Elle regarda par-dessus son épaule pendant tout le trajet, craignant d'être suivie. Certes, Hugo et Olivia se trouvaient à Gravestone, à des kilomètres de là, mais elle était sûre désormais que Mandeville et Tremain avaient Charlie dans le collimateur. Ils savaient qu'il avait posé des questions au poste de police. Ils savaient que quelqu'un explorait les archives de la bibliothèque. Que savaient-ils d'autre ?

Elle marchait d'un pas vif. Son sac trop lourd la gênait et la bandoulière s'enfonçait dans son épaule. L'adresse était celle d'une résidence de construction récente : béton gris et briques rouges. Charlie déclencha d'en haut l'ouverture de la porte. L'intérieur n'était guère plus exaltant : trois volées de marches en ciment, des portes derrière lesquelles résonnaient des émissions de télé.

— C'est moins bien que Raleigh, s'excusa Charlie en la faisant entrer.

— Tant que ça ferme à clef, répondit-elle.

Elle pénétra dans un appartement bien rangé et se sentit soulagée d'une tension qui l'étreignait depuis maintenant deux jours. Elle laissa tomber son sac par terre. Charlie verrouilla la porte. L'appartement était petit, peu meublé. Un grand téléviseur écran plat occupait fièrement une bonne partie du mur. Une plante esseulée se fanait dans un coin.

Charlie alla chercher un verre d'eau et considéra Cassie d'un air préoccupé :

— Alors ?

Elle reprit son souffle. Par où commencer ? Rien de ce qu'elle avait à raconter n'était simple. Elle se contenta de tout dire en peu de mots. La discussion qu'elle avait surprise entre Henry Mandeville et Tremain, la pièce où la photo avait été prise, les événements survenus dans le labyrinthe – mais elle ne fit pas allusion au fait qu'Hugo l'avait repérée, ni à ce qui s'était passé après. Du reste, elle n'était pas sûre de s'en souvenir vraiment, et elle ne voulait pas que Charlie s'inquiète davantage en apprenant quel danger elle avait frôlé.

— Je sais, ça n'a aucun sens, tout ça, conclut-elle avant de le laisser parler. Mais je les ai vus de mes yeux. Ce qu'ils faisaient… ce n'est pas normal, Charlie. C'est… c'est autre chose.

Il l'observa un moment puis se leva.

— J'ai creusé aussi de mon côté. Je me suis intéressé aux décès…

— Charlie ! s'écria-t-elle, prise de panique. Je vous dis qu'ils ont une taupe au sein de la police ! Ils sauront que vous avez fait des recherches.

— Détendez-vous, mon cœur, dit Charlie en affichant un large sourire suffisant. Je me suis servi du mot de passe de Bradshaw. J'ai pris son identifiant. Ils n'y verront que du feu.

Des boîtes s'empilaient dans un angle de la pièce. Charlie en sortit un dossier.

— Je cherchais un motif, dit-il, un lien entre les morts, en dehors du fait qu'il s'agissait d'étudiants.

— Qu'est-ce que vous avez trouvé ?

Cassie était penchée en avant sur sa chaise. Une partie d'elle-même avait craint de voir Charlie faire machine arrière ou, pire encore, refuser de la croire. Mais il avait accepté sans frémir le récit de la soirée du nouvel an. Il était resté impassible, comme toujours. Cassie n'était peut-être pas folle, après tout.

Il étala des photos sur le sol, en les regroupant par date.

— Il y a bien un lien, dit-il. D'abord et avant tout, les victimes sont toutes intelligentes. Pas seulement douées au sens où on l'entend à Oxford, mais brillantes. Ces jeunes avaient reçu des prix, publié des articles – c'était le dessus du panier. Il n'y avait pas que des jeunes, d'ailleurs. Il y a aussi des diplômés. Et même des profs…

— Comme Lewis, dit Cassie.

Charlie hocha la tête.

— Le hic, c'est que ce n'étaient pas des fils à papa comme les Mandeville. Ils n'évoluaient pas dans ces cercles-là. Beaucoup étaient des étudiants boursiers issus des classes pauvres. Votre Evie est la seule qui fasse exception…

Il fronça les sourcils.

— Elle, elle ne correspond pas au profil.

— C'est ce que disait Hugo, se rappela Cassie. Il en voulait à Olivia de l'avoir poussée trop loin. « Elle était des nôtres », c'est ce qu'il a dit.

— C'est cohérent, approuva Charlie. Ils ne tiennent pas à foutre la merde dans leur petit monde, pour le dire trivialement. Une loyauté de classe un peu tordue. Les pauvres, on peut s'en servir. Mais entre eux, ils se protègent.

— Ils se protègent de quoi ? demanda Cassie en frissonnant, les yeux posés sur ces visages tragiquement disparus. À entendre Mandeville, ils sont impliqués dans ces décès, d'une façon ou d'une autre. Mais ces gens, ils ne les ont pas tués à Gravestone. Je ne sais même pas ce qu'ils y faisaient.

Les ombres. Le noir s'insinuant dans son esprit. Cassie n'avait pas de mots pour en parler. Elle n'avait pas non plus d'explication. Elle n'aurait pu jurer que tout était réel. Peut-être avait-elle cédé à la peur, à la panique, et son imagination s'était-elle emballée…

— Vous dites qu'ils ont fait allusion à la mort de Rose, reprit-il en se relevant. Et que pour eux, c'était différent, en quelque sorte.

Cassie se remémora la scène.

— Du sale boulot. C'est ce que disait Henry. Il avait l'air furieux après Tremain, en ce qui concernait Rose précisément. Comme si une erreur avait été commise.

Charlie hocha la tête.

— J'ai retrouvé la famille de Rose. Des gens d'ici. Ils vivent à quelques kilomètres.

Il tendit la main à Cassie pour l'aider à se relever. Il eut un sourire ironique.

— Allons détricoter tout ça.

*

Doris, la tante de Rose, avait dépassé les soixante-dix ans. C'était une femme maigre aux cheveux gris qui avait besoin d'un déambulateur pour se déplacer dans la maison. Elle insista pour leur servir d'abord le thé et des petits gâteaux dans son séjour tapissé de papier à fleurs. Après quoi, ils pourraient poser leurs questions.

— Quelle tristesse… soupira-t-elle en s'installant avec peine dans un rocking-chair, au coin de la pièce.

Elle indiqua une photo sur la cheminée : Rose rayonnante dans sa robe officielle lors de son premier jour à Raleigh, sans doute.

— Ça ne fait pas loin de vingt-cinq ans, maintenant. Elle serait mariée. Elle aurait des enfants.

— Je suis désolée, murmura Cassie.

Une étrange familiarité semblait la rapprocher de cette Doris. Rose avait compté pour la mère de Cassie, au point qu'elle portait maintenant son prénom ; autrement dit, Doris était de sa famille, plus que quiconque.

— J'espère que nous ne vous dérangeons pas, en débarquant comme ça.

— Non, non, dit Doris avec un sourire. Le thé ? Comment le trouvez-vous ?

Cassie se tourna vers Charlie qui finissait sa tasse. Dans son assiette, il n'y avait plus que des miettes.

— Merveilleux, merci, dit-il en souriant. Rien de tel qu'une bonne tasse de thé.

— Je vais vous chercher d'autres petits gâteaux, dit Doris en se levant.

— Je m'en occupe, se hâta d'intervenir Cassie.

— Oh non…

Doris lui fit le signe de ne pas se déranger.

— Aller et venir dans ma cuisine, c'est tout ce que je fais comme exercice, maintenant. Arthrose du genou… Ça prendra une minute. J'ai des sablés quelque part.

— Doris, vous me gâtez ! se moqua Charlie, alors que la vieille dame se traînait hors du salon.

— Charlie ! dit Cassie à voix basse, en lui donnant un coup de coude dans les côtes. On est là pour chercher des infos !

— La mémoire lui reviendra plus facilement si elle est détendue, répliqua Charlie en chuchotant. Vous ne pouvez pas débouler comme ça et poser vos questions : « Bon, alors, cette nièce qui est morte… Vous croyez qu'elle a été tuée par des forces démoniaques surnaturelles ? »

— Je n'ai pas parlé de forces démoniaques, dit Cassie en frissonnant.

— Très bien. Mais quoi qu'il soit arrivé, on risque de déterrer les fantômes de la vie de cette adorable vieille dame. Le moins qu'on puisse faire, c'est de manger deux ou trois de ses satanés gâteaux, non ?

Cassie prit docilement un biscuit. Doris était de retour avec un plateau. Elle emplit la tasse de Charlie en riant :

— On dirait mon frère ! Il vous vide un plein paquet de biscuits avant de dîner !

— Le père de Rose ? demanda Cassie.

— Non. Rose était la fille de ma sœur, dit Doris en regagnant son rocking-chair. Ils vivent à Eastbourne, maintenant. Ils ont déménagé peu après la disparition de Rose. Ma sœur ne supportait pas d'avoir à passer tous les jours le long de la rivière, à se demander si elle n'y était pas encore, dit-elle en secouant doucement la tête. Quelle tristesse… Une fille si intelligente. Pour plaisanter, on se demandait d'où ça pouvait bien lui venir. Son père était facteur. Et notre June travaillait au guichet dans une banque. Ni l'un ni l'autre ne sont allés

353

à l'université. Et Rose est arrivée, pleine de vie. Petite fille, elle était tout le temps plongée dans un livre. La famille se réunissait pour le thé et elle, elle lisait dans son coin. Notre fierté, quand elle a été admise à Raleigh ! Mon Dieu, vous auriez dû voir ça, le jour où la lettre est arrivée ! On n'avait jamais pensé qu'une de nos filles entrerait un jour dans ce genre d'école.

Cassie eut un pincement au cœur. Elle avait focalisé son attention sur les Mandeville, sur sa mère, au point d'en oublier que les défunts étaient des personnes réelles appartenant à de vraies familles dévastées par le malheur. Elle demanda doucement :

— Comment ça se passait ? Pour certains, l'adaptation est difficile. C'est plutôt stressant, comme environnement.

— Oh ! elle adorait, insista Doris. Il y a eu un bal. Il y avait tout le temps des réceptions. Elle aimait énormément ses professeurs, aussi. C'est pour ça qu'on n'a pas compris…

Sa voix se brisa et ses yeux s'emplirent de larmes.

— Si seulement elle nous avait envoyé un signe ! Si seulement elle avait dit quelque chose, alors peut-être que…

Cassie eut une bouffée de culpabilité, elle poursuivit néanmoins :

— Vous n'avez pas vu ses amies, à l'époque ? Vous vous rappelez peut-être un nom…

— Oui, bien sûr, il y avait Margaret, répondit Doris avec un sourire affectueux. Elles étaient dans la même résidence étudiante. Inséparables !

Cassie avait la gorge serrée.

— Vous l'avez connue ? demanda-t-elle calmement.

— Oh oui ! sourit Doris. Rose est venue avec elle deux ou trois fois. À Noël. Ou pour le week-end. C'était une Américaine, comme vous. Elle habitait trop loin pour pouvoir rentrer chez elle au moment des vacances. Une fille adorable, intelligente elle aussi. Elles discutaient pendant des heures, ces deux-là. On n'arrivait pas à les suivre.

Cassie hochait la tête. Un autre aspect de la vie de sa mère se trouvait ici même, dans cette maison. Des moments enfuis, estompés, réduits à des souvenirs, comme Rose elle-même.

Charlie se pencha et posa une main rassurante sur le genou de Cassie.

— La question, voyez-vous, Doris… Je peux vous appeler Doris, n'est-ce pas ?

— Bien sûr.

— Eh bien, le fait est qu'on aimerait beaucoup pouvoir parler avec d'autres amies de Rose. Se faire une idée de sa vie à Raleigh.

— Je regrette, chéri, dit Doris en secouant la tête. C'était il y a si longtemps ! Et Margaret est la seule qu'elle ait amenée ici. Elle avait peur de ce qu'elles pourraient penser, j'imagine. C'étaient des filles tellement chics, dans cette bande. Mais après, elles ont été formidables. Elles ont organisé une superbe cérémonie dans leur chapelle en son honneur. Toute l'université était là.

— Je vois, dit Cassie dans un souffle, en repensant aux adieux à Evie, une blessure à vif dans son cœur. Mais quand c'est arrivé… Y avait-il eu des signes annonciateurs ? Il y a des étudiants pour qui la pression est trop forte. La charge de travail, un milieu tout nouveau…

Doris secouait la tête.

— Nous avons tous été choqués. Surtout la pauvre Margaret. Elle était tout bonnement inconsolable. Elle n'arrivait plus à continuer. Elle a fini par retourner en Amérique. Mais Rose, non, elle n'avait parlé de rien. Peut-être que certaines personnes montrent des signes annonciateurs, mais pas elle. Rien…

Elle ajouta après réflexion :

— Elle était peut-être un peu plus calme. Je me rappelle qu'elle est venue passer le week-end ici juste avant… Elle disait avoir plein de soucis en tête. L'approche des examens. Je crois aussi qu'on lui avait proposé un job d'été, et qu'elle n'était pas sûre de vouloir le prendre.

Cassie se redressa, alertée par cette phrase.

— Quel genre de travail ? Elle vous l'a dit ?

Doris fronça les sourcils.

— Je suis désolée. Ça remonte à loin. Si ça se trouve, ce n'était pas vraiment un travail. Peut-être une occasion qui se présentait. Oui, c'est ce qu'elle disait. Une occasion de changer de vie. D'être avec des gens importants.

Charlie griffonnait des notes dans son calepin.

— Vous ne vous rappelez rien d'autre ? demandat-il. Une allusion qu'elle aurait pu faire, un détail… Non ?

Doris laissa échapper un soupir.

— Je regrette, chéri. C'étaient des temps très durs. Je crois qu'on a tous essayé d'oublier. J'en parlerai à Pete, je verrai s'il se souvient de quelque chose.

— Merci, dit Cassie.

Mais elle était déçue. Ils n'avaient rien appris de nouveau, rien qui permît d'entrevoir des réponses. Elle se leva. Charlie fit de même, non sans rafler au passage les derniers biscuits, pour se les fourrer dans le bec.

— Vous nous avez beaucoup aidés. Désolé d'avoir remué ces souvenirs.

Doris soupira de nouveau.

— Pas de problème. J'espère avoir été utile. Ce genre de tragédies, ça n'a tout simplement pas de sens. Perdre une fille comme ça… Elle avait toute la vie devant elle.

Elle les précéda jusqu'au vestibule. Charlie lui tendit un papier avec son numéro.

— Si jamais quelque chose vous revient, dit-il.

Ils entendirent une clef tourner dans la serrure. Doris regarda vers la porte d'un air ravi.

— C'est mon frère. L'oncle de Rose. Il pourra peut-être vous aider aussi.

La porte d'entrée s'ouvrit sur un homme âgé qui secouait son parapluie en disant :

— Je ne reste pas. Ils ont besoin de moi à la loge, ce soir.

C'est alors qu'il se tourna vers eux. Cassie en resta pétrifiée.

C'était Rutledge, le gardien.

26

Rutledge se figea au seuil du vestibule.

— Ces charmantes personnes sont venues pour Rose, expliquait Doris sans se rendre compte de rien.

— Vraiment ? dit Rutledge après s'être raclé la gorge. Eh bien ! Dommage que je ne puisse pas rester. Comme je le disais, il faut que j'y retourne.

Il avait sous le bras un paquet avec des livres qu'il donna à Doris en fuyant le regard de Cassie.

— Tiens. De quoi t'occuper cette semaine.

— Merci, chéri, dit Doris, lourdement cramponnée à son déambulateur. Tu es sûr que tu ne veux pas t'asseoir une minute et discuter un peu ? Tu as toujours eu une meilleure mémoire que moi.

Elle adressa un sourire à Cassie.

— Une mémoire photographique, pour ainsi dire. Celui-là, croyez-moi, il est capable de se rappeler quels gâteaux on a mangés avec le thé en 1985.

Les pensées de Cassie s'emballaient.

— Je repasserai demain, répondit aussitôt Rutledge.

Il serra la main de Cassie.

— Ravi de vous connaître…

Il remit sa casquette. L'instant d'après, il disparaissait sous la pluie.

— Merci beaucoup, dit Cassie en se précipitant sur la porte.

Elle entendait Charlie s'excuser derrière elle. Mais elle n'avait pas le temps de s'attarder ni de prendre congé dans les formes. Pendant leur discussion, la nuit était tombée. Les rues étaient froides, humides. Cassie pouvait encore voir la silhouette de Rutledge ; il courait.

— Attendez ! cria-t-elle en courant, elle aussi, sur le trottoir. S'il vous plaît ! Attendez !

Il ne ralentit pas l'allure. Elle le poursuivit jusqu'au bout de la rue, le rattrapa, le prit par le bras et l'obligea à lui faire face. Essoufflée, elle l'interrogea :

— Vous connaissiez Rose ?

Il essaya de se dégager. Il jetait autour de lui des regards craintifs.

— Plus bas, jeune fille. Je ne veux pas d'ennuis.

— Mais qu'est-ce qui se passe ? cria Cassie, contrariée. Pourquoi ne voulez-vous pas me parler ? Qu'est-ce que vous savez ?

— Laissez tomber ! dit Rutledge avec un regard de détresse. Pour l'amour du ciel. Vous n'imaginez pas où ça risque de vous mener.

Elle essayait à toute force de garder son calme.

— Mais dites-moi ! Parlez !

Des pas résonnèrent sur le trottoir derrière eux. Charlie parvint à leur hauteur et les considéra tous les deux.

— Il sait ! lui dit Cassie, au désespoir. Il travaille à Raleigh. C'est l'oncle de Rose. Il sait quelque chose.

Rutledge fit mine de s'en aller, mais Charlie le retint et l'avertit :

— Vous ne bougez pas d'ici. J'en ai marre de courir après les fantômes de cette satanée ville !

Les phares d'une voiture trouèrent l'obscurité. Le véhicule descendait lentement la rue. Rutledge recula et se détourna pour se cacher sous son parapluie.

— Je ne veux pas d'ennuis, reprit-il. Vous n'auriez pas dû mêler Doris à cette histoire.

Il surveilla la voiture jusqu'à ce qu'elle disparaisse. Il était secoué, manifestement.

— Elle ne sait rien.

— Mais vous, vous savez quelque chose, dit Charlie en se rapprochant de lui, comme pour le dominer.

— Le café Angie's, lâcha Rutledge d'une voix si basse qu'ils l'entendirent à peine. Sur Wiltmore Street. Dans une demi-heure. Sinon, je vais être obligé de passer chez Doris tous les jours. Si les gens qui vous inquiètent tellement ne l'avaient pas encore repérée, à présent c'est fait !

D'un ton résigné, il ajouta, pour Cassie :

— Je me demandais quand vous finiriez par venir. Mais, bon… Vous êtes la fille de votre mère. Une fille trop intelligente pour ne pas s'attirer d'ennuis.

*

Ces mots hantèrent Cassie tout le long du trajet.

— Il n'y sera pas, dit-elle en remontant le col de son manteau.

Les rues étaient froides, sinistres, désertées par les touristes et les piétons. La ville, qui récupérait des fêtes du jour de l'an, semblait endormie et comme dénudée.

Charlie marchait vite, tête basse.

— On sait où le trouver, alors il viendra.

Le café Angie's était l'une des seules enseignes affichant « Ouvert ». Cassie et Charlie y étaient déjà venus ensemble. Des fenêtres embuées et des relents de graillon, une serveuse qui affichait son ennui et leur indiqua un box tout au fond sans se donner la peine de réfléchir. Cassie se glissa sur la banquette pendant que Charlie fouillait la salle du regard. Ils étaient les seuls clients, à part un couple de personnes âgées prenant le thé et deux hommes plongés dans les pages sportives d'un journal.

— Il sait qui je suis, dit-elle en tripotant son pendentif craquelé, le seul souvenir de sa mère. Je n'arrive pas à le croire. Il était là tout ce temps. Il pourrait tout me raconter.

— Vous êtes sûre d'avoir envie de savoir ? hasarda Charlie.

— Comment ça ?

— Vous voyez bien que ce type était mort de trouille, dit-il en promenant sur le bar un regard inquiet. Il sursautait au moindre bruit. Ce que vous avez vu à Gravestone…

— Je ne sais pas ce que j'ai vu ! protesta Cassie.

— Vous savez que ce n'était pas bien. Écoutez…

Il lui prit les mains.

— Voilà maintenant des semaines que je m'intéresse à cette histoire. Et qu'est-ce que j'ai trouvé ? Des corps.

Il baissa la voix.

— Des corps par dizaines. Par centaines, même. Peut-être davantage, si ça se trouve. Je ne sais pas qui étaient ces gens, ni ce qu'ils avaient fait, mais merde ! ils ne sont plus là.

— C'est vrai.

Il lâcha brusquement les mains de Cassie. Rutledge se tenait près de leur table, affichant une grimace prudente. Il tira une chaise. Puis le silence s'installa jusqu'à ce que la serveuse ait pris les commandes.

— Eh bien ! dit Rutledge en regardant Cassie, me voici.

Elle prit une inspiration. Par où commencer ?

— Vous savez qui je suis. Vous savez qui était ma mère ?

Il approuva du chef.

— Je n'ai pas su tout de suite. Mais après, j'ai recomposé le puzzle. Ce n'est pas prudent, de fouiner comme ça. Je ne connais qu'une personne susceptible de s'intéresser aux dossiers de Margaret Madison.

Cassie se cala sur la banquette et réfléchit rapidement.

— La photo dans ma boîte aux lettres, murmura-t-elle. Avec au dos cette citation de l'École de la Nuit…

— Nous avons pensé qu'il était temps de vous orienter dans la bonne direction, dit Rutledge. De vous faire savoir qui sont vos vrais amis.

— « Nous » ? dit Charlie, attrapant ce mot au vol. Qui d'autre est impliqué ?

Rutledge se tut un instant, le regarda d'un œil méfiant et interrogea Cassie :

— Lui, qui est-ce ?

— Il est avec moi.

Rutledge toisa Charlie.

— Vous avez confiance ?

Charlie répondit lui-même d'un ton agressif :

— Vous avez beau dire, mon vieux, c'est vous qui avez des trucs à cacher, pas moi.

— Vous ne savez pas où vous mettez les pieds, répliqua Rutledge d'un ton calme.

Et, regardant à nouveau Cassie, il ajouta :

— Vous non plus. Réfléchissez à ce que vous allez trouver en remuant tout ça. De vieux ossements. Du mauvais sang. Il y a des choses qu'il vaut mieux ne pas déterrer.

— C'est trop tard ! s'exclama Cassie, contrariée. Vous me faites tourner en rond depuis des mois !

Il fronça les sourcils.

— Ça n'aurait pas dû être vous. C'est Maggie qu'il nous fallait. Ils voulaient qu'elle revienne. Et qu'on en finisse.

— Qui ça, « ils » ? insista Cassie. Mais de qui parlez-vous ? demanda-t-elle avant d'enchaîner : S'il vous plaît. Il faut que je sache ce qui se passe. Les Mandeville, la société secrète, tout. Vous ne savez pas ce que ces réponses représentent pour moi. Je cherche depuis si longtemps ! J'ai besoin de connaître la vérité.

Rutledge étudiait le visage de Cassie. Puis il hocha la tête.

— Ils sont là depuis toujours, dit-il en se penchant pour qu'eux seuls puissent entendre. Avant moi. Avant nous tous. Ça remonte au tout début, comprenez-vous ? Quand ils ont créé l'université. Ils l'ont bâtie sur quelque chose de très noir. Sur la force la plus noire qui existe. Ils voulaient la connaissance, Raleigh et tout le reste. Ils ont conclu un pacte diabolique pour avoir tout ça…

Il ajouta sans laisser à Cassie le temps d'intervenir :

— Comment ça marche, je l'ignore. Et je ne veux pas le savoir. C'est plus sûr.

— Plus sûr ? Des gens sont morts !

— Oui. Y compris ma petite Rose.

Il lui jeta un regard mauvais.

— Alors, ne me jugez pas. J'ai payé pour leur cruauté. Plus cher que quiconque.

Cassie luttait pour garder son calme.

— Ils voulaient que maman revienne, dites-vous. Mais qui ça, « ils » ? Et comment avez-vous fait pour la retrouver ? Elle a changé de nom après son départ. Elle n'en a jamais parlé.

— Qui l'a aidée à partir, à votre avis ? dit-il en adressant à Cassie un sourire triste. Mais n'allez pas trop vite en besogne. Vous voulez vraiment connaître toute l'histoire ? Alors il faut écouter jusqu'au bout.

Il attendit que les tasses de thé soient sur la table.

— Je travaille à Raleigh depuis que je suis tout jeune. Mon père y travaillait aussi. Et son père, pareil. C'est le cas de plein d'employés. Nous autres, personne ne nous remarque…

Il grimaça un sourire.

— Ils trouvent normal qu'on soit là. Pour faire le ménage, entretenir les jardins, distribuer le courrier. Sauf que rien ne nous échappe. Alors, dès mon arrivée, j'ai entendu parler de ces histoires. Il y avait une société secrète dans l'université. L'École de la Nuit. Ils prenaient ce qu'ils n'auraient pas dû prendre. Ils faisaient des choses qui allaient contre les hommes et contre Dieu. Personne ne parlait ! En tout cas, pas à voix haute. Mais tous, on savait qu'un truc ne tournait pas rond. Toutes ces morts. Des suicides, qu'ils disaient. L'un d'eux, c'est moi qui l'ai trouvé. Un garçon. Il s'était pendu avec sa ceinture au chambranle.

Il secoua la tête et se tut un instant.

— C'était par cycles. J'ai constaté ça au bout d'un moment. Des années passaient, on se disait que cette fois, c'était peut-être bien fini. Et tout à coup, alors que les choses s'étaient calmées, on retombait dans une période noire…

Cassie ne put s'empêcher de l'interrompre :

— Et vous n'avez pas parlé. Pourquoi ? Puisque vous saviez…

— Parler à qui ? dit Rutledge, glacial. Ils tiennent la police. Tout est toujours repoussé sous le tapis. Et pour dire quoi ? Le couvercle est refermé aussi sec sur les événements. Pas de preuves. Rien. De toute façon, c'est notre gagne-pain.

Il soupira, renfrogné, l'air de s'écœurer lui-même.

— Un pacte démoniaque. Voilà ce que c'est. J'ai vu et je n'ai rien dit. Jusqu'à la mort de Rose.

Il but une longue gorgée de thé. Sa main trembla en reposant la tasse dans la soucoupe.

— Ouais. Je savais qu'il se passait de vilaines choses à Raleigh. Alors je l'ai suppliée de s'inscrire ailleurs. N'importe où, mais pas à Raleigh. Elle n'a rien voulu entendre. Elle était venue me voir là-bas, vous comprenez. Elle en rêvait depuis toute petite. Pas question d'envisager autre chose.

Il soupira.

— Et même alors, j'ai pensé que peut-être… Il y a eu une poignée d'années tranquilles. Normales, disons. Mais tout a changé l'année où est arrivée cette bande. C'est toujours pareil : les grandes familles, celles qui se connaissent depuis des lustres. Comme vos Mandeville aujourd'hui. À l'époque, c'était leurs pères et leur gang. Ils étaient aristocrates, et certains d'entre eux le sont encore. Rose s'est mise à frayer avec eux. Votre maman aussi. Les soirées, les fêtes jusqu'à point d'heure, les voyages…

Il se tut. Il respirait mal, ses yeux étaient mouillés.

— Le temps de comprendre, c'était trop tard. Rose était à fond dans tout ça. Elle les idolâtrait. Eux et le sol qu'ils foulaient. Ils lui avaient laissé entendre qu'elle était des leurs, qu'elle pouvait fréquenter ces cercles-là.

Il ajouta en gratifiant Cassie d'un hochement approbateur :

— Votre maman, c'était la plus intelligente. Elle avait compris que ces gens-là n'étaient pas clairs. Elle m'a demandé de l'aider. Mais Rose, elle, s'obstinait. Elle ne voulait rien savoir. Jusqu'à ce que… Jusqu'à ce qu'il soit trop tard.

— Ils font quoi, intervint Charlie, pour que les gens en arrivent à se donner la mort comme ça ? J'ai épluché tous les dossiers. Il n'y a rien. On parle de suicide, c'est tout. Rien qui éveille les soupçons. Jamais de signal d'alarme.

Rutledge soupira.

— J'en ai vu, au fil des années. J'ai eu tout le temps de me poser des questions. Comment ces jeunes gens peuvent perdre la tête ainsi. Ne même plus savoir qui ils sont, ni pourquoi ils doivent rester en vie. Mais si ça se trouve, ce n'est pas qu'ils ont perdu l'esprit…

Il se tut un instant. Il les observait attentivement.

— Si ça trouve, on le leur a pris.

Cassie retint son souffle. Elle se rappelait le labyrinthe. L'air qui s'enflammait. Les pulsations d'énergie qui semblaient s'échapper des victimes en direction d'Olivia et des autres. On était au-delà de la science, au-delà de la logique, au-delà de tout ce en quoi Cassie pouvait croire.

— Ils leur vident la tête ou un truc comme ça ? demanda Charlie en plissant le front.

Rutledge haussa les épaules.

— Ces gamins… C'est comme si quelqu'un les vidait de quelque chose, avant de les lâcher dans le vide.

— Evie n'était plus elle-même, dit Cassie à voix basse. Avant… Avant d'en arriver là. Elle s'est effondrée d'un coup. Elle allait bien et la minute d'après, on aurait dit qu'elle craquait de partout.

Rutledge approuvait.

— Rose, c'est pareil. Ils lui ont pris quelque chose et elle n'est plus la même…

Il se corrigea :

— Elle n'était plus la même. C'est pour ça que j'ai donné un coup de main à votre maman. Je l'ai éloignée avant qu'ils la bousillent elle aussi. Elle en savait trop. Ils ne l'auraient plus laissée partir, surtout qu'elle était enceinte de vous. Fuir était son seul espoir.

Il avait connu la mère de Cassie. Il l'avait aidée. Peut-être pouvait-elle se confier à lui…

— Et mon père ? demanda-t-elle, le cœur battant.

— Je n'ai pas posé la question, soupira Rutledge. Et elle ne me l'a jamais dit.

Charlie fixait Rutledge.

— Qu'est-ce vous attendez ? demanda-t-il. Si vraiment vous avez eu l'intention de protéger Cassie autrefois, pourquoi ne pas lui dire la vérité aujourd'hui ?

— J'aurais préféré que vous ne veniez pas, dit Rutledge à Cassie. Ne réveillez pas le chat qui dort, comme on dit. Mais les autres… Les employés. Ils en ont assez. Ça recommence. Les morts. Le cycle. Ils préparent quelque chose d'important.

— La levée, murmura Cassie.

Rutledge lui jeta un regard sévère.

— Où avez-vous entendu ce mot ?

— À la soirée. C'est ce qu'a dit Olivia : « La levée est proche. »

Elle frissonna. Rutledge hochait la tête.

— Si on a bien compris, c'est quelque chose comme ça. Tous les vingt-cinq ans, plus ou moins. Un genre de cérémonie, de rituel au cours duquel ils se réunissent et relancent leurs sales affaires. Ils nouent le lien avec la génération suivante, pour qu'elle puisse entrer dans le monde et y faire… Dieu sait quoi !

Ces mots coulèrent comme une pierre dans les pensées de Cassie. Elle s'était tellement concentrée sur cette ville, sur la poignée de noms dont elle disposait, qu'elle n'avait même pas envisagé l'affaire dans une dimension plus vaste.

— Vous voulez dire que ça ne concerne pas seulement Oxford ? demanda-t-elle, le cœur serré.

— Ils sont partout, confirma Rutledge en la regardant de ce même œil sévère, comme s'il pensait qu'elle aurait dû le savoir. À votre avis, ces gens, qu'est-ce qu'ils font une fois diplômés ? Mandeville, c'est le point de départ. Après, ils dirigent des sociétés, des gouvernements aux quatre coins de la terre. Et cette levée… c'est la source de leur pouvoir. On a remarqué qu'il y a des morts quand arrive ce rituel. On dirait qu'ils bâtissent leur force en prenant plus que ce qu'ils devraient prendre.

Cassie se rappelait qu'Olivia avait dit autre chose : elle avait parlé d'une offrande. Il fallait sacrifier quelqu'un qui leur donnerait tout.

Rutledge s'éclaircit la gorge.

— La levée est proche. C'est pourquoi nous voulions voir votre maman. Elle est l'une des seules personnes assez fortes pour leur avoir échappé. Elle leur a résisté, je ne sais pas comment. Alors on lui a envoyé ce colis pour qu'elle revienne et qu'elle en finisse une fois pour toutes avec ça. Nous avions presque perdu espoir quand vous avez débarqué avec vos questions et commencé à tout remuer. Pourquoi ce n'est pas elle qui est venue ?

— Parce qu'elle est morte, répondit Cassie, doucement.

Un silence. Le visage de Rutledge s'assombrit.

— Alors maintenant, il n'y a plus que vous.

— Que nous, rectifia Charlie. Et vous ne nous avez pas tout dit. Vous auriez voulu qu'elle fasse quoi, la mère de Cassie ? Ces gens sont puissants. Merde ! L'un d'eux est sur le point d'être propulsé Premier ministre ! Comment les arrêter ? Qu'est-ce qu'on peut faire à nous deux ?

Rutledge les regarda tristement.

— En l'absence de Margaret, personne ne peut rien faire. Ils prennent ce qu'ils veulent. Après, on n'a plus qu'à nettoyer leurs saletés derrière eux. Et ça… ce n'est que le début. Ils sont là, dehors. Ils sont partout. À prendre plus que leur part… à déclencher des guerres, à s'enrichir grâce à leurs carnages.

Il se leva soudain. La détresse et l'impuissance se lisaient dans ses yeux. Il dit à Cassie :

— Votre mère avait l'intelligence pour ça. Elle est partie quand elle le pouvait encore. Ne vous lancez pas là-dedans, c'est perdu d'avance. Sauvez-vous avant qu'ils ne vous prennent tout, avant qu'il ne vous reste plus rien.

Il fit demi-tour et se fraya un chemin entre les tables, avant de disparaître à nouveau dans la nuit.

Cassie se cala sur la banquette et déroula le fil de ce qu'elle venait d'entendre. Elle croisa le regard de Charlie de l'autre côté de la table ; il essayait de lire en elle.

— Vous y croyez, à cette histoire ? demanda-t-il.

Elle hocha doucement la tête. Ce que faisaient Olivia et Hugo était réel. Elle l'avait vu de ses propres yeux. Les cadavres et les vies brisées qu'ils laissaient dans leur sillage étaient réels aussi. Et tout cela ne concernait pas seulement Oxford : leur cruauté se répandait de par le monde sans rencontrer d'obstacle. Personne ne les arrêterait.

Sauf si elle décidait de le faire.

27

— Quelque chose cloche, dit Cassie.

Elle faisait les cent pas dans la mansarde en parlant au téléphone avec Charlie.

C'était le dernier jour des vacances. Le lendemain, les étudiants allaient rentrer. Les tutorats et les cours reprendraient. Pour Cassie, il semblait presque absurde de recommencer à rendre des devoirs et à débattre de l'intérêt des coalitions gouvernementales après les événements des dernières semaines ! Mais elle savait qu'il allait falloir sauver les apparences, feindre de s'intéresser encore à ses études. Du moins si elle voulait rester à Raleigh le temps de rassembler les derniers éléments sur l'École de la Nuit.

— Si vous me faisiez un résumé, chérie.

Elle ne put s'empêcher de sourire.

— Rutledge. Il me cache quelque chose.

— Avec tout ce que ce type ne dit pas, il y aurait de quoi écrire un sacré bouquin, soupira Charlie.

Elle entendait le son étouffé d'une télévision derrière lui. Un instant, elle l'imagina bien au chaud dans son bel appartement, à l'autre bout de la ville.

— Je ne vois pas ce qu'il pourrait dire de plus, à moins de le coincer et de le cuisiner.

Elle se mordit la lèvre.

— Ça m'a intriguée, sa façon de parler de Rose. Qu'il dise qu'elle n'est plus la même. Il parlait au présent.

— Il est vieux, médita Charlie. Les vieux se mélangent les pinceaux tout le temps.

— Le corps n'a pas été retrouvé. Or Rutledge a réussi à éloigner ma mère, à lui procurer une nouvelle identité, à lui permettre de prendre un nouveau départ. Pourquoi il n'aurait pas fait pareil avec Rose ?

— Vous pensez qu'elle est toujours en vie ? murmura Charlie.

— Je ne sais même plus ce que je pense ! dit-elle en se laissant tomber sur une chaise. J'ai l'impression d'être comme ces philosophes que j'étudie en ce moment. Un jour, quelqu'un débarque en disant : « Au fait, tout ce que tu croyais savoir sur le monde, ça ne tient plus. » C'est tellement dingue… Pourtant, j'ai vu tout ça de mes propres yeux.

Charlie soupira puis lâcha sans enthousiasme :

— Je pourrais peut-être vérifier les registres de propriété. Voir si Rutledge n'aurait pas une maison cachée.

— Si c'est le cas, ce ne sera pas la porte à côté, s'impatienta Cassie. Peut-être même à l'étranger, si ça se trouve. Vous l'avez entendu comme moi : il aurait voulu pouvoir l'emmener aussi loin que possible. Vous ne pourriez pas étudier son passeport ? Il a peut-être voyagé.

— Je vais voir ce que je peux faire, approuva Charlie. Mais vous ? Ils vont bientôt débouler, non ?

Inutile de préciser à qui il faisait allusion.

— Demain. Je vais être obligée de faire comme si de rien n'était.

Elle frissonna, mal à l'aise. Elle n'avait toujours pas parlé à Charlie de ce qui s'était passé avec Hugo. D'ailleurs, elle s'interrogeait sur Hugo. Allait-elle encore pouvoir jouer la comédie avec lui ? N'avait-il pas deviné son jeu ?

— Ça va aller, Charlie. Ne vous inquiétez pas. Demain, c'est le début du trimestre. Je serai prise par mes études. Ils comprendront.

Mais à peine avait-elle raccroché, et éloigné le téléphone de son oreille, que l'appareil se ralluma. Elle avait reçu un SMS :

De retour à Raleigh. On se prend un verre ?

Hugo. Elle regarda l'écran, le cœur au bord des lèvres. Elle tapa une réponse :

En plein boulot. Désolée. Une autre fois !

Elle tira les rideaux à la fenêtre et vérifia que la porte était bien verrouillée. Tout était sombre et froid. Elle frissonna en songeant aux ombres tapies dehors, qui la surveillaient.

Elle avait dit à Charlie qu'elle arriverait à se conduire comme si tout était normal. Mais faire semblant, bavarder de tout et de rien avec ces gens, après ce qu'elle avait vu… Jouer la comédie, alors que son cerveau tournait à plein régime ! Alors qu'elle essayait de faire face aux terribles vérités qu'elle avait mises au jour…

Et s'ils venaient à se rendre compte qu'elle avait compris ? Cassie leva les yeux vers la poutre. Elle revit le corps désarticulé d'Evie.

Ils l'avaient tuée. Certes, ils n'avaient pas pris eux-mêmes le bout de tissu pour y faire un nœud coulant et ne l'avaient pas enroulé à la poutre. Mais ils avaient poussé Evie à le faire. Ils l'avaient brisée, vidée de toutes ses défenses, jusqu'à ce qu'il ne lui reste plus qu'une tête vide.

Cassie, en même temps, était gagnée par une détermination nouvelle. Elle trouverait un moyen de les arrêter. Il le fallait. Avant qu'ils ne décident d'en finir avec elle.

*

Hugo envoya deux autres SMS les jours suivants, auxquels Cassie répondit par de banales excuses. Elle filait à ses cours en quittant Raleigh par la porte de derrière. Pour éviter de tomber sur Olivia et les autres, elle allait se cacher à la bibliothèque. Elle rasait les murs de la fac comme une voleuse, une espionne, le cœur battant, angoissée à l'idée qu'un membre de la bande la surveillait peut-être. Charlie venait aux nouvelles deux fois par jour, quelquefois trois. Il se faisait de toute évidence du mauvais sang. Il lui dit au téléphone d'un ton insistant :

— Venez vous poser chez moi. Votre appart n'est pas sûr. Ils sont déjà entrés une fois.

— De quoi ça aurait l'air ? répondit-elle comme on lance un défi, en marchant d'un pas vif entre les piétons qui se hâtaient d'aller déjeuner. Ils savent que vous fouillez dans le dossier de Rose. S'ils n'ont pas encore compris qu'on se connaît, ce sera bientôt chose faite.

Elle se rendait chez Elliot en vérifiant l'adresse qu'il lui avait envoyée. Elle atteignit une rangée de maisons étroites blotties les unes contre les autres. C'était là.

— À propos de fouiller dans les dossiers, il y a du nouveau sur Rutledge ?

— Pas encore, dit Charlie, contrarié. Mon chef ne me lâche pas la grappe. Mais cet après-midi, il n'est pas là. Je vais pouvoir m'en occuper.

— Appelez-moi après. Charlie ? Ne vous en faites pas trop.

— N'allez pas vous attirer des problèmes, répondit-il, bourru.

Il raccrocha.

Elle rangea son téléphone et s'avança vers l'immeuble d'Elliot. Elle poussa la porte d'entrée. En haut résonnaient des rires et de la musique. Elle monta le petit escalier jusqu'au dernier étage. Dans le studio minuscule, c'était la fête.

— Cassandra !

Elliot se détacha du vacarme, une bouteille de champagne dans chaque main et les cheveux hirsutes.

— Bonne année ! Tu m'as l'air… Eh bien ! j'allais dire : « Tu m'as l'air reposée », mais non. On dirait que tu as passé toutes les vacances dans ton coin, à picoler en matant de vieux épisodes d'*À la Maison-Blanche*. Ah non, attends… Ça, c'était moi.

Il l'embrassa sur les deux joues, exubérant. Il était pompette, pas de doute. Cassie, surprise, eut un mouvement de recul.

— C'est quoi, cette fête ? demanda-t-elle en se laissant attirer à l'intérieur. Il n'est pas un peu tôt pour attaquer au champagne ?

Un homme lança derrière eux :

— Ma chère, il n'est jamais trop tôt pour le champagne.

Elle riait, encore gênée. Le studio était noir de monde. Des peintures s'étalaient partout sur les murs : les tableaux d'Elliot.

— La fête, c'est pour me souhaiter bon voyage, dit-il, rayonnant.

Le moral de Cassie s'effondra.

— Tu pars ?

— Adieu, la compagnie ! dit-il, théâtral. Je prends mon sac et je vais courir le monde…

Il se corrigea aussitôt :

— Londres, en fait. J'ai décroché une expo !

— Dis plutôt un mécène, intervint à nouveau l'homme étrange, avec une pointe de jalousie dans la voix.

Elliot était tout sourire :

— Maintenant, je vais pouvoir contribuer à la répartition des richesses ! Vous tous, artistes qui crevez de faim, je vous présenterai à mes riches amis !

— Très peu pour moi, dit l'homme. Être entretenu ! Financé par un millionnaire pour pouvoir créer ! C'est le contraire de la liberté de l'artiste !

Sur ces mots, il tourna les talons.

— Félicitations, reprit Cassie.

Elle s'efforçait de paraître enthousiaste, mais la déception lui gonflait la poitrine. Elliot comptait parmi les seuls amis qu'elle avait en ville. Et il était son allié dans ses recherches aux archives. Sans lui… Elle essaya de se reprendre :

— Alors ? Dis-moi tout. C'est qui, ce mécène ?

Il s'éclaircit la gorge.

— Les Mandeville. Leur trust.

376

— Les Mandeville ? fit Cassie, interloquée.

— Ah oui, c'est vrai, tu connais les enfants, c'est bien ça ? De toute façon, c'est juste une bourse qui me permet de faire ce que je veux pendant un an. Qui sait où ça me conduira ? Ils ont des accointances avec plein d'acheteurs privés et de galeries. C'est une occasion de sortir de mon trou.

Il fixa sur elle un regard inquiet.

— Tu me vois, coincé derrière ce bureau toute ma vie ?

— Bien sûr que non ! C'est vrai ! dit Cassie en s'obligeant à sourire. Super !

Elle tremblait maintenant à l'idée de voir Elliot approfondir ses liens avec les Mandeville. Elle se demanda si c'était en rapport avec elle. N'était-ce pas une façon d'éloigner de Cassie un allié, un informateur ? Elliot avait collecté toutes ces informations sur l'École de la Nuit. Avaient-ils eu vent de quelque chose, décidé qu'il valait mieux le sortir du décor ? Les recherches qu'elle effectuait ne la mettaient pas seulement en danger, elle. Lui aussi, désormais, courait un risque. Elle aurait dû réfléchir avant de l'entraîner dans cette histoire. Encore heureux qu'ils aient opté pour cette idée : une bourse d'artiste ! Ils auraient aussi bien pu choisir une solution plus radicale…

— Excuse-moi, dit-elle.

Elle le prit dans ses bras.

— De quoi ? dit-il en se dégageant, un pli soucieux sur le front. C'est à moi de m'excuser. Je te laisse garder la forteresse !

— Non, rien… C'est juste que… Félicitations !

Elle se dépêcha de changer de sujet et de le bombarder de questions, histoire d'étouffer ce bref élan.

— Tu pars quand ? Et là-bas, tu auras un studio aussi luxueux que celui-là, au moins ?

*

Le départ d'Elliot compliqua les investigations de Cassie : les risques ne faisaient que croître pour tous ceux qui étaient mêlés à l'affaire. Sans s'en rendre compte, elle avait mis en danger Elliot, Rutledge, et même Charlie. Plus elle en apprenait sur l'École de la Nuit, plus le péril grandissait. Elle-même sursautait dès qu'elle apercevait une ombre en rentrant chez elle. Quand elle était à la mansarde, les cris venus du dehors la faisaient tressaillir. Hugo avait-il dit aux autres qu'il l'avait trouvée dans le labyrinthe ? Savaient-ils qu'elle était la fille de sa mère ? Et ainsi de suite…

C'est presque avec soulagement qu'elle vit venir l'heure de son tutorat. Elle mit de côté ses recherches sur Margaret, sur Rose et sur l'École de la Nuit, pour concentrer son attention sur ses épais volumes de philosophie et consacrer du temps à la rédaction de son devoir. Mais le lendemain, en traversant le campus pour gagner le bureau de Tremain, elle ne put s'empêcher de s'interroger. Jusqu'à quel point était-il impliqué dans les sombres activités du groupe ? D'après la brève conversation qu'elle avait surprise sous la terrasse, il contribuait à leurs mensonges depuis des années, et c'était déjà le cas au temps de Rose et de Margaret. Il craignait Henry Mandeville, c'était évident. Et elle lui en voulait encore plus d'avoir peur. Il avait sa part de responsabilité dans la mort d'Evie. Tous l'avaient.

Elle monta l'escalier menant au bureau de Tremain. En haut, elle retint son souffle et s'efforça de garder le contrôle de ses émotions. Il lui fallait se comporter comme si tout était normal. Pas question de laisser entrevoir la vérité. Elle se tint prête et ouvrit la porte.

— Ah ! mademoiselle Blackwell… Vous nous faites l'honneur de votre présence, à ce que je vois.

Tremain se détourna des livres ; son regard avait un reflet glacé.

— Je me demandais si nous vous reverrions. Je vous en prie, asseyez-vous avec vos camarades.

Il indiquait les sièges. Julia et Sebastian étaient déjà là.

Cassie sentit son cœur se serrer. Le sang se mit à battre dans ses tempes. Elle n'avait pas revu Sebastian depuis la nuit atroce de l'agression. Elle s'était presque imposé de le chasser de ses pensées. Elle vit qu'une cicatrice lui courait sur la figure, entre l'œil et la racine des cheveux. Il la regardait fixement : sa haine était manifeste, cinglante.

Elle se referma sur elle-même. Elle se rappelait le mur lui déchirant le dos, la main de Sebastian la prenant à la gorge…

— Non, murmura-t-elle.

Elle considérait Tremain d'un air abasourdi.

— Vous ne parlez pas sérieusement.

— Comment ça ? dit Tremain, impavide. Êtes-vous en mesure de participer à ce tutorat, ou non ?

Cassie cherchait de l'air. Ainsi on attendait d'elle qu'elle accepte de s'asseoir dans la même pièce que son agresseur ! Qu'elle discute philosophie comme s'il ne s'était rien passé. Comment Tremain pouvait-il lui faire ça ? Qu'essayait-il de prouver ?

— Nous ne pouvons pas traîner, mademoiselle Blackwell. Je vous ai déjà dit que si vous aviez un problème avec le fait d'assister aux cours, rien ne vous empêchait de faire machine arrière et de quitter Raleigh.

À sa façon de la regarder, il était évident qu'il voulait vraiment qu'elle s'en aille.

Elle respira profondément puis se dirigea vers un siège libre.

— Il n'y a pas de problème, dit-elle, mordante et résolue.

Elle s'assit et soutint le regard de Sebastian, refusant de détourner les yeux.

— C'est quand vous voulez, dit Tremain.

Comment allait-elle tenir une heure entière ? Elle n'arrivait à penser à rien d'autre qu'à la présence de Sebastian, à quelques centimètres d'elle. Son regard était sans cesse attiré par cette cicatrice qui lui barrait le front. Elle ne se rappelait pas lui avoir porté le coup qui aurait laissé cette trace. Pour elle, cette partie de la nuit se perdait dans un brouillard de détresse et de violence. Elle savait qu'elle aurait dû en éprouver de la culpabilité, mais au contraire elle en était étrangement fière. Au moins, il n'oublierait pas ses fautes trop vite : il pourrait les contempler sur son visage chaque fois qu'il se regarderait dans la glace.

Elle le haïssait, ainsi que Tremain qui l'avait obligée à revenir ici – à se remémorer sous forme de visions certains détails de la fameuse nuit, à en revivre les différents moments alors que le débat se poursuivait autour d'elle. La cloche de Raleigh résonna enfin, et Cassie se leva d'un bond. Tremain ne lui laissa pas le temps de quitter la pièce :

— Un moment, mademoiselle Blackwell.

Elle serra les mâchoires et attendit. L'angoisse, en elle, tournait à la fureur. Tremain fouillait dans ses papiers. Il obligeait Cassie à rester plantée là sans savoir que faire, pendant que Sebastian et Julia s'en allaient. Elle finit par s'énerver :

— C'est quoi, ce petit jeu ?

Tremain redressa brusquement la tête.

— Je vous demande pardon ?

— M'obliger à rester dans la même pièce que ce… cet animal.

Elle serrait son classeur contre sa poitrine pour ne pas trembler.

— Que je sache, répondit le professeur, c'est lui qui était sur un lit d'hôpital. Il a déjà manqué plusieurs semaines de tutorat à cause de vous. Il serait injuste d'exiger de sa part un plus grand sacrifice.

La rage cognait sous les côtes de Cassie.

— Vous me haïssez donc à ce point ? murmura-t-elle.

Tremain afficha brièvement un autre air. Était-il visité par la culpabilité ? Il se referma aussitôt pour reprendre son air supérieur et sarcastique.

— Vous vous flattez, mademoiselle Blackwell. Mon rôle ici est d'instruire, c'est tout. Et de ce point de vue, vous vous êtes révélée un obstacle dressé devant mes objectifs plutôt qu'une alliée.

Elle secoua sèchement la tête. Elle perdait son temps.

— Y a-t-il une lecture que vous recommandiez pour le devoir de la semaine prochaine ?

Il la regarda fixement. Manifestement, la question le laissait sans voix. Cassie sortit la bibliographie du trimestre et poursuivit :

— Plusieurs articles figurent sur votre liste. Y en a-t-il un qui soit conseillé pour la prochaine séance ?

— Je… Euh… Vous pouvez vous contenter de ceux signalés par un astérisque.

Il reprenait pied, mais elle était étrangement fière d'avoir réussi à le déstabiliser. S'il avait cru qu'elle allait tourner les talons et filer, il s'était trompé.

— À la semaine prochaine, alors.

Elle rangea ses notes et traversa la pièce. Elle descendit l'escalier le cœur battant et se retrouva dans les cloîtres.

Sebastian était là, il l'attendait.

Il vint à sa rencontre en la fixant d'un œil mauvais.

— Tu te rends compte de ce que tu m'as fait ? dit-il en écartant ses cheveux. Quinze points de suture. Encore heureux que tu ne m'aies pas arraché l'œil, espèce de dingue ! Salope…

Elle leva la main pour l'empêcher d'ajouter un mot de plus. La colère qui gonflait en elle se transformait en une bouffée de rage absolue, chauffée au rouge, qu'elle ne connaissait que trop bien.

— Arrête ! lâcha-t-elle. Ne me parle pas, ne me regarde pas. Si jamais tu t'avises de poser la main sur moi, putain ! je jure devant Dieu que tu es mort.

Ce qu'il lut dans les yeux de Cassie dut l'impressionner, car il céda du terrain. Cassie décida de garder l'avantage.

— Tu crois que je t'ai fait mal ? dit-elle en s'approchant si près de lui qu'elle pouvait voir frémir les nerfs de sa mâchoire. Tu crois que tu sais ce que ça veut dire, avoir mal ? Je ne t'ai rien fait du tout. Tu mérites de crever. La prochaine fois, je ne serai pas assez conne pour te laisser vivre.

Elle lui tourna le dos et s'éloigna. Ses mains tremblaient. La tête lui tournait, elle se sentait affaiblie. C'était stupide, de le menacer ainsi, après tout ce qu'elle avait subi à cause de l'université, mais elle s'en fichait.

Elle se dépêcha de traverser le campus et se retrouva enfin seule dans la mansarde. Une fois la porte refermée, elle s'effondra sur le sol et laissa un torrent de larmes brûlantes lui tremper les joues. Pleurer ne résoudrait rien : elle se répéta cette phrase encore et encore, jusqu'à ce que les larmes cessent enfin. Elle devrait vivre en sachant que Sebastian était là, dehors, sur le campus. Encore une personne à éviter.

Elle laissa échapper un rire sans joie. La liste s'allongeait tous les jours. Hugo, Olivia, et maintenant Sebastian. Tous les mêmes, en définitive. Ils prenaient ce qu'ils voulaient, sans laisser derrière eux autre chose que des ruines. Les faibles étaient leurs proies ; ensuite, leurs privilèges et leurs amis n'avaient plus qu'à faire le ménage.

*

La nuit était tombée quand Cassie parvint à se relever et à se faire couler un bain. L'épreuve du matin l'avait exténuée. Elle était plongée jusqu'au cou dans l'eau brûlante quand la sonnerie de son portable lui parvint de la pièce à côté. Elle s'extirpa de la baignoire et s'enveloppa dans un peignoir. Elle réussit à s'emparer du téléphone avant que la messagerie se déclenche.

— Cassie ? Qu'est-ce qui se passe, bon Dieu ? J'ai appelé toute la journée ! s'exclama Charlie, inquiet et paniqué.

— Je suis désolée.

Elle avait la bouche sèche.

— Je n'ai pas dû entendre.

— Décrochez quand je vous appelle, dit-il. J'étais prêt à venir cogner à votre porte, merde !

— Tout va bien, dit-elle avec lassitude. Une sale journée, c'est tout. Qu'est-ce qui se passe ?

— Apparemment, vous ne vous êtes pas trompée sur Rutledge. J'ai vérifié les registres de propriété. Il n'a rien, mais j'ai trouvé le compte rendu d'un incident survenu au pays de Galles il y a dix ans. La police a été appelée, et Rutledge cité comme témoin.

— C'était où ? demanda Cassie, à présent aux aguets.

— Dans un établissement de soins. Affections mentales de longue durée et gériatrie.

— Un service de psychiatrie ? dit Cassie en retenant son souffle.

— Pas loin, soupira Charlie.

Cassie regarda autour d'elle dans la mansarde. Elle s'efforçait de mettre de l'ordre dans ses pensées.

— On pourrait y aller quand ?

— Pas aujourd'hui. Le chef m'a refilé de la paperasse. Je vais devoir y passer le week-end. Si vous pouvez attendre la semaine prochaine, je passerai deux ou trois coups de fil. Sur place, on trouvera peut-être quelqu'un qui…

Elle le coupa :

— J'y vais. Pas la semaine prochaine. Maintenant. Il n'y a pas une minute à perdre. Quoi que signifie la fameuse levée qu'ils préparent, il faut qu'on en sache plus. Rose est la seule à avoir des réponses, il n'y a plus qu'elle…

— Et si elle n'est pas en état de parler ?

Cassie retint sa respiration. Elle ignorait ce qu'avait fait l'École de la Nuit, mais elle avait une occasion d'en apprendre davantage sur cette société secrète – et sur sa mère.

— Envoyez-moi l'adresse, dit-elle.

28

Le jour n'était pas levé quand Cassie prit le chemin de la gare. Il n'y avait personne dans les rues, à part les éboueurs et les livreurs, mais elle ne pouvait s'empêcher de regarder par-dessus son épaule à chaque carrefour. Ces pas qu'elle entendait derrière elle, étaient-ils réels ou le fruit de son imagination à fleur de peau ? Depuis qu'Elliot lui avait annoncé son départ pour Londres, elle constatait avec stupeur l'étendue du pouvoir dont jouissait l'École de la Nuit. Ils obligeaient la police à étouffer les suicides, ils imposaient à Charlie de cesser ses investigations. Et là, c'était encore autre chose : la frappe était plus précise, plus ciblée, avec un objectif situé tout près d'elle. Étaient-ils déjà au courant, pour ses recherches ? Qui sait jusqu'où ils oseraient aller ?

C'est donc avec soulagement qu'elle aperçut enfin les lumières de la gare où l'activité reprenait. Elle acheta un billet et un sandwich trop gras. Il lui fut impossible de se détendre, même une fois assise dans un wagon à moitié vide. Le train s'ébranla. Les maisons et les tours menaçantes cédèrent la place aux collines et aux vertes prairies. Cassie appuya sa joue contre la vitre froide. Elle s'efforçait de rassembler son courage.

Le mal se cachait à Raleigh, un genre de mal auquel elle n'avait jamais voulu croire. Elle savait depuis toujours de quels actes terribles les humains étaient capables, sous l'effet de la colère, du désir et d'envies égoïstes. Elle s'était résignée à considérer les péchés cachés dans le cœur des hommes comme une composante de leur nature. Mais le mal, cette fois, était encore plus noir. Il était contre nature, dépassait l'entendement. Et si ses théories étaient justes, il perdurait depuis des années. Des dizaines d'années.

Depuis des siècles.

Et ces forces noires n'opéraient pas seulement à Oxford ! Elles rayonnaient dans le monde entier. C'est ce qu'avait dit Rutledge : chaque nouvelle génération de la société secrète accroissait sa puissance pour la mettre au service de ses ambitions. Cassie tremblait en songeant au pouvoir que cette société était capable de déployer pour parvenir à ses fins. Ce pouvoir qui formait des gouvernements, déclenchait des guerres, modelait le monde à l'image de sa propre avidité, de sa propre cruauté.

Un tel mouvement pouvait-il être démantelé, avec le sombre héritage qui était le sien ? Cassie vit par la fenêtre le paysage se décolorer et se fondre en un mélange de gris. Pourvu que Rose ait les réponses ! Elle l'espérait de tout cœur. Elle était allée trop loin, désormais. Impossible de rebrousser chemin.

*

C'est un train presque vide qui déposa Cassie dans une gare rurale, minuscule. Plusieurs heures avaient passé. Elle fut la seule à descendre du wagon. Le ciel était noir, bruineux. La campagne semblait un océan vert sombre. Une route unique, sinueuse, circulait dans les collines. La seule âme présente en ces lieux était un chef de gare, somnolant derrière son guichet.

Cassie tapa à la vitre. Elle était gagnée par l'impatience.

— Excusez-moi !

L'homme battit lentement des paupières.

— Qu'est-ce que c'est ? Ah oui… Puis-je vous aider ?

— Je souhaite me rendre à… à l'Edgeley Falls Home, dit-elle en déchiffrant l'adresse qu'elle avait griffonnée. Je ne m'étais pas rendu compte que c'était si loin de tout.

Elle avait imaginé une ville, au moins, un lieu avec des taxis, des éclairages publics et un hôtel où passer la nuit avant le long voyage de retour du lendemain.

— N'ayez crainte, le bus va bientôt arriver, dit l'homme en consultant la pendule au mur. Il vous emmènera au village d'Edgeley. C'est à dix-huit kilomètres, par là.

Il hochait vaguement la tête.

— Et l'établissement de soins ?

— Pour ça, il faudra une voiture. Allez au pub et demandez Arthur. Il vous conduira.

Cassie se rappela que Charlie avait insisté pour qu'elle le tienne au courant par SMS. Il était déjà dans tous ses états à l'idée qu'elle parte toute seule, inutile de l'angoisser davantage. Elle sortit son téléphone pour lui envoyer un message, mais le chef de gare émit un gloussement :

— Il n'y a pas de réseau ici, ma poulette.

En effet. Sur l'écran, la réception était nulle.

— C'est parce qu'on est dans la vallée. Vous devriez avoir plus de chance au village.

— Merci.

Elle prit son sac, descendit les marches et s'installa à l'arrêt de bus. Regardant autour d'elle la campagne déserte, elle regretta Oxford et sa circulation.

Les minutes s'égrenèrent jusqu'à ce qu'un bus, enfin, soit en vue sur la colline. Cassie monta à bord et acheta un ticket pour Edgeley. Elle s'assit derrière deux femmes accrochées à leurs sacs à provisions. Elles cancanaient sur les péripéties advenues dans leurs familles respectives. Quand le bus s'arrêta à Edgeley, après des kilomètres de route, elle connaissait en détail la vie capricieuse de leurs enfants ; et c'est presque à contre-cœur qu'elle abandonna ce bavardage amical.

Edgeley était un peu plus accueillant que la campagne. Le village se composait de vieilles maisons autour d'une place verdoyante. Il y avait une petite église, une alimentation générale et, dans un angle, un pub avec sa façade à colombages. Cassie se hâta d'envoyer un SMS à Charlie pour lui dire qu'elle était bien arrivée. Puis elle se dirigea vers le pub, en quête de ce chauffeur appelé Arthur.

— L'établissement de soins ? demanda la serveuse dodue à la chevelure blond platine, avec un œil inquisiteur. Qu'est-ce que vous allez y faire ?

— Une visite, répondit Cassie sans donner d'autre précision.

Elle regarda les clients : un groupe de vieux dans un coin, deux gamins de même pas seize ans qui descendaient des pintes d'un air faussement nonchalant.

— Le chef de gare m'a dit qu'Arthur pourrait m'emmener.

La serveuse gloussa.

— Il aurait fallu appeler… Arthur vient de partir pour Withyham. Un boulot là-bas. Il ne sera pas de retour avant ce soir.

La nouvelle tomba comme un couperet.

— Vous pouvez faire le chemin à pied, suggéra la femme.

— C'est loin ? demanda Cassie en reprenant espoir.

— Environ quatre kilomètres. Mais c'est tout droit. Vous ne pouvez pas le manquer.

— Merci, dit Cassie en jetant un coup d'œil par la fenêtre, sûre maintenant qu'elle serait de retour plus tard que prévu. Il y aurait un endroit où passer la nuit ce soir ?

— On a des chambres en haut. Petites. Mais c'est seulement vingt livres.

— J'en prends une. Merci.

Le temps ne promettait pas de s'éclaircir. C'était une journée pourrie. Cassie, résignée à la pluie, sortit et prit la route de campagne dans la direction indiquée par la serveuse. Le vent froid et sifflant descendu des collines s'engouffrait sous son manteau et dans ses manches. Mais elle allait d'un bon pas. Levant la tête, elle distingua bientôt Edgeley Home.

Elle s'arrêta. L'établissement, perché au sommet d'une colline, se découpait sur le ciel nuageux. C'était un bâtiment de pierre à la façade carrée, inquiétante, lugubre. Cassie en franchit les lourdes portes. Elle parcourut l'allée, gravit un escalier et sonna à l'entrée.

Quelques minutes plus tard, la porte s'ouvrit sur une fille qui avait à peu près le même âge qu'elle, une infirmière en blouse bleue, aux cheveux attachés en chignon.

— Je peux vous aider ?

Son accent était australien. Elle était amicale, chaleureuse. Cassie prit une inspiration.

— Bonjour. Je suis désolée, j'aurais dû appeler, mais je viens voir une de vos…

Elle hésita. Quel était le bon terme ?

— Une de vos résidentes, décida-t-elle.

— Entrez avant d'attraper la mort, dit la fille en ouvrant grand la porte, et en guidant Cassie à l'intérieur. Bon Dieu ! Quel temps atroce ! Il pleut tous les jours depuis un mois ! Je ne sais pas comment ils font pour supporter ça. Je vais finir par me couper les veines. Merde ! Je ne devrais pas dire ce genre de choses ici, se reprit-elle en jetant autour d'elle un regard coupable.

— Pas de problème, dit Cassie avec un sourire chaleureux. Je m'appelle Cassie, au fait.

— Moi, c'est Trish, dit la jeune femme en lui serrant la main. L'infirmière, Janice, est absente pour la matinée.

Elle l'emmena à l'accueil, une pièce décorée simplement qui évoquait la salle d'attente d'un médecin : de vieux magazines sur une table basse, des marines accrochées au mur, une vague odeur d'antiseptique traînant dans l'air.

— C'est joli, fit observer Cassie, surprise.

— Je parie que vous vous attendiez à une maison hantée, genre horrible, dit Trish avec un grand sourire.

Moi aussi. Bon sang ! Le premier jour, quand le taxi m'a déposée à l'entrée, j'avais vraiment les boules. Mais ce n'est pas si terrible, finalement. On a une vingtaine de patients, un foyer, une salle de jeux, et même un jardin pour les jours où il ne pleut pas.

Elle était devant l'ordinateur du bureau.

— Vous venez voir qui ?

— Rose, répondit Cassie en espérant que Rutledge ne lui avait pas trouvé un autre prénom.

Trish s'illumina.

— Rose Anderson ? Super. Elle n'a pas souvent de visite. Ça va lui faire plaisir.

Elle cessa de taper sur le clavier.

— Mais je n'ai rien… Vous êtes de la famille ?

— C'est ma marraine, mentit Cassie. Je suis en Angleterre pour quelques semaines seulement. Alors je suis venue la voir.

— Eh bien… normalement, je ne peux pas laisser entrer quelqu'un sans avoir réglé les formalités administratives.

Elle regarda autour d'elle puis fit un clin d'œil à Cassie.

— Mais je suis sûre qu'il n'y aura pas de problème.

Elle fit le tour du bureau et emprunta un couloir en invitant Cassie à la suivre.

— Elle est comment ? demanda Cassie. Je veux dire, elle…

Trish eut une expression compatissante.

— Ça dépend des jours. Les médicaments lui font du bien. Enfin, quand elle les prend. En général, elle est très réservée. Elle aime bien la peinture. Des paysages. Des natures mortes, aussi. Elle doit être en train de peindre, justement.

Au bout du couloir, Trish bifurqua vers l'arrière de l'établissement et elles arrivèrent dans un atrium baigné de lumière. Plusieurs patients regardaient la télévision, lisaient ou restaient assis sans rien faire de particulier, impassibles ou somnolents. La plupart étaient en pyjama, ou emmitouflés dans d'épaisses robes de chambre en coton. Trish conduisit Cassie dans un coin. Une femme aux cheveux noirs se tenait près d'un chevalet. Elle avait une quarantaine d'années. Elle était vêtue d'un pantalon large et d'un tricot de laine bleu et violet. Un pinceau reposait dans sa main. La toile, devant elle, était blanche.

— Rose ? dit Trish, doucement. Rose, chérie, vous avez de la visite.

Rose se retourna. Ses paupières se levèrent sur des yeux vides.

— Janice ?

— Non, chérie. Trish. Vous vous rappelez ?

Elle lui prit le pinceau et l'entraîna vers un fauteuil.

— Votre filleule est venue vous voir. Cassie. C'est une bonne nouvelle, non ?

Rose considérait Cassie sans réagir. Elle ne ressemblait pas du tout à la fille photographiée en compagnie de Margaret ; elle paraissait vidée de sa substance, l'ombre de ce qu'elle avait été.

— Et si je vous apportais du thé ? proposa Trish. Je vais vous laisser parler tranquillement.

— Merci, répondit Cassie avec gratitude.

Elle prit un siège à côté de Rose. Trish s'éloigna, les laissant seules dans un coin de la salle, tournées vers la vallée humide, venteuse.

— Bonjour, dit Cassie doucement.

Rose plissa le front. Ses yeux lointains se mouillè-
rent. Elle dit d'une voix chevrotante :

— Je n'ai pas de filleule, si ?

— Non, se hâta de la rassurer Cassie. Mais vous
connaissiez ma maman. Je suis la fille de Margaret.
Vous vous souvenez d'elle ?

Elle tira de sa poche la photographie, la déplia en
répétant :

— Margaret. Vous avez fait vos études avec elle. Rappelez-vous. À Raleigh.

À ce nom, Rose sursauta dans son fauteuil et prit
peur.

— Je n'ai pas le droit de… pas le droit d'en parler.
Mon oncle…

— Il n'y a aucun problème, dit Cassie pour l'apaiser.
Votre oncle a dit que c'était bon. Pete, c'est ça ? Je le
connais. Ainsi que Doris. Tout va bien.

Rose la fixait en tremblant. Elle s'enfonça lentement
dans le fauteuil. Elle murmura en faisant tourner ses
bracelets autour de ses poignets :

— Tout ça, c'était comme un rêve.

— Qu'est-ce qui était comme un rêve ? demanda
Cassie en se penchant vers elle. De quoi vous
souvenez-vous ? Vous savez ce qui s'est passé avant de
venir ici ?

Rose détourna vivement les yeux, et sa voix s'éleva
de nouveau :

— Maggie ? Elle est revenue ? Elle m'a dit qu'elle
revenait dans une heure. Elle devait revenir tout de
suite.

— Non, c'est moi, Cassandra. Sa fille.

Cassie s'efforçait de rester patiente.

— Réfléchissez, Rose. J'ai besoin de savoir ce qui s'est passé. Vous vous rappelez quelque chose de cette époque ? N'importe quoi. Vous faisiez des études d'anglais. Vous habitiez à Granville, sur la place.

Rose la regarda de nouveau. Cassie vit qu'elle se concentrait.

— Les roses fleurissaient en été. Il y en avait partout. Des massifs blancs comme des nuages.

— C'est vrai, approuva Cassie avec une lueur d'espoir. Le long des allées. Elles fleurissent même quand l'été est fini. Vous partagiez une chambre avec Margaret. Maggie.

Rose sourit.

— On faisait la paire, toutes les deux. Qu'est-ce qu'on s'amusait... Où est-elle, Maggie ? Pourquoi n'est-elle pas venue ?

— Elle aimerait.

Cassie mentit encore, avec un pincement au cœur.

— Elle viendra dès qu'elle le pourra.

— C'était une bonne amie.

Ses yeux se mouillaient de larmes.

— La meilleure des amies.

— Je sais, dit Cassie en lui donnant de petites tapes sur la main. Je suis désolée qu'elle ne soit pas là.

Rose aussi lui donna des tapes sur la main, sans y penser.

— Vous lui ressemblez, vous savez. Je m'en rends compte, là.

Elle prit Cassie par le menton et lui fit tourner la tête. Cassie murmura, le cœur gros :

— Vraiment ?

— C'est sûr et certain. C'est gentil d'être venue me voir. Personne ne vient plus. Ça fait si longtemps.

— Je suis désolée, répéta Cassie en écartant de son visage la main de Rose, pour la prendre dans la sienne. Et vos amis de ce temps-là ? Les autres. Vous vous souvenez d'eux ?

Rose souriait.

— Oh oui ! Les fêtes…

Elle soupira tristement.

— Au bal de l'hiver, j'avais une robe bleue. C'est Maggie qui l'avait repérée la première, mais on l'a jouée à pile ou face et j'ai gagné. Maggie était belle aussi. Elle l'était toujours. Et Richard était si élégant dans son costume ! On a tellement dansé que j'en avais les pieds en sang. Mon Dieu, les ampoules !

— Richard ? demanda Cassie en tressaillant. Ce n'est pas Richard Mandeville ?

— Tout le monde l'appelait Dicky, dit Rose en pouffant de rire comme une adolescente. Il détestait ça. Surtout quand son papa était là. Vous auriez dû voir sa tête.

— Qu'est-ce qui s'est passé avec Richard ? dit Cassie en baissant la voix, fixant Rose d'un regard intense. Qu'est-ce qu'ils vous ont offert, Rose ? Votre tante a parlé d'une promesse d'emploi. Vous vous rappelez ? Une chance à ne surtout pas laisser passer.

Rose la regardait. Son sourire, peu à peu, retombait. La détresse se lut dans ses yeux. Elle murmura :

— Tout promettait d'être si beau. Ils m'ont dit que les siècles allaient s'ouvrir et que la vérité allait éclater. La levée ! La levée, c'était si beau.

Cassie déglutit avec difficulté. Un frisson lui parcourut le dos.

— Qu'est-ce qu'il se passe, Rose ? Qu'est-ce qu'il se passe, quand vient la levée ?

Rose prit une profonde inspiration.

— On ne revient plus en arrière, dit-elle d'une voix rauque. Quand vous êtes en bas, vous ne remontez plus. Les tunnels vous mangent toute crue. .

— Les tunnels. Quels tunnels ? Où sont-ils, ces tunnels ? Comment je vais pouvoir les arrêter ?

— Vous ne pourrez pas, dit Rose en la fixant des yeux. *In fine est principium quoddam ad cognoscendum verum.* La fin est le commencement de la connaissance et de la vérité.

— Qu'est-ce que ça veut dire ? demanda Cassie en s'efforçant de ne pas la brusquer. C'est un genre de rituel ? Vous y êtes allée ?

— Pour devenir, il faut d'abord finir. Tout finit, tout meurt !

Elle élevait la voix à présent.

— D'accord, dit Cassie pour que Rose baisse d'un ton.

Mais les yeux de Rose étaient brillants, fiévreux.

— Où avez-vous trouvé ça ? demanda-t-elle en attrapant le collier de Cassie. Vous n'avez pas le droit. C'est à moi ! Ils m'ont dit que j'étais spéciale. Que j'allais m'élever, m'élever ! Dès que la force noire est en vous, elle ne s'en va plus !

Cassie essayait en vain de reculer. Rose l'étranglait. Et soudain Trish était là.

— Mais qu'est-ce que vous lui avez dit ? demanda-t-elle à Cassie en retenant Rose.

Une autre femme accourut. Les patients, comme Rose, commencèrent à gémir. Certains pleuraient, bredouillaient des propos confus. L'autre femme dit brusquement :

— Là, là…

Avec précaution, elle força Rose à s'immobiliser dans son fauteuil puis tira une seringue de sa blouse. Elle retroussa la manche de Rose et lui piqua l'intérieur du bras d'un geste vif, expert. Le piston descendit. Rose s'agita encore un peu puis s'apaisa, sans cesser de répéter à voix basse :

— Vous ne pouvez pas le faire partir. Vous ne pouvez pas le faire partir.

Cassie, secouée, se frottait la gorge et tâchait de respirer normalement. La femme se retourna pour la regarder en face. Elle pinça les lèvres et la foudroya du regard :

— Qu'avez-vous fait ? Voilà des mois qu'elle n'a pas eu de crise.

— Je suis désolée, bredouilla Cassie qui avait mal à la gorge. Je n'avais pas l'intention de… On discutait, c'est tout…

— Qui êtes-vous ?

La femme se tourna vers Trish.

— Qu'est-ce qu'elle fait ici ? Aucune visite n'était programmée. Rose n'arrive pas à communiquer avec les gens de l'extérieur.

Confuse, Trish répondit :

— Excuse-moi, Janice. Je ne pensais pas que… Elle m'a dit…

— Ce n'est pas sa faute, dit Cassie en se levant. Je regrette d'avoir mis Rose dans cet état. Je n'ai pas voulu lui faire de mal.

— Vous êtes qui, déjà ? reprit Janice.

Cassie recula et promit :

— Je vais y aller. Vraiment, je ne voulais pas déclencher une scène.

Un patient fondit en larmes, attirant l'attention de Janice qui répliqua :

— Eh bien, c'est réussi ! Je ne vous retiens pas.

Cassie hocha la tête et regarda Rose une dernière fois. L'amie de sa mère était affalée dans son fauteuil, le regard absent. De ses lèvres s'échappaient des mots incompréhensibles. La fille qu'elle avait été un jour n'existait plus.

Cassie partit en ravalant ses larmes. Elle parcourut le couloir, repassa à l'accueil et retrouva dehors l'air froid, humide et sombre. La pluie formait maintenant un rideau glacé. Les collines dressaient leurs formes noires dans les ombres du crépuscule. Mais le froid ne fit pas frémir Cassie qui marcha tête basse face au vent, la pluie se mêlant aux larmes qui ruisselaient sur ses joues.

Rose. Evie. Et tant d'autres encore. Étoiles filantes stoppées en plein vol, fragiles éclats de mémoire, lourds cercueils dans leur tombe. Ils auraient dû accomplir de grandes choses, mener de belles vies : on les avait privés de tout. Et leurs agresseurs, pendant ce temps, se dirigeaient d'un pas tranquille vers leur brillant avenir. Nullement affectés, sans remords aucun. Même la mère de Cassie s'était vu voler sa vie : elle avait dû fuir des études prometteuses et passer des années sur le qui-vive, dans la peur que quelqu'un soit à ses trousses. Cassie, morte de culpabilité, se rappelait l'épreuve qu'avait représentée leur mode de vie nomade. Après deux ou trois années en un lieu, sa mère la déracinait sans prévenir, l'emmenait pour l'éloigner de toute sta-bilité, de toute normalité. Cassie lui en avait voulu pour sa dépression, elle lui en avait voulu pour tout, comme s'il s'était agi de choix égoïstes, alors que c'était l'attitude désespérée d'une mère s'efforçant de sauver son enfant. Margaret avait fait tout ce qu'elle pouvait pour Cassie, et Cassie ne s'en était même pas rendu compte. Sa mère lui avait sauvé la vie, et Cassie ne lui avait jamais adressé un simple merci.

Dévorée par la douleur amère qui lui rongeait la poitrine, elle ne fit pas attention à une voiture venue du village. Soudain, les phares crevèrent le rideau de pluie. Cassie, éblouie par le faisceau de lumière, fit un bond de côté au dernier moment. Le véhicule passa en accélérant dans un hurlement sourd et en projetant sur elle l'eau de la chaussée.

Cassie jura entre deux halètements et revint sur la route. Elle était trempée. La voiture avait disparu. Il n'y avait rien d'autre à faire que de continuer à marcher en direction d'Edgeley. Elle pataugeait dans ses baskets pleines d'eau. Heureusement, elle n'était plus très loin du village. La lumière du clocher brillait déjà derrière le virage. Cassie songea avec gratitude à la chambre qui l'attendait au pub, au bon feu qui brûlait dans la grande salle, sous les boiseries et les poutres.

Un moteur gronda de nouveau derrière elle. Cassie s'assura qu'elle marchait bien au bord de la route, et que la voiture aurait largement la place de passer. Mais le véhicule, au lieu d'aller tout droit, ralentit et roula au pas dans son dos, tous feux allumés.

Cassie frissonna et jeta un coup d'œil en arrière. Les phares étaient trop puissants : elle ne voyait pas le chauffeur. Mais elle était presque sûre qu'il s'agissait de la même voiture que tout à l'heure. Pourquoi avait-elle fait demi-tour ?

La peur lui étreignit la poitrine. Elle accéléra le pas. Dès que le mur de l'église fut en vue sous la pluie, elle se mit à courir. La voiture accéléra aussi, continua de la suivre. Le moteur rugissait dans la rue déserte.

Cassie courut le plus vite possible et bifurqua brusquement vers un portillon menant au jardin de l'église. Elle se baissa rapidement et attendit, le cœur battant. Pourvu que le véhicule passe son chemin !

Mais le moteur s'arrêta de tourner. Une portière s'ouvrit et se referma en claquant. Des pas lourds écrasèrent le gravier.

Cassie traversa le jardin en courant à l'aveuglette sous la pluie. Les lumières de l'église éclairaient le jardin par endroits. Cassie distinguait des tombes et des statues. Elle entendait son poursuivant se rapprocher. Elle tourna au coin de l'église et dévala les marches qui descendaient vers la place du village.

Elle retenait son souffle. Elle cherchait du secours, mais le village était désert et la pluie continuait de s'abattre sur des rues vides partant dans toutes les directions. Le pub était en face. Cassie entreprit de traverser la place. Son cerveau hurlait de peur. Elle entendait le bruit des pas derrière elle et, de plus en plus proche, le halètement d'une respiration rageuse…

Elle était presque arrivée quand elle sentit qu'on lui attrapait le bras. Elle fut violemment tirée en arrière. Elle cria. Son agresseur la frappa au visage et l'expédia à terre. Le coup l'avait sonnée, mais elle n'eut pas le temps de récupérer : il la traîna par les pieds jusque dans une ruelle obscure. Cassie ouvrit la bouche pour crier, mais ce cri fut étouffé d'avance par un violent coup de pied dans le ventre, puis un autre, et un autre. À chaque fois, la douleur irradiait cruellement dans ses côtes. Elle se recroquevilla en gémissant. Les coups de pied recommencèrent. Il visait la tête, cette fois.

Cassie parvint à rouler sur le côté et à saisir le pied sur lequel elle tira de toutes ses forces. Elle parvint à faire tomber l'agresseur. Elle se redressa sur les mains et les genoux, mais l'instant d'après il était de nouveau sur elle, la renvoyant au sol. Le crâne de Cassie cogna contre la pierre. Des éclats de souffrance percèrent tout son corps.

L'agresseur se redressait. Il enfourcha Cassie et la prit à la gorge. Dans l'obscurité de la ruelle, elle ne distinguait pas ses traits. Elle voyait seulement la silhouette d'un inconnu parfaitement impassible, résolu à lui serrer la gorge jusqu'à lui prendre la vie. Elle lutta, griffant désespérément le visage de l'homme. Ses poumons étaient en feu. Sa vision se brouillait. Il était trop fort et résistait. Cassie, peu à peu, sentit ses forces la quitter. L'obscurité monta jusqu'à elle. *Ça ne peut pas finir comme ça*, pensa-t-elle dans un élan de panique désespérée. *Pas ici. Pas ainsi.*

Et soudain un son retentit. Le craquement écœurant de l'acier entrant en contact avec l'os. La pression sur la gorge de Cassie se relâcha. Son agresseur s'écroula sur elle avec une plainte gutturale. Elle le repoussa sur le côté. Quelque chose tomba à terre avec un claquement métallique. Une clef à molette tachée de sang.

— Venez, dit son sauveur en lui tendant la main.

Il se détacha de l'ombre, et Cassie se pétrifia.

C'était le professeur Tremain.

L'agresseur laissa échapper une plainte, remuant sur le sol. Cassie revint à la réalité et prit la main de Tremain pour se relever, haletante :

— Qui est-ce ? Qu'est-ce qui se passe ?

— On n'a pas le temps, répondit Tremain en la poussant vers la rue. Faites-moi confiance.

Mais Cassie se dégagea en criant :

— Pourquoi ?

Son cœur s'emballait. Sa tête lui faisait affreusement mal.

— Pourquoi devrais-je vous faire confiance, après tout ce que vous avez fait ?

Tremain se retourna. Son visage se dessina sous l'éclairage public.

— J'essaie de te protéger, Cassie.

Il se tut un court instant, une indicible tristesse dans les yeux.

— Je suis ton père.

29

La tête de Cassie lui tournait. Ça ne pouvait pas être vrai.

— Je ne vous crois pas… protesta-t-elle.

— On n'a pas le temps ! l'interrompit Tremain.

Il l'entraîna vers la place, jusqu'à une vieille Fiat. Il poussa Cassie sur le siège passager et s'assit derrière le volant.

Elle s'accrocha à son siège, près de défaillir. Tremain démarra le moteur. Les pneus de la voiture couinèrent sur la chaussée mouillée. Tremain fonça sur la place en jetant dans le rétroviseur un regard nerveux.

— Mets ta ceinture, dit-il.

Cassie obéit, hébétée. Ils bifurquèrent vers la rue principale, sortirent du village et partirent à toute allure sur la route en lacets des collines.

Tremain serrait les mâchoires avec une expression déterminée, regardant à travers la pluie noire. Cassie était prise de tremblements. Cet homme n'avait fait que la rabaisser et la critiquer, en plus d'être impliqué dans l'École de la Nuit. Et il prétendait être son père !

— Tu es gravement blessée ? demanda-t-il en jetant un coup d'œil vers elle. Tu saignes ?

Elle porta doucement la main à sa tête. Son front était moite.

— Pas beaucoup, murmura-t-elle. Les côtes… Je crois que j'ai quelque chose de cassé.

— On s'en occupera à Oxford, dit Tremain sans la brusquer. On ne peut pas s'arrêter. Je ne sais pas qui d'autre ils ont envoyé.

— C'était qui ? dit Cassie d'une voix plus résolue. Bon sang ! Mais qu'est-ce qui vient de m'arriver ?

— Ce qui t'est arrivé, c'est que tu n'as pas pu t'empêcher de remuer tout ça.

Tremain scrutait la route. Il conduisait presque à l'aveugle, dépassant de beaucoup la vitesse autorisée.

— Qu'est-ce que tu as fichu ? Ils t'ont suivie depuis Gravestone, bon Dieu ! En ville, je peux encore te protéger, mais ici, il n'y a rien qui puisse te sauver. Une chance que j'aie intercepté les ordres d'Henry.

— Quels ordres ? C'était qui, ce type ? Pourquoi il m'a agressée ?

— Parce que tu es dangereuse ! s'exclama Tremain. Tu fouilles dans les vieux dossiers, tu poses des questions. Je t'ai couverte aussi longtemps que possible. Mais quand ils ont su que tu venais voir Rose, rien ne pouvait plus les arrêter.

Elle aspira nerveusement de l'air.

— Vous êtes au courant, pour Rose ?

Il lui jeta un regard hautain.

— On sait tout, Cassie. Henry avait un faible pour Rose. Il s'est arrangé pour qu'on la laisse tranquille. Elle est trop loin pour représenter une menace, pour déterrer des affaires auxquelles personne ne comprend rien. À part les gens de ton espèce.

Il tourna vivement le volant pour négocier un virage sur la petite route. Cassie se retint à la portière puis protesta en lui attrapant le bras :

— Arrêtez-vous !

Tremain la repoussa.

— On n'a pas le temps.

— Je m'en fous ! Arrêtez-vous tout de suite !

Tremain eut l'air mécontent, mais il freina et gara la voiture au bord du fossé.

Ils restèrent un moment silencieux, le temps que Cassie reprenne son souffle. Puis elle se tourna vers lui. Le visage de Tremain était caché dans l'ombre, mais elle essayait d'y distinguer des signes, une ressemblance.

— Vous prétendez être mon père. Mais je ne vous crois pas. Ça ne peut pas être vrai.

Il laissa échapper un soupir ; il évitait le regard de Cassie.

— Je ne voulais pas que tu le saches. C'est mieux pour toi.

— Je ne comprends pas, reprit Cassie, péniblement. Vous avez… Depuis le début, vous vous êtes comporté avec moi comme un vrai connard. Vous m'avez poussée à laisser tomber, puis obligée à me retrouver dans la même pièce que Sebastian. Comment avez-vous pu faire ça ? Ne venez pas me dire que c'était pour me protéger…

— Raleigh n'est pas un endroit sûr, merde ! dit-il en la regardant d'un œil mauvais. Tu crois que j'ai voulu ça ? Quand j'ai compris qui tu étais, qui était ta mère… j'essayais juste de t'aider. Pour que tu échappes à tout ça. Pendant qu'il en était encore temps.

Elle secoua la tête. Elle n'arrivait pas à se défaire de l'idée que c'était un piège, une espèce de stratagème que Tremain avait manigancé pour gagner sa confiance.

— Pourquoi ne pas me l'avoir dit, tout simplement ?

— Si quelqu'un venait à le savoir, ce serait terminé. Tu ne comprends donc pas ? s'énerva Tremain. Ça concerne la famille. La société et la lignée, c'est la même chose. Ça se transmet d'une génération à l'autre. S'ils avaient appris que tu es ma fille, ils ne t'auraient plus jamais laissée repartir.

Lui aussi respirait avec peine.

— En dépit des apparences, j'essayais bel et bien de te protéger. Et il n'est pas trop tard. Tu représentes une menace pour eux. Ils ont envoyé ce type te régler ton compte. Et ils recommenceront.

Il frappa le volant d'un geste désespéré.

Cassie, maintenant, se fichait de son agresseur. Elle était intéressée par l'autre phrase qu'il avait prononcée. La révélation de Tremain faisait des vagues – des vagues qui lui permettaient de comprendre. La vérité commençait à s'insinuer en elle, tel un poison obscur pénétrant ses veines.

— Je suis des leurs ? demanda-t-elle. Cette chose. Cette noirceur. Je l'ai en moi ?

— Je suis désolé, répondit Tremain, douloureusement. C'est pour ça que tu ne peux pas rester. Pour le moment, tu es en sommeil. Tu n'es encore qu'une potentialité. Mais si tu prends part à la levée et que tu deviens membre… Il n'y aura plus de retour possible.

Il posa sur elle un regard accablé, vide, résigné.

— Plus de projets, plus de choix… Ce sera fini à jamais.

*

Ils roulèrent jusqu'à Oxford sans plus rien dire. Cassie était effondrée, abasourdie. Son esprit était empli de questions qu'elle ne pouvait poser, tant elle redoutait les réponses de Tremain.

Elle était des leurs. Cette terrible certitude résonnait en elle de façon irrévocable. Comme Hugo, comme Olivia. Elle avait ça en elle, dans son sang. Et Tremain… Lui aussi, elle l'avait en elle. Le père sur lequel elle s'était interrogée toute sa vie n'était rien d'autre qu'un être faible, corrompu ; son père était le serviteur d'un mal ancien.

Jusqu'ici, elle n'avait pas pris la mesure des rêves secrets auxquels elle s'était cramponnée. Elle s'était toujours imaginé que retrouver son père lui offrirait d'une façon ou d'une autre la famille qu'elle appelait de ses vœux ; que le connaître comblerait ce trou dans son cœur, ce vide douloureux laissé par la mort de sa mère ; qu'il existait quelque part une famille normale, aimante, prête à lui ouvrir les bras pour l'accueillir en son sein, à lui permettre d'en finir avec une existence heurtée et sans répit. Quelle naïveté ! Tout n'avait été que vaine espérance, conte de fées né dans l'esprit d'une jeune femme privée de foyer. À présent, face à la dure réalité qu'elle affrontait pour la première fois, Cassie sut que ses rêves étaient morts.

Cassie s'était probablement endormie dans un océan de désillusions car, quand elle ouvrit les yeux, elle découvrit l'aurore d'un ciel pâle. Ils quittèrent l'autoroute dès qu'ils arrivèrent à la périphérie d'Oxford. Derrière les vitres défilait la banlieue.

— Comment te sens-tu ? demanda Tremain, avec davantage d'impatience que d'inquiétude.

Cassie remua sur son siège. Ses côtes et son ventre lui faisaient mal. Elle mentit :

— Je crois que ça va.

— Je vais te laisser à la fac. Prends ton passeport et tes affaires. Je t'emmènerai à l'aéroport et on décidera d'une destination.

Partir ? Elle secoua la tête.

— Je ne vais nulle part.

— Ne fais pas l'idiote, insista Tremain, durement. Tu n'as pas compris ce que je t'ai dit ? Ils savent que tu enquêtes sur leurs manigances. Ce type qu'ils ont envoyé, c'est seulement le début...

— C'est vous qui ne m'avez pas écoutée, répondit Cassie. Je n'ai pas l'intention de m'enfuir. Il faut que quelqu'un les arrête.

Tremain lâcha un éclat de rire pareil à un aboiement.

— Les arrêter ? dit-il en se tournant vers elle avec une grimace incrédule. Qu'est-ce que tu crois, nom de Dieu ? Tu ne vois pas à qui tu as affaire ? Ce qu'ils ont fait ? Tu ne peux rien arrêter. Personne ne peut rien arrêter.

— Avez-vous seulement essayé ? le défia-t-elle. Ou vous êtes-vous contenté d'obéir, de faire des courbettes aux Mandeville ? D'accomplir leur sale boulot...

Soudain, une idée la frappa. Saisie de peur, elle s'écria :

— Vous prenez l'énergie des gens, vous aussi ? Vous leur faites du mal ? Vous faites comme eux ?

— Non ! lança Tremain avant d'admettre : Plus depuis longtemps. Depuis que je ne suis plus étudiant.

J'ai vu les dégâts causés. J'ai complètement arrêté. Je le jure.

Cassie réfléchissait. Les pièces s'emboîtaient.

— Ma mère… dit-elle dans un souffle. Vous vous êtes nourri d'elle.

Tremain avait les yeux rivés au pare-brise. Il agrippait le volant avec une telle force que ses doigts blanchissaient aux jointures.

— J'ai commis des erreurs, répondit-il à voix basse. Je passe mon temps à les regretter.

Cassie sentit une montée de bile dans sa gorge. Bien sûr. Comment avait-elle pu ne pas faire le lien ? La dépression de sa mère, les sautes d'humeur, le suicide… Elle avait repéré des analogies avec le comportement d'Evie, mais sans imaginer une seconde que l'instabilité de Margaret pût avoir la même origine diabolique. L'École de la Nuit. Tremain. Tout était sa faute. Margaret n'avait peut-être pas eu conscience de ce qui se passait à Raleigh, mais un fait demeurait : elle n'en était pas sortie indemne.

— Vous savez qu'elle est morte ? dit Cassie, écœurée. Elle s'est ouvert les veines quand j'avais quatorze ans. C'est moi qui ai trouvé son corps.

Tremain tressaillit.

— Je ne savais pas. Je ne savais rien. Jusqu'à ce que tu débarques ici. Les dossiers disparus, l'effraction… J'ai vu que ça avait un rapport.

Il s'arrêta à un feu rouge et se tourna vers elle :

— Cassie, je te jure que tout ce que j'ai fait depuis ton arrivée, c'était uniquement pour te protéger.

Il la regardait d'un air insistant, implorant.

— Tu ne peux pas rester. Tu ne comprends donc pas ? Soit ils découvrent que tu es ma fille, soit ils te tuent. Dans un cas comme dans l'autre, tu ne seras jamais en sécurité. Pas à Raleigh. Et je ne pourrai pas supporter de vivre si...

Sa voix se brisa. Il ne pouvait plus parler. Alors Cassie acheva la phrase, les poings serrés :

— Si je deviens un autre de vos secrets inavouables ! Une nouvelle victime de vos crimes égoïstes.

— Ce n'est pas ça.

Tremain avait beau se défendre, elle refusait de supporter plus longtemps la compagnie de cet homme. Les tours de l'université étaient en vue.

— Je ne veux plus en parler, dit-elle en ouvrant la portière. En tout cas, pas maintenant. J'ai besoin de réfléchir.

— Attends ! cria Tremain.

Mais elle était déjà dehors. Elle claqua la portière et s'éloigna. Chaque pas lui arrachait une grimace de douleur. Elle se fraya un passage entre les étudiants et les touristes qui envahissaient le trottoir. Son ventre l'élançait, la tête lui tournait et elle avait envie de vomir. Sa mère était morte, sa propre vie était menacée. Mais le pire, c'est qu'elle faisait désormais partie des leurs. L'École de la Nuit, les sombres conspirations. C'était dans son sang. Elle se sentait pieds et poings liés. Tremain avait tort lorsqu'il affirmait qu'elle pouvait fuir. Échapper à tout ça était impossible ! Ce n'était même pas une question de volonté.

Elle bifurqua vers l'entrée de Raleigh. Ses pensées tournoyaient à toute allure. Elle s'était absentée à peine une journée, et déjà un flot d'informations nouvelles la submergeait : Rose, Tremain, la levée – tout se mêlait en un horrible écheveau. Elle n'eut bientôt plus qu'une idée en tête : s'écrouler sur son lit et dormir pendant des jours.

Son portable sonna dans le brouillard de ses pensées. Le nom de Charlie apparut à l'écran – ainsi qu'une douzaine d'appels manqués.

— Tout va bien, dit-elle sans lui laisser le temps de demander une explication. Je suis de retour à Oxford. On en rediscute demain, d'accord ?

— Je n'appelais pas pour ça, dit Charlie, lourdement.

— Quoi ? demanda-t-elle, parcourue d'un frisson de terreur.

— Rutledge est mort hier soir.

Cassie se pétrifia au milieu de la cour trempée.

— Qu'est-ce qui s'est passé ?

— Une agression. C'est ce qu'ils disent. Attaqué en pleine rue, portefeuille volé. Ça s'est terminé par une crise cardiaque.

— Mon Dieu…

Elle en avait le souffle coupé. La culpabilité l'accablait. C'était sa faute. Elle était allée voir Rose, avait obligé Rutledge à parler. Il avait peur, il savait qu'ils seraient informés de tout, mais elle avait quand même exigé des réponses.

Non, rectifia une voix en elle. *C'est l'œuvre de la société secrète. Ce sont eux qui font couler le sang et commettent des crimes !* Et comme Tremain le disait lui-même, ils ne cesseraient pas avant d'avoir réduit tout le monde au silence. Saisie d'effroi, Cassie demanda :

— Vous allez bien ? Il faut vous montrer prudent désormais, encore plus. S'ils savent pour lui, ils doivent savoir pour nous…

412

— Ne vous inquiétez pas pour moi. Vous avez trouvé quelque chose, là-bas ?

— Rien du tout, mentit Cassie en regardant autour d'elle.

L'allée était presque déserte, parcourue seulement par des étudiants en route pour la bibliothèque. Elle se retourna et ajouta à voix basse :

— Rose était trop perturbée. Elle disait n'importe quoi.

— Merde… Écoutez, soyez discrète, et prudente. On essaie de se voir demain.

— Non, objecta Cassie. Ils vont vous surveiller. Laissez tomber pour le moment. Je vous rappelle dès que possible.

— C'est à nous de jouer, vous le savez, soupira Charlie.

— Je le sais, dit-elle doucement. Restez à l'abri.

Elle coupa la communication. Elle en était malade de culpabilité. Rutledge avait sauvé sa mère, fait de son mieux pour la protéger. À présent, il était mort.

Elle jetait autour d'elle des regards inquiets, se dépêchant de regagner la mansarde.

Une fois seule, elle put enfin respirer. Elle était exténuée et ses côtes lui faisaient mal. Elle se rendit dans sa chambre, se débarrassa de ses vêtements mouillés, enfila un sweat-shirt et un pantalon de pyjama. Puis elle se glissa sous les couvertures, mais le sommeil ne vint pas. Elle était obsédée par les gens qu'elle avait mis en danger, par les risques qu'elle leur faisait courir.

Elliot l'avait échappé belle. Charlie serait-il le prochain ? Cassie tremblait. Elle revoyait le regard vide de Rose, sa façon de fixer, sans les voir, les collines du pays de Galles. L'École de la Nuit infligeait à ses victimes des traitements pires que la mort. Cassie s'enfouit plus profondément sous les couvertures. Tremain n'avait-il pas raison ? Ne ferait-elle pas mieux de quitter Oxford ? Sinon pour sa propre sécurité, au moins pour celle de Charlie. Mais il serait seul ici. Il ne pouvait se permettre de disparaître ; il avait une famille, un foyer. Elle l'avait entraîné dans cette histoire, et maintenant qu'il était plongé dedans jusqu'au cou, elle ne pouvait pas le laisser payer seul les pots cassés.

Rose. Evie. Margaret. Rutledge. Les noms se brouillèrent dans son esprit, mais un visage occupait toujours ses pensées quand elle sombra dans l'inconscience : celui de Matthew Tremain. Son père.

*

Quand elle se réveilla, une main lui fermait la bouche.

— Ne crie pas.

La voix d'Hugo, toute proche.

La panique la gagnait. Elle se raidit.

— Crois-moi, reprit-il plus bas, je ne suis pas venu te faire du mal.

Elle cligna des yeux et distingua la silhouette dressée dans la pénombre.

— Je vais retirer ma main, mais promets-moi juste de ne pas crier. On est d'accord ?

Cassie tremblait. Elle hocha nerveusement la tête. Hugo, doucement, retira sa main. Elle lui expédia immédiatement un coup de coude dans la figure, faisant craquer sa pommette. Hugo jura et recula en titubant. Elle se rua sur la lampe qui répandit dans la pièce une clarté faible et dorée.

— Je t'ai dit que je ne te ferais pas de mal ! protesta Hugo en se relevant avec peine, le souffle coupé.

— Et moi, je n'en crois pas un mot !

Elle ramena ses jambes contre sa poitrine. Elle jetait autour d'elle des regards angoissés, en quête d'une arme ou d'une issue. Hugo bloquait le passage vers la porte. Il se frottait la nuque, échevelé, la chemise débraillée.

— Qu'est-ce que tu veux ? Comment tu as fait pour entrer ?

— Je te l'ai dit, il faut qu'on parle. Tu m'évites.

Il se rapprocha, une inquiétude soudaine lui crispait les traits.

— Bon Dieu ! Qu'est-ce qui t'est arrivé ? Tu es blessée ?

Cassie le regardait. Elle n'en croyait pas ses oreilles.

— Ce qui m'est arrivé ? dit-elle en écho. Tu le sais très bien. Ton grand-père a envoyé quelqu'un me régler mon compte. Me liquider ! Tu as décidé de faire le sale boulot toi-même, finalement ?

Il cligna des yeux.

— Non. Je te jure que je n'avais aucune intention de…

Il s'approcha davantage. Cassie recula d'un bond.

— Je te le promets, répéta Hugo en ouvrant les mains. Je ne suis pas là pour te faire du mal, mais pour t'aider.

— Cette phrase, je ne l'ai que trop entendue, répliqua-t-elle vivement.

Mais elle hésitait maintenant, il avait l'air sincère.

— Alors laisse-moi te montrer quelque chose, reprit-il nerveusement. Laisse-moi t'expliquer ce qu'il en est. Je jure de ne pas te faire de mal.

Cassie, peu à peu, s'apaisa. Elle n'avait pas confiance en lui, elle ne pouvait pas, mais elle voulait des réponses.

— D'accord, dit-elle d'une voix faible. On va discuter.

Elle se leva toute seule, sans l'aide d'Hugo, mais elle fut aussitôt prise de vertige. Elle vacilla. Il se précipita pour la retenir.

— Mon Dieu, Cassie… Qu'est-ce qu'ils t'ont fait ?

— Moi, j'ai eu de la chance, dit-elle en le regardant dans les yeux. Le gardien, Rutledge, lui, ils l'ont tué.

Il plissa le front.

— Une crise cardiaque, on m'a dit.

— Ben voyons, fit-elle avec lassitude. Et Evie s'est suicidée. Ne me dis pas que tu ignores comment ça se passe.

Hugo accusa le coup. Il était si près qu'elle voyait la pâleur de sa peau, les ombres sous ses yeux.

— Je me suis tellement inquiété pour toi, murmura-t-il.

Il la guida pour sortir de la chambre. Elle sentait le corps d'Hugo pressé contre le sien. Pendant un instant, elle oublia les furieuses accusations qui lui venaient en tête. Pourquoi se sentait-elle à ce point reliée à lui ? Parce qu'ils étaient semblables ? Cette pensée la mettait mal à l'aise : elle essaya de l'oublier.

Il l'accompagna dans le séjour où il alluma les lampes. Sebastian était étendu sur le canapé, inconscient. Tout le corps de Cassie se crispa. Elle se tourna vers Hugo :

— Qu'est-ce que… Pourquoi tu l'as…

— Tu as envie de savoir ? répondit-il avec un regard suppliant. Il y a des choses que je ne peux pas expliquer. Je peux seulement te montrer. Si tu veux bien.

Cassie reprit son souffle. Elle regarda Hugo puis le corps de Sebastian effondré sur le divan. On y était. L'heure était venue, le moment qu'elle attendait. Depuis la nuit du labyrinthe. Elle se laissa tomber dans un fauteuil en face du canapé.

— Vas-y. Explique.

Hugo prit une courte inspiration :

— On est comme ça depuis toujours, commença-t-il.

Il ne s'assit pas, il faisait lentement les cent pas. Il hésitait.

— Moi, en tout cas. Ils m'ont dit que c'était de famille. Quand ils ont fondé l'université, Raleigh et ses amis ont conclu un pacte. Un marché. Ils voulaient la connaissance, c'est ce qui comptait le plus à leurs yeux. Ils ont décidé de se donner un but supérieur. Ce n'était pas censé…

Il se tut un instant.

— Ce n'était pas censé se passer comme ça. Mais ils ont fait appel à quelque chose, à une force occulte. C'est ce qui leur a apporté la connaissance, mais cette connaissance avait un prix. Le pouvoir n'est pas créé, tu sais. On peut seulement le prendre.

Il la regardait dans les yeux, déchiré.

— On le prend à quelqu'un.

— Continue, dit Cassie à voix basse, la gorge nouée, en jetant un coup d'œil à Sebastian.

— L'École de la Nuit a veillé sur leur secret, poursuivit Hugo en se passant la main dans les cheveux.

Elle se demanda s'il n'avait pas répété son texte.

— Ils l'ont transmis de génération en génération. Il y a un rituel, un genre de cérémonie tenue à chaque nouvelle génération. La levée. Elle permet d'établir le contact avec la force noire originelle. C'est aussi une façon, pour les nouveaux membres, de prêter serment et de renouveler leur puissance.

La voix d'Hugo se brisa sur le dernier mot, puis il reprit :

— Si tu ne participes pas, ta force s'éteint. Tu n'es plus que l'ombre de toi-même. Alors pour te préparer, tu dois prendre de la puissance. Tu dois absorber de l'énergie.

— Et faire une offrande, dit Cassie calmement.

Hugo leva la tête.

— Comment tu…

Il se tut puis admit :

— Oui. Une offrande. Chaque membre vient accompagné. Le sacrifice est volontaire. La force noire s'en sert comme d'un réceptacle pour pouvoir nourrir les nouveaux membres. La force naît du consentement, du risque pris par l'élu pour devenir un des nôtres.

— Vous pouvez créer de nouveaux membres ? s'étonna Cassie, pas très sûre de comprendre. Je croyais que c'était héréditaire.

— C'est héréditaire, confirma Hugo. Mais si tu es assez fort, on te promet que tu pourras devenir membre, sans avoir besoin d'être né dedans. Mais personne… personne n'a jamais survécu à la cérémonie.

Cassie comprit soudain :

— C'est la proposition qu'ils ont faite à Rose. Ils lui ont promis qu'elle pourrait être des leurs.

Il baissa la tête.

— Plus l'offrande est forte, plus la puissance attribuée à la famille est grande.

Il se tut un instant.

— Et plus le pouvoir qu'il nous faut acquérir est grand.

Cassie ressentit une pointe de fascination morbide. Tous ces sacrifiés volontaires, aveugles au danger ! Toutes ces âmes qui espéraient avoir la chance d'accéder au rang des rares privilégiés, d'être l'exception. Elle s'entendit interroger Hugo :

— Comment ça se passe, cette prise d'énergie ? C'est bien ce que vous vouliez faire avec moi, non ? Quand j'ai fait ces cauchemars, quand j'ai dormi chez toi. Tu avais tout planifié depuis le début ?

Elle réfléchit.

— L'effraction, c'était toi aussi, alors. Pour voler les documents d'Evie ?

Hugo avait honte, de toute évidence.

— D'après Olivia, il fallait s'assurer que tout était sous contrôle. Mais ça ne faisait pas partie du plan quand je suis tombé sur toi. Je voulais seulement vérifier que tu étais hors de danger.

— Alors tu m'as emmenée chez toi et tu as essayé de… essayé de…

Elle ne trouvait pas les mots.

— Je suis désolé, dit-il en la regardant droit dans les yeux. Je n'ai jamais eu l'intention de te faire du mal. J'avais juste besoin de savoir pourquoi je ressentais ça. Cette connexion entre nous. Tu la ressens aussi.

Elle détourna les yeux.

— Je ne t'ai pas pris ton énergie, ajouta Hugo d'un ton lourd de regrets. Je n'ai pas pu. Ton esprit est trop résistant. Je n'avais jamais rien éprouvé de tel, avant. C'est comme si tu étais des nôtres.

Cassie se taisait. Elle n'avait aucune intention de lui dire ce qu'elle avait appris de la bouche de Tremain : elle commençait tout juste à l'accepter elle-même. Elle tourna la tête vers le corps de Sebastian.

— Pourquoi l'avoir amené ici ?

— Pour te montrer, répondit Hugo en se tournant. Comment on s'y prend pour absorber de l'énergie.

Il leva les yeux et regarda Cassie avec une intensité nouvelle.

— Tant que je ne t'aurai pas montré, tu ne comprendras pas. Tu veux bien ?

Elle en resta bouche bée. Elle aurait voulu dire non. Elle aurait voulu lui demander de partir, emportant avec lui ses jeux tordus. Mais en fait, elle avait envie de savoir. Elle avait besoin de le voir de ses propres yeux.

Elle hésita. La poitrine de Sebastian se soulevait et retombait.

— Ça marche comment ? dit-elle d'une voix étonnamment sûre.

Hugo cligna des yeux, comme s'il doutait d'avoir bien entendu. Puis il s'assit à côté de Sebastian sur le canapé.

— J'ai besoin d'un contact, commença-t-il.

Délicatement, du bout des doigts, il effleura la tempe de Sebastian. Les doigts se posèrent sur la cicatrice, cette fine ligne rouge que Cassie avait déjà vue.

— Et là… C'est dur à décrire, mais je sens la force qui pénètre son esprit.

Les regards d'Hugo et de Cassie se rencontrèrent. Il inspira brièvement puis souffla. Cassie observait, captivée. L'air, autour de Sebastian, flambait, se déplaçait. Comme lors de cette fameuse nuit dans le labyrinthe.

Hugo s'humecta les lèvres et s'adossa contre les coussins du canapé. La pulsation se fit plus forte. Puis Cassie vit l'énergie s'échapper de Sebastian et passer par la main d'Hugo dont l'expression changea. Sa peau, de nouveau, rougissait sous l'effet de la chaleur. Les ombres de son visage s'effaçaient. Il cligna des yeux et les rouvrit, soutint le regard de Cassie – celui d'Hugo brillait d'un sombre éclat de force. Il murmura dans un souffle :

— C'est comme… Ça ne ressemble à rien d'autre. Je le sens. Je sens la force. Tout le potentiel de son esprit, tout. C'est en moi, maintenant.

Cassie sentit sa poitrine la tirailler. Une sorte de faim. Un besoin qu'elle avait déjà éprouvé auparavant, sans en connaître la cause. Lentement, elle se leva et s'assit près de Sebastian, de l'autre côté. D'un geste hésitant, elle lui toucha la tête. Ses doigts recouvrirent ceux d'Hugo.

Hugo la regardait.

— Tu ne peux pas… Tu n'es pas comme nous.

— Essaie avec moi, dit-elle en fermant les yeux.

Elle percevait les pulsations d'énergie venues de Sebastian. L'air en était épaissi, scintillant, bouillant. Cassie prit une longue inspiration et s'efforça de se détendre. Elle ignorait ce qu'elle se préparait à faire ; elle était guidée par un instinct qui bientôt l'entraîna et démonta son corps morceau après morceau, jusqu'à ce qu'elle ne soit plus que puissance, pensées et noirs desseins. Elle sentit que Sebastian résistait, mais elle continua, le pénétra plus profondément encore et franchit ses défenses. Elle finit par être partout en lui. Elle l'avait investi entièrement, l'avait envahi. L'esprit de Sebastian était béant. Tout s'en échappait pour entrer en elle. C'était la force à l'état pur qui flambait à présent dans les veines de Cassie.

Elle poussa un cri haletant. Elle ouvrit les yeux et vit Hugo qui la regardait fixement dans la faible clarté. Il enroula ses doigts autour de ceux de Cassie. Ensemble, ils retenaient Sebastian.

La force noire dévorait Cassie, s'épanouissait en elle. Sa faim était un brasier violent, sauvage. Cassie ressentit une pulsation si forte qu'elle noya les battements vertigineux de son cœur. Une fureur. Un besoin terrible qu'elle connaissait bien. Elle le cachait depuis si longtemps ! Y compris à elle-même. Mais il n'était plus possible, maintenant, de fuir la vérité.

C'était ce qu'il fallait faire. Tel était son but.

Personne ne lui ferait plus jamais de mal.

— Je vais le faire, dit-elle à Hugo en recouvrant brusquement ses esprits.

Il la fixait, ne comprenant pas. Elle plongea plus profond encore, frissonnant tandis que l'énergie se répandait dans son organisme. Sa décision était prise :

— Je serai ton offrande à la levée. Je veux être des vôtres.

30

Cassie franchit les portes de Raleigh et se rendit rapidement au grand amphithéâtre par High Street. Elle s'arrêta sous le réverbère pour regarder derrière elle. Ce jeune homme mince avec le blouson noir et la casquette de base-ball, elle le reconnaissait. Hier matin, déjà, il l'avait suivie quand elle était sortie s'acheter un sandwich. Il avait fait l'aller-retour en restant cinquante mètres derrière elle et en prenant l'air décontracté, sans jamais la laisser sortir de son champ de vision. Elle l'avait repéré aussi en quittant la bibliothèque Radcliffe après son travail. Appuyé contre le mur, il fumait une cigarette. Il l'avait suivie jusqu'à Raleigh. Maintenant, elle traversait la rue dans la marée estudiantine, et il lui emboîtait prudemment le pas. Il l'avait prise en filature, surveillait tous ses déplacements.

Elle continua sa route en essayant de dissimuler sa peur. Des spasmes nerveux lui nouaient le ventre. Avec son bonnet rouge, on la repérait tout de suite dans la foule. Mais elle continua de serrer ses classeurs contre sa poitrine, comme n'importe quelle étudiante se rendant à ses cours. En tout cas, c'est ce qu'elle voulait faire croire à son poursuivant.

Trois jours s'étaient écoulés depuis le voyage au pays de Galles. Trois jours depuis la soirée avec Hugo et Sebastian. Elle n'arrivait pas à savoir ce qu'elle était censée faire maintenant. L'École de la Nuit avait peut-être compris qu'elle avait dans la police un contact du nom de Charlie, mais Cassie elle-même ne pouvait pas révéler au grand jour le lien qui l'unissait à Tremain.

Pas si elle voulait que son plan fonctionne.

Elle s'arrêta à l'entrée de l'amphithéâtre et feignit de lire ses messages. Ainsi son poursuivant aurait le temps de bien l'observer. Puis elle y entra. Mais au lieu de suivre les étudiants qui montaient s'installer, elle tourna dans le couloir et traversa le bâtiment jusqu'à une porte. Elle sortit et se retrouva dans une ruelle pavée qui reliait Merton College à une issue située à l'arrière de Christ Church. Elle explora les alentours. Aucun signe du type. Elle serra ses classeurs contre sa poitrine, ôta son bonnet et s'éloigna rapidement en baissant la tête.

Peu après, elle franchit les portes de Christ Church College et traversa l'enfilade de pelouses verdoyantes, puis longea les bâtiments anciens. Ce collège était beaucoup plus grand que Raleigh. Cassie perdit cinq grosses minutes à se tromper de chemin, puis elle trouva enfin le bon escalier. Elle gagna la salle du troisième étage et frappa doucement à la porte. Charlie vint ouvrir. Il attira vivement Cassie à l'intérieur.

— Vous l'avez semé ?

Il regarda derrière elle puis alla se pencher à la fenêtre pour jeter un coup d'œil dans la cour.

— Je crois, dit-elle.

Tremain faisait les cent pas devant la cheminée. La pièce était un cabinet ancien, le bureau d'un collègue, avait-il précisé, un professeur absent pour le trimestre.

— J'ai une heure, dit-elle. Le temps que le cours soit fini.

— Ce ne sera pas si long, dit Tremain qui s'était figé dans une expression sévère et la regardait derrière ses lunettes à monture d'acier. Nous ne devrions pas nous rencontrer. Je t'ai conseillé de quitter Oxford. Pour ton bien.

— Et j'ai répondu que je ne partirais pas.

Charlie s'approcha d'elle et lui posa doucement une main sur le bras.

— Attendez, Cassie…

Il jeta un regard à Tremain. Elle lui avait raconté au téléphone ce qui s'était passé au pays de Galles, mais il n'avait toujours pas confiance en Tremain – il s'était montré clair là-dessus.

— Ces conneries de réunions secrètes, il a raison, c'est dangereux.

— Je voulais vous voir pour vous dire ce que j'ai décidé, répliqua-t-elle.

Elle prit une inspiration et enchaîna :

— La levée a lieu dans cinq jours. C'est le seul moment où la connexion avec la force noire sera ouverte. Le seul moment où ils seront vulnérables. La seule fenêtre pour les attaquer. Alors j'irai à la cérémonie, en tant qu'offrande d'Hugo. Je vais mettre fin à tout ça une fois pour toutes.

Ces mots s'abîmèrent dans le silence. Cassie était prête à essuyer leurs réactions.

— Petite idiote ! s'exclama Tremain. Tu as perdu la tête !

— Il a raison, répéta Charlie qui avait croisé les bras et fixait sur elle un regard mécontent. Vous l'avez dit vous-même, personne ne survit à ce rituel.

— Mais on peut lui survivre, s'obstina Cassie. C'est ce qu'ils promettent, non ? Si vous êtes assez fort, si vous êtes digne, ils vous acceptent. C'est une occasion unique : si j'arrive à détruire cette connexion…

— En cinq cents ans, pas une seule âme n'en est sortie indemne, fit remarquer Tremain, consterné.

— Moi, c'est différent, dit-elle avec une pointe d'amertume. C'est dans mon sang : il est là, le pouvoir. Dans votre sang. Ils ignorent que vous êtes mon père et ça me donne un avantage. Ils n'ont jamais essayé de sacrifier l'un des leurs. Et Hugo a promis de me protéger.

Charlie eut un grognement d'ironie.

— Et vous le croyez ?

— Je ne sais pas, dit Cassie en baissant les yeux. Mais il veut que j'essaie. C'est ce qu'il dit. Il a d'abord tenté de m'en dissuader, mais j'ai insisté.

Elle les regardait.

— C'est ma chance. Notre seule chance de pouvoir les arrêter…

Elle s'adressa à Tremain :

— N'est-ce pas ? La connexion avec la force originelle : là est leur faiblesse.

Tremain eut l'air de se sentir mal.

— Je ne veux pas être mêlé à ça. Je te préviens !

— Alors, je fais quoi ? demanda Cassie en colère. Je m'enfuis ? Je reste les bras ballants, comme vous ? Combien de fois avez-vous détourné les yeux ? Combien de cadavres avez-vous fait semblant de ne pas voir ?

Elle lui parlait d'un ton chargé de mépris. Il détourna les yeux, là encore.

— J'ai fait mes choix, répondit-il à voix basse. Je connais mes limites.

— On s'en fout, de vos limites ! hurla-t-elle. Voilà des années que vous bousillez des vies ! Pas seulement ici, mais dans le monde entier. Mandeville va devenir Premier ministre. Il va diriger le pays. Vous avez peut-être envie de faire comme si de rien n'était, mais pas moi ! Dites-moi comment se passe ce rituel. Comment on va pouvoir mettre en échec… cette force. Il doit bien exister un moyen de…

— Non ! l'interrompit Tremain en blêmissant. C'est une mission suicide. On ne peut pas les arrêter.

Il secoua la tête, attrapa son manteau et fit mine de partir.

— C'est de la folie.

Il regarda Cassie puis Charlie, avant de se calmer.

— S'il vous plaît, ramenez-la à la raison, l'implora-t-il.

Sur ces mots, il sortit. La porte se referma.

Cassie s'efforçait de garder le contrôle de ses nerfs. Qu'aurait-elle pu espérer de cet homme ? Depuis des années, il optait systématiquement pour la facilité. Il se planquait dans l'ombre pendant que Mandeville et ceux de son espèce envahissaient la ville, semaient la désolation. Elle se tourna vers Charlie.

— Vous, vous me comprenez. Non ?

Il décroisa les bras et s'approcha d'elle.

— Ce que je comprends, c'est que vous avez envie d'aller vous jeter dans la gueule du loup. Mais merde ! ça ne veut pas dire que vous avez la moindre chance de réussir !

Il tendit les mains vers elle et la regarda dans les yeux.

— Cassie, réfléchissez bien. S'il vous plaît. Vous ne savez pas du tout comment se passe cette cérémonie. Combien ils seront, ce qui…

— J'imagine qu'ils seront au moins vingt, plus les offrandes. Ce n'est pas une mince affaire, la levée de la force. Des représentants de chaque famille seront présents, ainsi que les futurs membres à initier. Je ne sais pas où ça se passe. Mais c'est forcément quelque part à Raleigh. Dans un endroit secret. Peut-être des souterrains, des catacombes. Rose a fait allusion à des tunnels…

— Et ça va finir comment ? Vous ne savez même pas à quoi vous attendre. Vous comptez y aller comme ça, sans protection ?

— Hugo sera là…

— Hugo est des leurs. Il ne fera rien pour vous.

— Il n'y a pas d'autre moyen, dit-elle d'un ton calme, en posant sur lui un regard suppliant. Vous ne voulez donc pas comprendre ? On ne les arrêtera jamais si on les laisse transmettre leur pouvoir. Tremain n'a pas tort : ils sont trop nombreux, le lien du sang ne va pas s'effacer tout seul. Alors que si je trouve une façon d'interrompre le processus, de couper le contact avec la force originelle…

— Avec des si… ! dit Charlie, sèchement. Mais bon Dieu, pourquoi ne pas admettre que vous ne savez pas à quoi vous jouez ? Vous avez vu ce qu'ils ont fait !

— J'ai vu. Et je le ressens aussi.

Impossible d'avouer ce qu'elle avait fait avec Hugo…

— Je sais comment fonctionne leur pouvoir. Je sais que je peux le vaincre.

Elle avait éprouvé la faim ; elle savait ce que voulait dire pénétrer l'esprit de quelqu'un. Elle pensait pouvoir rediriger la force contre eux au moment où ils s'y attendraient le moins.

Charlie s'éloigna vers la fenêtre, prit une difficile inspiration et dit, résigné :

— Donc, vous refusez d'en démordre.

— Je ne peux pas, répondit Cassie en le tirant par la main pour le forcer à se tourner vers elle. Vous ne voyez pas qu'il est déjà trop tard ? J'ai compris trop de choses, et ils le savent. Je pourrais m'enfuir, mais nous savons, vous et moi, qu'ils finiraient par me retrouver. Un jour, mon corps remonterait à la surface. Ici ou en Amérique. Ma mère a été obligée de changer de nom. Elle a dû prendre une autre identité, rien que pour pouvoir partir. Vous croyez qu'ils vont laisser ça se reproduire ? Je passerais le reste de ma vie à fuir, Charlie. Mais…

Elle prit une inspiration.

— Mais pour vous, il est encore temps de…

Il leva la tête, en colère.

— Qu'est-ce que vous voulez dire ?

— Vous ne pouvez plus m'aider, dit-elle simplement. C'est mon combat, maintenant.

— Non, Cassie…

Elle serra la main de Charlie dans les siennes.

— J'ai mon invitation. Ils pensent que je veux essayer de conquérir le pouvoir et la gloire, comme ils le font tous. Ils ne verront rien venir.

— C'est trop dangereux.

— Le danger ne m'a jamais arrêtée, dit-elle avec un faible sourire.

Il fronça les sourcils.

— Si vous arrivez à savoir où se tient le rituel, je trouverai un moyen d'entrer. On pourrait…

— Non, Charlie, dit-elle, résolue. Vous avez trop à perdre. S'ils apprennent que vous êtes dans le coup… Pensez à votre famille. Vous voulez les mettre en danger aussi ? Laura et Kirsty ? La petite Daisy ? Liam ?

— Ça, c'est un putain de coup bas.

— L'École de la Nuit se fout de la morale. Ce que je dis, vous le savez déjà.

Elle ajouta en baissant encore la voix :

— Vous avez déjà fait beaucoup pour moi. Sans vous, je n'aurais jamais pu aller aussi loin. Mais c'est mon combat. Je dois le terminer toute seule.

— Arrêtez vos conneries.

Il voulut s'écarter, mais elle le retint fermement.

— Je parle sérieusement. Vous m'avez soutenue, et personne…

Sa gorge se noua, elle refoula une vague d'émotion.

— Personne n'en avait jamais fait autant pour moi. Alors, merci. D'accord ? Vous avez fait ce qu'il fallait.

Elle lâcha la main de Charlie et se détourna. Elle avait dit la vérité. Charlie était la première personne depuis des années, depuis toujours peut-être, en qui elle avait placé sa confiance. Il s'était mis en danger parce qu'il avait estimé devoir le faire ; il avait pris tous les risques pour l'aider, quel qu'en fût le prix.

— Je n'ai pas fait tout ça parce que c'était bien, dit-il derrière elle. Je l'ai fait pour vous.

Elle sentit la main de Charlie sur son épaule. Il la fit pivoter et s'approcha d'elle pour l'embrasser. Surprise, elle se pétrifia, ses lèvres contre celles de Charlie en qui elle sentait un terrible désespoir. Le corps tendu,

Charlie l'embrassait avec fougue. Il s'écarta brusquement.

— Ne vous faites pas tuer, dit-il d'un ton bourru.

L'instant d'après, il avait disparu, et Cassie, seule dans le bureau, écoutait le son de ses pas décroître dans l'escalier, sentant encore le contact brûlant de ses lèvres.

*

Le lendemain matin, Cassie foula à nouveau le sol gelé lors d'un jogging acharné. Ses poumons la brûlaient. Elle n'avait pas complètement récupéré du voyage au pays de Galles, mais peu importait. Il lui fallait de l'espace pour mettre de l'ordre dans ses idées. Et elle avait besoin d'agir, ça la démangeait.

Elle avait faim, mais pas de nourriture, de sommeil ou de quoi que ce soit qui aurait pu la rassasier facilement. Ce sombre appétit envahissait son organisme avec l'exigence d'un violent désir. Il réclamait sa pitance. Il s'était enraciné en elle ce fameux soir avec Hugo. Depuis, il s'épanouissait. Elle avait beau vouloir l'ignorer, le noyer dans ses résolutions autour du rituel, il était devenu trop puissant. Voilà maintenant quatre jours qu'il criait famine dans son sang, dès le réveil.

Cassie courait, sprintait, se donnait à fond. Il y avait du monde. Les étudiants sortaient prendre l'air. Il y avait même des touristes qui se baladaient pour photographier les prairies ou les tours de Raleigh au-dessus des paisibles murs d'enceinte.

Elle se demandait quel goût aurait leur esprit.

Elle n'avait pas pu se nourrir longtemps de celui de Sebastian, elle avait seulement commencé d'en explorer les profondeurs. Hugo avait eu tôt fait de l'arracher à ce vertige. Mais l'expérience avait suffi à creuser en elle cette terrible faim. Si cette faim gouvernait l'École de la Nuit, alors ces gens n'arrêteraient jamais. Cassie n'avait jamais rien éprouvé de tel auparavant. Sauf…

Elle ralentit brusquement sur le sol dur puis s'arrêta. Des nuages de vapeur s'échappaient de ses poumons. Des souvenirs violemment refoulés revenaient en force. Une nuit noire. Une porte qui claque. Son beau-père, ivre – comme toujours depuis la mort de sa mère. D'habitude, il s'effondrait sur le divan. Mais pas cette fois. Cette fois, ce qu'il voulait, c'était quelque chose d'autre…

Quelque chose qu'il n'avait pas obtenu.

Elle avait raconté au shérif que son beau-père était inconscient quand le feu s'était déclaré, et c'était la vérité. Le shérif s'était dit que le type avait dû oublier d'éteindre le gaz et renverser une bougie. Une histoire d'ivrogne. Mais Cassie avait encore à l'oreille le bruit de l'allumette qu'elle avait grattée. Puis les flammes avaient fait rage et la victoire avait gonflé en elle, brutale. La maison, pendant ce temps, avait été réduite en cendres.

Elle était comme ça depuis toujours.

Et pour une bonne raison. Voilà ce qui avait contribué à faire d'elle un être différent, un être mauvais. Même en le voulant, elle n'aurait pu s'y opposer.

Elle s'obligea à respirer à fond et recommença à courir. Elle reprit le chemin de Raleigh. C'était certes dans sa nature – cette faim, cette violence, cette férocité –, mais cela ne voulait pas dire qu'elle ne pouvait pas choisir. Elle s'était battue toute sa vie avec l'héritage destructeur de sa mère ; à présent, c'est à un autre héritage qu'elle devait résister.

Elle les arrêterait. Tous. Avant qu'il ne soit trop tard. Cette chance ne lui avait jamais été offerte. Demain, tout prendrait fin, d'une façon ou d'une autre.

Elle courait – en priant pour que la faim s'apaise.

*

Elle sentait dans ses jambes la douleur du jogging quand, rentrée à la mansarde, elle se rendit dans la cuisine pour boire un verre d'eau.

— Bonjour, mademoiselle Blackwell.

Elle sursauta et se retourna si vite que l'eau s'échappa de son verre. Henry Mandeville la fixait d'un œil glacé, confortablement installé sur une chaise, près de la fenêtre.

Elle se contraignit à garder son calme et lâcha :

— On sait forcer les portes, dans votre famille.

Elle remplit de nouveau le verre au robinet de l'évier puis s'approcha en demandant :

— Que me vaut cette visite ?

Il leva un sourcil. Il portait un impeccable costume trois pièces. Une pochette jaillissait de sa veste. Ses cheveux blancs bien coiffés étaient ramenés en arrière.

— J'ai cru comprendre que vous étiez notre prochaine offrande, dit-il.

— En effet.

Il plissa les yeux et enchaîna doucement :

— C'est un grand honneur, que d'être choisi pour nous représenter. Avoir la chance d'accéder à notre rang !

Cassie demeura impassible.

— Je comprends.

— Savez-vous ce que le rituel exigera de vous ?

Henry se leva et s'approcha d'elle.

Elle hochait la tête, son cœur battait vite. Henry s'immobilisa devant elle.

— Vous n'êtes pas une fille facile à trouver, mademoiselle Blackwell, dit-il en insistant sur son nom, l'air d'insinuer que ce n'était pas le sien. Peu de traces, presque pas d'amis. Nous sommes une des familles les plus importantes du pays. Notre lignée remonte à des générations, elle est irréprochable. Qu'est-ce qui vous fait croire que vous méritez de marcher à nos côtés ?

Elle déglutit péniblement.

— Je pensais avoir prouvé que je méritais d'y avoir ma place. Ce n'est pas le but du rituel ?

Henry ne se laissait pas impressionner.

— Mon petit-fils compte beaucoup pour moi. Il est temps pour lui de quitter le… jardin d'enfants. De prendre ses responsabilités à la tête de la famille. La cérémonie le confortera dans son destin.

Il tendit brusquement la main pour saisir le menton de Cassie. Choquée, elle eut un mouvement de recul, mais il la retint fermement entre ses doigts osseux.

— Eh bien ! nous allons voir, murmura-t-il en frottant avec son pouce la joue de Cassie. Vous permettez ?

Elle frissonna. Elle éprouvait le regard glacé d'Henry, l'éclat noir et profond de ses yeux, mais pour quelque raison elle ne pouvait se détourner.

La force noire rôdait aux confins de son esprit.

Elle avait besoin de respirer. C'était un test : il entendait s'assurer qu'elle avait assez de valeur pour être sacrifiée. Et elle ne pouvait l'en empêcher, sauf à trahir la force qu'elle possédait en elle.

Elle ferma les yeux et le laissa pénétrer son esprit en s'efforçant de ne pas offrir de résistance. Elle tint bon quand la froideur envahit les régions reculées de son psychisme pour franchir les voiles de ses pensées, de ses souvenirs. Elle ne fit pas un geste et garda le silence. Elle consentit à le laisser procéder à son exploration avec un abominable plaisir. Elle avait envie de s'enfuir en hurlant. Elle aurait voulu se battre. *Pas maintenant !* Elle s'enfonçait les ongles dans les paumes. Les larmes lui piquaient le coin des yeux. *Pas encore…*

Il la relâcha et recula. Cassie émergea en tremblant.

— Intéressant…

Il attendait, l'observait. On aurait dit qu'il savourait un vin précieux. La respiration de Cassie s'accéléra. Allait-il lui dire qu'elle était différente ? Qu'il avait découvert en elle un secret ? Non, il hocha la tête.

— Vous ferez l'affaire, dit-il.

Il avait terminé. Il fit demi-tour pour s'en aller. Cassie s'entendit le rappeler :

— Attendez… Que se passera-t-il après la cérémonie ? Quand j'aurai… enfin, *si* je réussis l'épreuve ?

Il eut un sourire glacial.

— Après, ma chère, votre vraie vie pourra commencer. Vous serez comme nous. Vous accomplirez tous vos désirs.

Il inclina la tête.

— Quelles sont vos aspirations ? La célébrité ? La gloire ? L'argent ?

Une note de dérision perçait dans sa voix.

Elle cligna des yeux. Comme aucun mensonge ne se présentait, elle lui dit la vérité :

— Je voudrais devenir assez forte pour que personne ne puisse plus jamais me faire du mal. Je veux être intouchable.

435

Henry semblait approuver.

— Un noble objectif, dit-il. Bonne chance à vous, mademoiselle Blackwell.

Il fit un signe de tête et s'en alla, telle une ombre descendant l'escalier. De la fenêtre, Cassie vit une forme noire passer puis s'éloigner.

Encore le même rêve : les catacombes poussiéreuses, les torches qui brûlent, la fuite, la peur panique. Un rêve sombre et, au réveil, une faim puissante courant dans ses veines.

Elle resta couchée. Elle comptait les minutes. C'était sa dernière nuit. La nuit unique.

C'était la fin.

Après toutes ces recherches, toutes ces heures passées à tirer et démêler des fils, Cassie ne savait toujours rien du danger qui l'attendait ce soir. Car tel était le vrai secret de l'École de la Nuit : les gens pouvaient bien raconter ce qu'ils voulaient sur les privilèges et le pouvoir, en réalité les rumeurs se répétaient pendant des siècles sans qu'aucun signe vienne jamais trahir l'existence d'une force noire sous la surface aristocratique des choses. Cassie ne disposait d'aucune indication susceptible de la guider lors du mystérieux rituel. Elle n'avait que son instinct. Et le fol espoir de venir à bout de l'adversaire, quel qu'il puisse être – l'espoir de l'anéantir.

Tremain n'avait livré aucun secret. Peut-être parce qu'il caressait l'illusion de la voir renoncer à son idée. Quant à Hugo, il restait vague, ce qui était frustrant. Tout ce qu'il avait dit, c'est que la soirée commencerait par un dîner, un repas officiel donné pour la société dans un salon privé de Raleigh. Il passa la prendre à vingt et une heures. Il était en costume et affichait une nervosité certaine. Il la complimenta sur sa toilette.

— Tu es en beauté.

Elle portait la robe noire d'Evie. Un honneur, un souvenir.

— Merci, répondit-elle, gênée. Je vais chercher mon sac.

Elle se rendit dans sa chambre, enfila des hauts talons et passa à son cou le collier de sa mère. Le miroir lui renvoya l'image d'un visage anxieux, lourd de secrets. Elle se força à prendre une grande inspiration, à dominer l'angoisse qui lui tordait le ventre.

C'était ainsi. Il était trop tard pour la peur. Elle n'avait plus le temps.

Elle revint dans le séjour. Hugo l'aida à passer son manteau.

— Tu as bouclé tes bagages, dit-il, regardant la pièce presque vide.

— Au cas où, répondit-elle avec un haussement d'épaules.

Elle avait fait le ménage. Elle ne voulait pas que de malheureux employés soient obligés de rassembler ses affaires, comme pour Evie. Du reste, les vestiges de sa vie à Oxford se résumaient à peu de chose : il lui avait suffi de regrouper ses notes, de rapporter les livres à la bibliothèque, de rédiger un dernier devoir et d'étendre sur le lit les robes à restituer. Conformément à son habitude, elle quitterait la ville sans laisser de trace. Elle allait disparaître comme elle était venue. À part Charlie, il n'y aurait personne pour se souvenir d'elle. Ce serait comme si elle n'avait jamais existé.

Charlie : il avait essayé de l'appeler, après la dernière fois. Mais Cassie s'interdisait de répondre au téléphone. À quoi bon lui parler ? Il ne ferait que tenter de la dissuader, alors qu'elle était plus résolue que jamais.

— On y va ? dit-elle en offrant son bras à Hugo.

Mais il se planta brusquement devant la porte pour lui barrer le passage.

— Il n'est pas trop tard, dit-il vivement, la fixant de ses yeux noirs. Tu n'es pas obligée.

Cassie sursauta et battit des paupières. Il n'allait pas flancher maintenant !

— Tu disais que tout allait bien se passer. Que tu me protégerais.

— Je sais, mais…

Il se dérobait. Il hésitait, et elle ne pouvait s'empêcher de le considérer avec une ironie amère. Voilà qu'il avait un cas de conscience. Une fois n'est pas coutume. Il pensait qu'elle se sacrifiait volontairement et sans savoir ce qu'elle faisait ; elle devrait jouer ce rôle jusqu'au bout.

— Quoi ? demanda-t-elle doucement. Tu as changé d'avis ?

— Non, c'est juste que…

Il détourna les yeux, avant d'ajouter à voix basse :

— Tu connais les risques. Personne n'a jamais survécu.

— Personne n'est comme moi, dit-elle.

Et elle se demanda aussitôt si elle n'en avait pas trop dit. Elle était la seule à savoir que le sang de leur société coulait dans ses veines, et ce secret était son seul avantage. Elle feignit d'avoir voulu jouer les effrontées :

— Je veux dire, c'est toi qui l'as remarqué : tu as ressenti quelque chose de particulier quand tu as voulu entrer en contact avec moi. Je peux le faire.

— Quand bien même… Cette vie, le prix à payer…

Elle vit à sa tête qu'il était gagné par une angoisse intérieure.

— C'est un piège, Cassie. Une prison dorée. Une fois dedans, on n'en sort plus.

Dans quelle mesure était-il indécis ? Cassie s'interrogeait. N'y avait-il pas moyen d'employer cette hésitation à ses propres fins ?

— Tu serais prêt à y renoncer, si tu en avais la possibilité ? demanda-t-elle. À en finir avec tout ça – le pouvoir, les souffrances ?

Il fronça les sourcils.

— Que veux-tu dire ?

Elle marchait sur des œufs.

— Je veux dire que tu pourrais être toi-même, pour une fois. Au lieu de suivre les plans familiaux.

Il s'était déjà ouvert à elle de la frustration qu'il éprouvait. On le forçait à se montrer à la hauteur, à honorer le nom qu'il portait – à répondre aux attentes des Mandeville, ce fardeau. S'il avait l'intention de l'aider, au cours du rituel, s'il pouvait tourner le dos à tout ça… Elle décida de le pousser dans ses retranchements :

— Imagine, si tu étais libre. Pas de pression, pas de règles.

Hugo sourit, résigné.

— Imaginer ne sert à rien. Mon destin est écrit depuis longtemps.

— Mais tu n'aurais pas envie de saisir ta chance, si elle se présentait ?

Elle insistait. Avoir Hugo pour allié pouvait faire la différence.

— Ce soir, par exemple…

Ils furent interrompus par un bruit de pas dans l'escalier. Olivia déboula dans la chambre en criant :

— Vous allez être en retard !

Elle se plaça entre eux et passa un bras sous celui de Cassie.

— Si tu savais comme je suis heureuse que tu sois des nôtres ! dit-elle avec un sourire fragile. Je sais que tu vas être géniale.

Son regard noir était franc. Elle affichait une expression lumineuse et sincère. Cassie aurait pu s'y laisser prendre si la nuit du labyrinthe n'avait pas eu lieu – si elle n'avait vu la vérité cachée derrière cet impeccable sourire.

— Je pense, oui, dit Cassie, feignant la gaieté à son tour.

Elle suivit Olivia vers la sortie en observant Hugo du coin de l'œil : il regardait ailleurs. Elle poursuivit à l'intention d'Olivia :

— Le rituel m'excite tellement ! Tu sais comment ça se passe ?

Olivia secoua la tête et lui répondit pour la rassurer :

— Pour moi aussi, c'est la première fois. Mais pas de problème. C'est une formalité.

Dans la cour, la brise nocturne fit frissonner leurs robes de soie.

— Il y aura plein de vieux jeux de rôle amusants. Tu n'as pas à t'en faire.

Cassie n'était même pas surprise d'entendre de pareils mensonges. Elle se prêta au jeu :

— Quel soulagement ! Je suis sûre que ça va être sympa.

Elles parcoururent les allées, Hugo sur leurs talons. Cassie ne pouvait s'empêcher d'observer les groupes d'étudiants qui se dirigeaient bruyamment vers un bar ou revenaient de la bibliothèque chargés de leurs livres. Ils étaient dans leur monde. Ils n'avaient pas idée des rituels anciens qui allaient se dérouler dans l'enceinte même de leur chère université. Ils ignoraient tout des forces noires à l'œuvre en ce moment même sous leurs pieds, et qui rongeaient les fondements de leur existence. Cassie aurait-elle eu cette vie-là si elle n'était pas tombée sur l'École de la Nuit ? Que serait-il advenu d'elle si elle avait renoncé, dès le premier obstacle, à découvrir la vérité sur sa mère ? Si elle s'était concentrée sur son travail universitaire – tout en fréquentant les bars et les fêtes, tournée vers d'autres objectifs ?

— À quoi tu penses ? lui demanda joyeusement Olivia.

Elles franchissaient l'entrée du dernier bâtiment.

— Oh ! à rien, répondit-elle légèrement. À un devoir que je dois rendre la semaine prochaine.

Olivia éclata de rire.

— Crois-moi, demain, ton devoir sera le dernier de tes soucis. Tu auras bien plus important à penser.

Elle avait raison. À quoi bon imaginer une autre vie ? Jamais elle ne renoncerait à sa quête de vérité : telle était sa nature. Elle avait choisi. Elle n'échapperait pas à la personne qu'elle était. Ce soir, l'École de la Nuit allait payer pour ses crimes – si Cassie ne mourait pas au cours de l'opération.

*

Précédés d'Olivia, ils montèrent au deuxième étage des cloîtres et arrivèrent à une porte gardée par un vigile à la mine sévère. Il les toisa, hocha la tête et s'effaça.

Cassie entra avec Hugo. Elle était à fleur de peau. Les invités s'amassaient dans la grande salle où on buvait du vin. Rires et conversations produisaient un agréable bruit de fond. La réunion ressemblait à n'importe quelle soirée habillée. Cassie regarda l'assemblée. Elle eut un choc en reconnaissant plusieurs visages brûlant d'impatience et d'excitation : des géants de la politique, des affaires ou des médias. Rutledge avait dit vrai. Les ramifications s'étendaient jusque dans les sphères les plus hautes de la société. Cassie maîtrisa un tremblement. Si elle n'arrêtait pas ces gens, leur pouvoir ne cesserait plus de croître, il échapperait à tout contrôle, et la prochaine génération connaîtrait la ruine et la mort.

— Prenons un verre, dit Olivia, enthousiaste.

Hugo la foudroya du regard, mais Olivia se contenta de hausser les épaules.

— Quoi ? C'est la fête, non ?

Elle fit signe à un serveur qui portait un plateau de coupes de champagne. Elle en prit une pour elle et une pour Cassie.

— À notre nouveau membre ! dit-elle en portant un toast.

Cassie l'imita, stupéfaite par une pareille insouciance. Olivia avait-elle la moindre idée de ce qui attendait Cassie, ou était-elle simplement naïve ?

Cassie vit arriver Lewis. Il était blême, nerveux, mais son visage s'éclaira quand il aperçut Olivia. Il se fraya un passage dans la foule pour les rejoindre.

— Comme tu es chic ! roucoula Olivia en effleurant les revers de sa veste. C'est excitant ! J'ai hâte !

Lewis s'efforçait de faire bonne figure.

— Bien sûr, chérie.

Olivia considéra l'assistance et avisa Henry qui leur adressait des signes.

— Hugo ! On nous appelle. Il faut qu'on aille présenter nos respects.

Hugo posa une main sur l'épaule de Cassie :

— Ça va aller ?

— Oui.

Elle les regarda rejoindre leur famille. Henry surveillait l'assemblée en jetant partout des regards noirs. Richard, le futur Premier ministre, souriait vaguement. Il affichait cette expression chaleureuse, rassurante, qui avait su toucher le cœur de l'électorat. Cassie se demanda où étaient les épouses. Étaient-elles seulement les bienvenues dans ce genre de soirées ? Ou bien restaient-elles à leur place, à la maison, pour mieux laisser aux hommes le soin de régler ces sinistres affaires ?

Cassie se tourna vers Lewis. Il transpirait dans sa veste chic, et sa cravate l'étranglait. Il murmura, embarrassé :

— Regardez-moi ça. Bon Dieu ! La moitié du gouvernement est là.

— Olivia vous a dit comment se déroulait la cérémonie ? demanda-t-elle prudemment.

— Il n'y a pas grand-chose à dire, si ? répondit-il en lui adressant un pâle sourire. Quelques vieilles incantations et rideau. Rien d'inquiétant.

Elle éprouva une pointe de culpabilité. Elle savait la vérité, mais lui débarquait sans être le moins du monde préparé.

— Elle ne vous a pas expliqué comment ça se passe ?

Elle insistait. Elle voulait le mettre en garde d'une façon ou d'une autre, lui offrir une dernière chance de se raviser. Il secoua brièvement la tête.

— Et ça vous convient ? reprit-elle, surprise.

Il détourna les yeux et regarda l'assistance.

— Liv dit que je suis assez fort.

Il semblait vouloir se convaincre lui-même.

— Elle dit qu'il n'y a encore jamais eu personne comme moi. Elle va me protéger. S'assurer que je tiens le coup.

Un frisson parcourut le corps de Cassie. Hugo lui avait dit la même chose : qu'elle était différente, qu'il la protégerait. Hugo l'avait-il trompée en lui faisant croire qu'elle s'en sortirait vivante ?

Elle n'eut pas le temps d'y penser : un gong retentit. Les convives étaient priés de s'asseoir à la longue table dressée et décorée pour le dîner. Cassie était avec Hugo, Lewis et Olivia. Miles s'assit en face. Il buvait joyeusement, en tenant par l'épaule un garçon que Cassie avait croisé à la bibliothèque Radcliffe. Les joues rouges, ce dernier était manifestement nerveux. Il ne devait pas avoir plus de dix-neuf ans. Paige se trouvait un peu plus loin, en compagnie d'une fille blonde dont les yeux perçants furetaient partout. Quand elle rencontra le regard de Cassie, elle prit un air bizarre et lui fit un sourire incertain.

Au bout de la table, Henry Mandeville se leva. Il réclama le silence en donnant de petits coups sur son verre.

— C'est un grand plaisir de vous recevoir tous ce soir, commença-t-il d'une voix qui emplit la salle. De revoir de vieux amis et de partager nos vieilles coutumes. Car notre société est fondée sur la tradition : nos rituels et notre histoire se transmettent d'une génération à l'autre. Ce soir, nous allons léguer cette histoire, ces nobles traditions, à une génération nouvelle. Les fils et les filles que nous avons vus grandir avec tant

446

de fierté pourront prendre leur place parmi nous en tant qu'adultes et dépositaires de notre héritage en ce monde.

Cassie regarda autour d'elle. On opinait partout d'un air satisfait. Elle vit des pères et des fils échanger timidement un sourire, fiers de leur réussite.

— Mais ce soir, nous ne fêterons pas seulement ceux qui ont hérité de nos coutumes, continuait Henry, non moins fièrement. L'histoire avance, et ce sont nos nouveaux membres qui nous fourniront de l'énergie pour les prochaines années. Ces âmes valeureuses ont pris tous les risques pour se joindre à nous. Des risques qui méritent d'être récompensés. Ces quelques personnes ont de la chance. C'est leur sang, un sang frais, qui nous donnera notre puissance, élargira nos horizons et appuiera bientôt la stratégie de notre noble société.

Cassie retint un frisson. *Un sang frais…* Henry ne faisait pas que céder au lyrisme. Partout dans la salle, les anciens levaient leur verre pour un toast macabre.

— Donc, tout comme nos ancêtres jadis, dînons et festoyons, avant que la cérémonie commence.

Il promena son regard sur l'assemblée.

— Nous savons que…

Il s'interrompit, car les grandes portes venaient de s'ouvrir. Toutes les têtes se tournèrent, et Cassie étouffa un cri de surprise. Tremain entra, impeccablement vêtu.

La pièce s'emplit de chuchotements. L'étonnement et le scandale s'exprimaient dans des murmures.

— Qu'est-ce qui se passe ? demanda Cassie.

Elle ne quittait pas Tremain des yeux. Son cœur s'emballait. Elle ne l'avait pas revu, ni ne lui avait parlé, depuis le rendez-vous avec Charlie. Qu'est-ce qu'il faisait là ?

— Je ne sais pas, dit Hugo à voix basse. Il n'est pas des nôtres. Plus maintenant.

Cassie vit Henry s'avancer pour arrêter Tremain. Ils n'étaient pas très loin de Cassie qui entendit leur échange :

— Je suis surpris de vous voir ici, Matthew, chuchota Henry, glacial.

Tremain ne détourna pas les yeux et demeura impassible.

— Je viens faire amende honorable, dit-il. Vous aviez raison sur toute la ligne. Je ne puis nier qui je suis.

— Vous souhaitez être des nôtres à nouveau ? reprit Henry, stupéfait.

— Je n'ai que trop résisté. Je n'aurais pas dû rejeter mon héritage. C'était de la folie, une erreur.

Il baissa la tête en signe de respect.

— Il est temps pour moi de reprendre ma place parmi vous. Et de célébrer la levée en votre compagnie. J'aurais dû le faire depuis longtemps. La famille avant tout.

Henry réfléchissait. Enfin, il sourit froidement.

— Bienvenue au bercail, mon ami, dit-il en lui serrant la main. Partagez notre dîner. Je suis ravi de vous accueillir pour votre retour.

Cassie les regarda prendre place. Elle avait le cœur au bord des lèvres. Ça n'avait aucun sens… Mais elle croisa le regard de Tremain de l'autre côté de la table. Ses traits étaient impavides, cependant il lui adressa un signe imperceptible. Et elle comprit enfin à quoi rimait son geste.

Il était là pour l'aider.

Elle éprouva une bouffée de gratitude pour cet homme – cet étranger, son père. Il n'avait peut-être pas réparé les dégâts commis dans la vie de sa mère, mais il essayait de se racheter, de se faire pardonner.

Et il était le seul atout de Cassie.

*

Le dîner traînait en longueur. Autour de Cassie, les membres de la société épuisaient la nourriture et les vins dans les discussions et les rires. L'événement ressemblait à des retrouvailles : on se délectait de revoir de vieux amis, on parlait du bon vieux temps. Cassie en était à la fois fascinée et écœurée. Comment un rituel aussi affreux pouvait-il générer de la joie ? Ils étaient tous tellement rompus à leurs propres crimes qu'ils consommaient avec plaisir mets exquis et gibier.

Ce qui attendait Cassie était énorme, effrayant. Elle s'était concentrée sur son objectif au point qu'elle n'avait pas même envisagé la possibilité de l'échec. Mais à présent, en regardant autour d'elle, elle tremblait sous l'effet d'une peur indéterminée. Il y avait ici des dizaines de personnes : des âmes puissantes, impitoyables, qui traînaient dans leur sillage des années de méfaits qu'ils voulaient protéger. Henry Mandeville à lui seul était un adversaire terrifiant. Alors, tous les autres réunis… L'angoisse lui donnait la nausée. Tremain devait avoir raison. Elle avait cédé à une pulsion de fol orgueil en pensant qu'elle pourrait venir à bout d'un mal ancien, tentaculaire.

Ses pensées furent interrompues par le bruit des chaises repoussées. Les convives quittaient leur table. Hugo toucha la main de Cassie.

— C'est l'heure.

Elle sentit les battements de son cœur s'accélérer. Hugo n'avait presque rien dit de tout le dîner, picorant dans son assiette, à son côté. Elle se demandait maintenant ce qu'il avait en tête. Il avait promis de la protéger. Était-ce un mensonge ? Avait-il voulu la bercer d'un faux sentiment de sécurité ?

— Où allons-nous ? demanda-t-elle en lui emboîtant le pas.

— Dans les catacombes, sous l'université, répondit-il calmement. Nous y avons des locaux. Ces pièces mêmes où Raleigh et les autres se réunissaient au début…

— Et personne ne s'inquiète de rien ?

Elle coulait des regards vers la procession. Toute la société traversait les cloîtres en grand apparat.

— C'est un dîner privé, dit Hugo en haussant les épaules. Il y en a tout le temps. L'entrée est secrète et bien gardée. On y sera tranquille. C'est notre université.

Et comment ! se dit Cassie. Raleigh, la grande institution, appartenait entièrement à l'École de la Nuit. Derrière ces murailles de grès, la société régnait sur un fief où les règles, la loi et la morale n'existaient pas.

À l'avant, Tremain pénétra dans une alcôve. Cassie attendit. Hugo s'était retourné pour parler à un membre. Elle s'arrêta à la hauteur de Tremain et feignit de remettre la lanière de sa chaussure à talon.

— Vous avez changé d'avis ? murmura-t-elle.

Il était mal à l'aise.

— Tu peux encore faire machine arrière, répondit-il à voix basse. En filant maintenant, tu auras quitté le pays avant le lever du jour. S'il te plaît, Cassie…

— Non, dit-elle en se raidissant, son regard plongé dans celui de Tremain. J'irai jusqu'au bout. Soit je peux compter sur vous, soit vous ne m'êtes d'aucune utilité.

Il serra les mâchoires et répliqua sèchement :

— Je serai là.

Il regarda autour de lui puis se pencha vers elle :

— Quand ça commencera, ils vont fermer les portes pour que tu ne puisses plus sortir. Si tu cherches une issue, il y a l'escalier de la crypte. Dans le couloir, il faut prendre à droite et continuer jusqu'à la sortie. Charlie t'attendra à la porte nord.

— Charlie ? dit-elle avec un pincement d'effroi. Non, non, il ne faut pas. Je lui ai dit…

— Il ne veut rien entendre. Ne t'inquiète pas pour lui. C'est trop tard. Écoute-moi, plutôt. Tu vas devoir attendre jusqu'à ce que la communication soit établie. Quand les membres entrent en contact avec la force noire. La clef, c'est Henry. C'est lui qu'il faudra arrêter. Le reste suivra.

Cassie hochait la tête et réfléchissait vite.

— Il n'y a rien que je puisse utiliser comme arme ?

— Tout ce qui te tombera sous la main, chuchota Tremain. Je ferai ce que je pourrai. Mais je n'ai plus de forces. Il y a trop longtemps que je n'ai pas pris d'énergie. Je ne fais plus le poids. Désolé.

— Cassie ?

Elle se retourna. Olivia, devant elle, la fixait d'un regard inquiet.

— Merci, murmura Cassie sans regarder Tremain.

Elle se leva. Elle rattrapa Hugo et Olivia qui lui demanda :

— Un problème ?

— La lanière de ma chaussure, répondit-elle.

Elle sentait qu'Hugo l'observait avec attention. Elle se détourna. Ce n'était pas le moment de flancher. Elle resserra son manteau autour de son corps et suivit le mouvement. Le groupe pénétra dans l'ombre de la cour et se dirigea vers l'entrée de la tour nord.

Cassie essayait de se rassurer. Elle avait un plan, et des alliés pour la soutenir. Tremain serait présent à la cérémonie. Charlie attendait dehors. À eux trois, ils pouvaient anéantir cette société secrète. Les membres n'auraient pas le temps de la voir venir.

Elle aperçut soudain un visage familier, et son cœur cessa de battre.

Elliot.

Il discutait avec Henry Mandeville. Ils s'entretenaient à voix basse, penchés l'un vers l'autre. Elliot remit un vieux livre à Henry, qui approuva d'un hochement de tête.

Elliot était-il mêlé à ces activités ? Elle ne comprenait pas. Il était censé être à Londres, à des kilomètres de là. Elle l'avait considéré comme un ami. Le sentiment d'avoir été trahie lui déchirait le corps. Elle vit qu'ils continuaient leur discussion. Puis Elliot fila vers la sortie.

Henry leva les yeux et comprit que Cassie les avait observés. Son expression changea, et il afficha un sourire cruel, suffisant – le sourire d'un homme qui savait exactement ce qu'elle éprouvait.

Elle était au plus mal. Elle réfléchissait à tout ce qu'elle avait découvert : le nom de sa mère, Rose, l'existence de l'École de la Nuit, et tant de choses encore. Elliot l'avait accompagnée durant toutes ces étapes. C'étaient ses recherches à lui qui avaient mis Cassie sur la voie ; les informations qu'il lui avait fournies l'avaient conduite au moment présent.

C'était lui. Depuis le début.

Elle se rendait compte avec un sentiment d'impuissance et de dégoût qu'Henry avait tout manigancé. Il avait tiré toutes les ficelles depuis la minute où elle avait posé le pied à Oxford. Tout ce qu'elle avait appris, elle le devait aux indices laissés par eux à son intention : chaque élément du puzzle lui avait été délivré comme un cadeau empoisonné. Henry devait savoir que Tremain était son père. Il savait qu'elle était des leurs. Et il la mettait à l'épreuve, désireux de savoir si elle survivrait au rituel ou non.

On s'était joué d'elle depuis le tout début.

Elle avait envie de s'enfuir. Le sort désormais lui était défavorable, et il n'y avait sûrement pas d'issue. Mais le groupe s'amassait dans la tour et Hugo, à ses côtés, la guidait vers l'intérieur. Elle était déjà venue ici, lors de sa première visite à Oxford pendant le voyage organisé : les touristes se baladaient alors tranquillement, grimpaient l'escalier en colimaçon pour aller admirer la vue d'en haut. À présent, il n'était plus question de monter. Le groupe avait écarté une lourde tenture révélant une porte au pied des marches, qui donnait sur l'obscurité d'un tunnel, sur des ombres.

Cassie s'arrêta. Hugo, derrière elle, la pressait d'avancer :

— Fais-moi confiance, murmura-t-il.

Elle n'avait plus le choix. C'était l'aboutissement de tout. Elle rassembla son courage et pénétra dans le noir.

33

L'escalier menait sous le collège, en un étroit passage éclairé par des torches suspendues aux murs. La procession suivait ces lueurs tremblantes. Cassie estima qu'ils devaient se trouver sous la grande chapelle. Il était étrange de penser que, dans ces profondeurs, des générations avaient vénéré une forme de puissance invisible aux yeux du monde.

Cassie s'était attendue à une atmosphère humide, mais ils progressaient dans un air sec et frais. Le tunnel déboucha sur une succession d'antichambres, toutes protégées par des grilles. Ils arrivèrent enfin dans un vaste espace caverneux dont les murs étaient couverts de tapisseries anciennes aux motifs élaborés et de tableaux parfaitement conservés. Le sol descendait en pente douce, par gradins circulaires, jusqu'à un petit bassin. Au fond se dressait une plate-forme de pierre, une sorte d'autel où étaient posées des bougies et une coupe d'argent. La cérémonie semblait devoir être présidée par le grand homme lui-même : sir Walter Raleigh en personne, dont le portrait affichait une expression distante et résolue.

Hugo conduisit Cassie en bas, devant le bassin autour duquel les autres offrandes formaient déjà un cercle, les membres de la société secrète en formant un second derrière elles.

Cassie regarda tout autour d'elle. Son cœur battait vite. Quand les portes se furent refermées avec un bruit sourd derrière le dernier adepte, son instinct lui hurla de fuir. Mais il était trop tard. Elle se força à prendre une grande inspiration. Elle leva les yeux vers Hugo qui, regardant le sol fixement, l'ignora. En revanche, depuis l'autre côté de la salle, Tremain l'observait. Il lui adressa un brusque signe de la tête, mais son expression était indéchiffrable et son geste ne put apaiser l'angoisse de Cassie.

Henry se rapprocha de l'autel et déclara :

— En ce lieu où notre legs fut inauguré, nous sommes rassemblés pour le renouvellement des liens sacrés.

Les autres membres entonnèrent avec lui un chant, un grondement à voix basse qui glaça Cassie jusqu'aux os. Depuis combien de temps prononçaient-ils ces mots ? Depuis quand les sacrifices avaient-ils lieu ?

— Pour édifier de la grandeur, pour atteindre aux plus hautes vertus, nous vous présentons dans les ténèbres les offrandes qui nous rendront forts et conscients de la pureté de votre immense présent.

Henry prit un couteau sur l'autel et le brandit. C'était une arme curieusement incurvée, dont le manche s'ornait de bijoux.

— Du sang au sang ! tonna Henry.

Ayant fait courir la lame sur la paume de sa main, il descendit les marches vers le centre de l'arène et laissa des gouttes noires tomber dans le bassin.

— Telle est ma requête.

Il tendit le couteau à Hugo qui vint se placer devant Cassie et répéta hâtivement ces mots. Mais il n'enfonça pas la lame suffisamment et il dut s'y reprendre à deux fois pour s'entailler la peau. Quand le sang jaillit, il ferma les yeux.

— Du sang au sang !

L'un après l'autre, les membres de la société secrète descendirent au bord du bassin. Leur sang dégouttait dans l'eau. Un rougeoiement sombre tournoyait dans la demi-pénombre. Le cœur de Cassie battait toujours plus vite. Les incantations résonnaient et s'entremêlaient autour d'elle. Elle n'aurait su dire quand commençait l'une et quand finissait l'autre. Elle n'entendait plus qu'une rumeur sourde et lugubre.

— Et voici maintenant nos offrandes ! annonça Henry. Elles se donnent à toi librement, au nom de notre héritage et de la vraie puissance. Ainsi en est-il depuis la première d'entre elles, ainsi en sera-t-il à jamais.

Cassie sursauta quand des mains la saisirent par les épaules. Hugo était revenu derrière elle et il la tenait. Chaque adepte avait sa façon particulière de présenter son offrande : certains posaient une main sur sa tête, d'autres touchaient son dos. Cassie perçut la chaleur qui émanait d'Hugo. Il se trouvait à quelques centimètres d'elle. Ses mains tremblaient.

— Tout va bien se passer, la rassura-t-il.

Henry prononça une incantation en latin. Les mots lourds, étrangers, glissèrent dans l'ombre jusqu'à elle. Lewis, à ses côtés, s'agitait. De l'autre côté, Paige caressait les cheveux de la fille qu'elle présentait en offrande ; elle l'apaisait en lui parlant à l'oreille, comme pour l'empêcher de s'enfuir.

Le grondement se fit plus fort. Des chuchotements s'élevaient dans la pénombre, se faufilaient entre les adeptes. Aux murs, les flammes vacillèrent, précipitant l'assemblée dans le noir. Cassie luttait pour se maîtriser. Son instinct continuait de l'alerter à grands cris. Tous ses muscles se tendaient : ils réclamaient du mouvement. Elle n'aurait pas dû venir. Elle avait commis une erreur.

Et tout son corps se mit alors à trembler. Elle se sentait mal. Elle prit conscience de quelque chose de froid. Quelque chose de très ancien. Quelque chose de mal.

Les torches vacillèrent à nouveau. Cassie repéra un mouvement dans le noir. Dans le bassin, l'eau remuait. Elle regarda avec horreur une forme noire s'élever.

Cassie sentait qu'Hugo était tendu, mais elle ne pouvait détacher les yeux de ce qui se produisait devant elle, dans le bassin. C'était sombre, ça n'avait pas de forme, c'était l'essence même de la noirceur. C'était elle : la faim, dans sa manifestation concrète. Et Cassie avait beau avoir peur, elle éprouvait l'appel de cette faim qui réveillait quelque chose dans les profondeurs de sa poitrine.

Le silence tomba sur l'assemblée. La noirceur tournoyait – ombre à la surface du bassin.

— Voici nos offrandes ! s'exclama Henry. Prends-les ! Et accorde-nous la connaissance qui nous revient de droit.

La force noire se répandit. Cassie, pétrifiée, la vit changer, se diviser, franchir les bords du bassin comme les rayons d'une roue, et enfin ramper vers elle, vers Lewis, vers toutes les offrandes. Cassie eut un mouvement de recul, mais Hugo la maintenait par les épaules, l'obligeant à rester où elle était. Il lui enfonçait ses doigts dans la chair. La force noire se dressa devant elle : sombre colonne qui se balançait en sifflant.

Et l'ombre s'empara d'elle.

Cassie fut envahie. La force noire se répandit en elle jusqu'à atteindre les confins de son esprit. Cassie avait cru éprouver de la puissance, le soir où Henry était venu chez elle, mais elle n'avait encore rien vu ! Ce n'était qu'une faible manifestation de la force. Cette force qui ce soir effaçait tout, dont la vigueur et la portée étaient décuplées, se trouvait affamée après tout ce temps. Cassie éprouvait sa présence glacée, terrifiante. Elle tentait de lui résister à tout prix, luttait. Elle jeta à Tremain un regard désespéré. Mais il fit non de la tête et ses lèvres prononcèrent une phrase muette : « Pas encore. »

Cassie haletait. Impossible de repousser la force noire, ne fût-ce qu'une seconde. Elle était trop puissante, trop sombre. Elle s'insinuait partout, enveloppait son âme. Un frisson la parcourut quand elle investit son corps. Puis une violente douleur grandit à l'arrière de son crâne.

Elle sentit alors l'énergie lui revenir. Elle se frayait un chemin dans les larges brèches que la force avait creusées. Hugo absorbait de la puissance à travers Cassie, comme si elle n'était rien d'autre qu'un récipient pour la force. Elle sentit que tout explosait en elle. Submergée, elle cria et tomba à genoux. Elle vit les autres offrandes s'effondrer elles aussi. Leurs maîtres flambaient d'énergie. Cassie avait l'impression que son esprit et celui des autres chevauchaient des vagues de ténèbres. Hugo, Olivia, Henry… Ils en prenaient encore et encore, toujours plus, emportés par la frénésie de l'instant. Les offrandes étaient en proie à la panique. Elles souffraient et ne formaient plus qu'une seule et unique offrande. La force les traversait, les envahissait, les pillait.

Cassie luttait pour rester consciente. C'était le moment – l'instant où ils étaient tous liés. Elle rassembla son courage et s'obligea à dominer sa panique. Ignorant les cris de douleur qui jaillissaient autour d'elle, elle prit une inspiration douloureuse et se concentra sur la force noire dont elle traça mentalement les contours. Elle lui échappa un instant, se fit éphémère. Cassie la retint fermement, en cherchant un point d'appui dans le chaos : la racine d'où cette force émanait.

Là…

Juste sous le tourbillon de faim, il y avait comme une couture : un rebord dentelé, une déchirure dans la réalité qui laissait passer la force noire. Cassie s'empara d'elle. Elle la tint serrée, quand bien même ses propres forces la quittaient. Elle s'obligea à ne pas lâcher ce point de contact qui était le début de tout – le début et la fin…

Elle se détacha d'Hugo. Elle lui ferma son esprit et combattit la force en mobilisant les dernières sources d'énergie dont elle disposait. La force noire marqua sa surprise, se cabrant pour venir sur elle. Elle sifflait, hurlait de rage. Le sol gronda et trembla sous les pieds de tous au moment où la force noire relâcha les autres. Les connexions étaient coupées. Des cris retentirent. Tout était confusion, tout était souffrance. Les offrandes, arrachées à la force, étaient désormais libres. Du coin de l'œil, Cassie vit tout le monde s'effondrer à terre. Tremain, Hugo et Olivia rampaient dans la poussière, près des corps dévastés, sacrifiés.

Il ne restait plus que Cassie. Elle et… Henry. Il se tenait toujours près de l'autel, rigide. Cassie étouffa un cri de surprise quand elle le vit s'élever. Il lévitait à plusieurs centimètres au-dessus du sol. La force noire passait à travers lui maintenant. Elle combattait Cassie, dont elle pénétrait profondément l'esprit. La douleur était intolérable. La force creusait davantage, s'emparait de tout, faisait voler en éclats le cerveau de Cassie, qui avait maintenant un goût de sang dans la bouche, et pouvait entendre ses propres cris.

Les murs tremblèrent. Des pierres et des gravats se détachaient des voûtes. Les torches tombèrent, et l'une d'elles enflamma la frange d'une tapisserie qui s'embrasa. Certains adeptes reprenaient leurs esprits. Olivia passa en courant devant Cassie, se précipitant vers la sortie. Mais Cassie hésitait encore à se détourner de son objectif. Elle se laissa tomber sur les genoux. À quatre pattes, elle commença de progresser vers l'autel. Elle devait lutter pour garder son équilibre dans la salle livrée au séisme.

Henry n'était plus que ténèbres. Spectre terrifiant, il se tourna vers elle. Jamais elle n'avait contemplé un regard aussi noir. Elle s'empara du couteau resté sur l'autel et le brandit. La lame s'enfonça dans le ventre d'Henry qui bascula en arrière en laissant échapper un hurlement glaçant. Un cri inhumain. Le cri d'une faim éternelle.

La force noire recula. Elle siffla, vacilla, sortit du corps d'Henry et retourna dans le bassin. Mais Henry n'avait pas perdu son énergie. Il tendit la main en avant et attrapa Cassie par le cou. Elle étouffait. Elle voulut riposter, mais il la serrait trop fort.

— Hugo ! l'entendit-elle appeler.

Le sang battait à ses oreilles.

— Hugo ! cria Henry. À toi d'achever le rituel ! Tu ne peux pas laisser la force s'échapper !

Cassie haletait, impuissante. Ses poumons la brûlaient. Elle chancelait. Au-dessus d'elle, la caverne explosait, s'écroulait. Le sol tremblait. La terre était-elle en train de s'ouvrir ? Hugo redressa la tête. Il vint vers eux en rampant entre les corps des offrandes qui gisaient et gémissaient, immobiles.

— Non ! s'étrangla Cassie. S'il te plaît !

Mais Hugo avait les yeux noirs comme la nuit. Il tendit le bras et prit la main de Cassie qui lâcha un cri perçant. La force l'entraînait à nouveau. Hugo pénétra l'esprit de Cassie : il se servait d'elle comme d'un récipient pour se nourrir du sombre pouvoir libéré par Henry. Elle luttait, essayait de tenir bon, mais la violence était trop forte.

— Hugo… murmura-t-elle faiblement.

Elle sentait la vie quitter son corps. Hugo n'était plus qu'un masque d'extase, un étranger dans les ténèbres. Cassie n'avait jamais rencontré cet homme ni entendu ses promesses. Tout se perdait dans un jaillissement de chaleur et de force.

Les tableaux se décrochaient des murs et se fracassaient sur le sol. Hugo refusait de lâcher Cassie. La force noire l'envahissait toujours, la dévastait. C'est à peine si elle avait encore la conscience de son corps. Elle n'était plus une personne. Elle n'avait plus de pensées. Elle n'était plus qu'un portail par lequel la force s'engouffrait. Hugo s'était hissé sur la pointe des pieds, refusant de lâcher prise.

— S'il te plaît ! dit-elle dans un dernier halètement.

Elle le regardait, mais sa vue se brouillait. Il rayonnait sous l'effet de l'extase, ses yeux devenus d'un noir intense et immenses.

Cassie s'affaissa dans la cruelle étreinte d'Henry et d'Hugo. Le noir s'accumulait en elle. Les dernières palpitations de lumière échappaient à sa vue. Le plafond s'écroulait. Une pluie de pierres s'abattait sur les rares survivants qui rampaient en quête d'un abri. Elle aurait voulu pleurer, mais elle n'avait pas de larmes. Était-ce pour vivre ça qu'elle était venue jusqu'ici ? Pour périr d'une mort ignoble dans les décombres d'une caverne ? Elle les avait toutes laissées tomber : sa mère, Evie, Rose. Elle les avait toutes trahies.

Un cri guttural lui parvint. Un cri désespéré, comme venu de loin. Quelqu'un arracha Hugo au corps de Cassie. La connexion faiblit. Cassie émergea à l'instant même où Tremain se jetait sur Hugo et le renversait. Il la délivrait ! Elle recula en titubant. Elle distinguait Tremain dans le brouillard, luttant sauvagement pour immobiliser Hugo à terre.

— Sauve-toi ! cria-t-il d'une voix rauque.

Il tenait Hugo à la gorge, dont le corps se tordait, sifflait et laissait échapper des cris inhumains.

— Il faut détruire le portail !

— Mais…

Elle haletait, cherchait de l'air. Un morceau de plafond s'écrasa entre elle et Tremain. Elle se tourna vers le bassin où bouillonnait la force noire. Cassie ramassa une torche qui brûlait sur le sol et la jeta dans l'eau.

Les flammes s'élevèrent, s'embrasèrent dans l'obscurité de la caverne. Cassie chancelait. Elle recula tandis que l'enfer grondait, se mêlant aux cris montant du bassin, de ces profondeurs où bouillonnaient des siècles de ténèbres. Cassie regardait, hypnotisée par les flammes. Le portail brûlait, la connexion était coupée. Enfin.

Mais un autre morceau se détacha du plafond. Les flammes jaillirent du bassin. Cassie ne voyait plus Hugo et Tremain. Ils étaient à l'autre bout de la salle. Elle entendit seulement le cri de Tremain :

— Sauve-toi ! Il faut que tu sortes d'ici !

— Et vous ? cria-t-elle en réponse.

Le plafond continuait de tomber. Cassie fit un bond en arrière. Avec horreur maintenant, elle regardait les flammes. Tremain et Hugo disparaissaient sous les décombres.

— Tremain ? lança-t-elle dans le séisme de la caverne. Où êtes-vous ?

Elle n'entendait plus que des cris dans le grondement des flammes déchaînées.

Elle était seule.

34

Un autre grondement violent monta de la terre. Cassie bascula en arrière, se protégeant la tête d'une pluie de gravats. Ayant ramassé sur le sol le couteau ensanglanté, elle se leva en trébuchant. Elle s'efforçait d'éviter les flammes. Un nouveau séisme secoua la caverne. Parvenue à la porte, Cassie prit appui sur le chambranle. Le monde vibrait. Elle considéra avec horreur le tunnel creusé dans la roche.

Elle s'avança en tâchant de se remémorer les paroles de Tremain. Il avait parlé d'une issue, juste à côté de l'ouverture principale. Elle explora le mur avec ses mains, jusqu'à rencontrer le bord d'une porte cachée. Elle la força à s'ouvrir et se précipita dans le tunnel. Derrière elle, le plafond continuait de s'effondrer. Elle courait en trébuchant et haletait. Elle décrocha une torche du mur et s'avança, projetant des ombres sur les parois.

Dans sa course, elle sentit l'étreinte de la peur se resserrer sur son cœur. Elle était arrivée dans le lieu de ses cauchemars. Ces tunnels, ces torches… Elle foulait pieds nus le sol de terre battue, la main crispée sur le couteau. Des échos du rituel lui parvenaient comme une psalmodie, bourdonnement étourdissant que les murs répercutaient. Son imagination lui jouait-elle des tours ? Forcément. Une ombre qui se cabra soudain dans les ténèbres la fit trébucher d'effroi, tomber et s'écorcher méchamment la peau sur une pierre coupante. Mais il n'y avait pas de place pour la douleur ; pas avec ce couteau qui lui glissait des mains, pas avec ce bruit de pas qui retentissait toujours plus fort. Toujours plus proche.

Titubant, Cassie se débrouilla comme elle le put pour continuer. Elle gravit l'escalier en colimaçon. En haut, elle vit une porte ouverte et étouffa un cri : elle se trouvait dans la salle d'un donjon. Une fenêtre étroite laissait passer une faible lumière. Était-ce réel ? Le soulagement de Cassie ne dura qu'une fraction de seconde.

À l'intérieur, Olivia dominait le corps de Charlie gisant à terre. Olivia avait les yeux noirs. Elle souriait avec un ravissement cruel et respirait avec peine.

— Tu arrives trop tard, dit-elle. Il était délicieux. Comme Evie.

Elle affichait un air arrogant.

Cassie ne prit pas le temps de réfléchir. Elle poussa un cri de rage et se jeta sur Olivia. Toutes deux tombèrent au sol. Olivia s'agriffa à Cassie, lui écorchant la peau avec ses ongles, mais Cassie tenait toujours son couteau. Rassemblant ses dernières forces, elle plongea la lame dans le ventre de son adversaire.

Olivia poussa un cri. Son corps se raidit contre celui de Cassie qui retira le couteau. Olivia se renversa en arrière et gémit en refermant les mains sur sa blessure.

Cassie s'éloigna en rampant. Elle avait les mains pleines de sang.

— Charlie ?

La panique lui glaçait les veines.

— Oh mon Dieu ! Charlie ?

Elle progressait vers lui. Elle tendit les bras et prit la tête de Charlie entre ses mains.

— S'il vous plaît, murmura-t-elle. Mon Dieu, s'il vous plaît ! Charlie… S'il vous plaît, réveillez-vous !

Elle était dévastée par la peur et la culpabilité. Charlie était le seul homme honnête, la seule âme véritable de toute cette affaire.

Il laissa échapper une faible plainte. Le cœur de Cassie s'emballa.

— Réveillez-vous, dit-elle à voix basse. Tout va bien. Je suis là.

Il battit lentement des paupières. Cassie eut un sanglot de soulagement.

— Vous êtes blessé ? demanda-t-elle en écartant les cheveux sur le front de Charlie. Qu'est-ce qu'elle vous a fait ?

Son regard était vide, ses yeux bleus privés de toute expression. Cassie sentit son sang se figer dans ses veines.

— Non, dit-elle, la gorge nouée. Ça va aller. Il le faut !

Elle essayait de l'atteindre par la pensée, de l'apaiser, de réparer les dégâts commis par Olivia, mais elle était elle-même trop affaiblie. Elle pouvait à peine pénétrer les confins de cet esprit saccagé. Elle le secoua, en un geste désespéré, mais il s'abandonna comme une poupée de chiffon aveugle, comme un être privé de conscience.

— Charlie ! cria-t-elle entre deux sanglots.

La terre tremblait encore, mais c'était désormais sans importance. Cassie étreignit le corps de Charlie. Elle sanglota, dans une explosion de chagrin. Charlie n'aurait pas dû se trouver là, il n'aurait pas dû payer le prix de ce combat – son combat à elle. C'est elle, et non lui, qui méritait ce sort !

Une autre secousse brutale. Les portes des tunnels s'ouvrirent avec fracas. Hugo entra dans la salle en titubant. Ses yeux affolés se posèrent sur Cassie.

— Il faut sortir d'ici ! grogna-t-il. Les fondations lâchent. Tout va s'effondrer !

Il passa devant elle pour se diriger vers l'escalier encore debout.

— Cassie, allez ! dit-il en lui saisissant la main pour la forcer à se relever.

Mais elle résistait, aveuglée par les larmes.

— Je ne peux pas le laisser !

— Il est trop tard ! hurla Hugo. Cassie, il faut partir !

Il essayait de l'attirer vers lui, mais elle refusait de lâcher Charlie, de l'abandonner. Elle était tiraillée entre les deux hommes.

Alors elle comprit.

Elle inspira une bouffée d'air. Elle n'eut pas le temps d'y réfléchir à deux fois et projeta de nouveau son esprit. Pas en direction de Charlie cette fois, mais en direction d'Hugo. Elle investit son esprit et commença à le dévaster sauvagement. Hugo poussa un hurlement de douleur. Elle s'enfonça plus profond, s'emparant de cette noirceur, de la puissance ancienne renouvelée qui occupait la tête d'Hugo. Elle s'en abreuva, ivre de cette force qui soudain montait en elle et l'emplissait tout entière.

Puis elle la transféra dans l'esprit évidé de Charlie. Elle y déversa tout ce qu'elle avait, et plus encore. Elle entra en lui. Elle répara tout ce qui était brisé, saccagé.

Elle l'emplit de nouveau de puissance, renouvela ses potentialités.

— Cassie… dit Hugo dans un halètement.

Il tomba à genoux auprès d'elle, mais elle refusait de s'interrompre. Elle ne voulait pas arrêter, même une seule seconde. La vie s'échappait d'Hugo pour pénétrer en elle en un torrent épais, flambait dans ses veines pour pénétrer Charlie et le reconstituer entièrement jusqu'à ce qu'il ouvre les yeux et se redresse avec une exclamation de surprise.

— Qu'est-ce que…

Il haletait, cherchait de l'air. Son regard rencontra celui de Cassie ; il écarquillait les yeux de gratitude.

— Cassie ? Qu'est-ce que vous faites ?

Elle percevait un battement, un crescendo qui lui grondait dans les oreilles. Ce son descendit en elle comme un appel exigeant.

— Cassie ?

C'était la voix de Charlie ; elle semblait faible, lointaine.

— Cassie ! Laissez-moi !

Cassie reprit brusquement conscience. Elle lutta, cria pour se libérer des ténèbres. Charlie lui prit les mains. Il essayait de capter son regard avec une expression inquiète.

— Vous m'entendez, Cassie ? Qu'est-ce que vous m'avez fait ?

Elle haleta. Son cœur cognait.

— Je vous ai ramené.

Elle se retourna. Hugo gisait sans vie auprès de sa cousine. Le sang d'Olivia se répandait autour de leurs corps.

La terre tremblait.

— Allons-y.

Charlie aida Cassie à se relever et l'entraîna vers l'escalier. Elle le suivit en trébuchant, traînant ses jambes comme des poids morts.

— On y est presque, dit-il en la pressant.

Il dut presque la porter pour gravir les marches.

Ils franchirent le seuil en titubant, sous le choc de l'air frais de la nuit. Cassie cligna des yeux et regarda alentour. Ils se trouvaient à l'autre extrémité du collège. Ils avaient franchi un passage ménagé dans l'enceinte même de l'université : l'embouchure du tunnel se cachait dans l'épaisseur des pierres. Au-delà des prairies, Cassie apercevait les murailles de grès éclairées par des projecteurs. La tour nord noyée dans les flammes embrasait la nuit. On entendait les sirènes au loin ; une bruyante agitation se propageait dans l'obscurité. Cassie se laissa tomber dans l'herbe trempée.

— C'est fini, dit Charlie en la serrant de toutes ses forces contre lui. Vous l'avez fait. Tout va bien.

Elle ne répondit pas. Elle se cramponnait à lui dans la pénombre, écoutant le rugissement des sirènes.

Épilogue

Matthew Tremain fut enterré par une lumineuse matinée de printemps dans le cimetière de l'église surplombant la rivière. Cassie se tenait près de la tombe quand le cercueil y fut descendu. Le corps de Tremain avait été retrouvé dans les décombres, comme ceux des autres membres de l'École de la Nuit. Les rapports officiels parlaient d'un effondrement causé par des fondations instables. Un dîner organisé par un club privé, disait-on, et qui avait tourné à la tragédie.

Le verdict prononcé au terme des investigations ne fut contesté par personne : Charlie avait fait le nécessaire. Les chaînes d'information diffusaient de glorieuses nécrologies de Richard Mandeville, un politicien plein d'avenir dont la carrière extraordinaire venait de s'interrompre cruellement. Ceux qui s'interrogeaient sur la véritable cause de sa mort préférèrent jouer la discrétion. Nul ne voulait vraiment savoir ce qui se passait à Raleigh. Et l'attention du public ne tarda pas à se tourner vers d'autres scandales : un ministre du gouvernement qui s'était mis dans une situation compromettante, une célébrité qui faisait les gros titres.

Les morts ne furent bientôt plus que souvenirs ; le deuil ne pouvait durer éternellement.

Sauf pour Cassie.

Les larmes lui piquèrent les yeux quand le prêtre prononça les mots rituels. Elle avait à peine eu le temps de connaître ce père qui s'était montré à la hauteur dans les derniers instants. Il s'était sacrifié pour la sauver, tout comme sa mère l'avait fait des années auparavant.

Cassie espérait être digne de leur sacrifice.

La cérémonie réunit peu de monde : une poignée de professeurs et d'étudiants venus présenter leurs condoléances. Une réception était prévue chez l'un des enseignants de tutorat, mais Cassie préféra s'éclipser après l'enterrement. Elle rejoignit Charlie au bout du cimetière.

— Et maintenant ? demanda-t-il tandis qu'ils regagnaient lentement la rue.

— Un verre ne serait pas de refus, répondit-elle avec un triste sourire. Et vous ne disiez pas que votre mère avait promis de cuisiner pour moi son rôti du dimanche ?

— Je voulais dire, après le rôti, reprit Charlie en s'arrêtant. Vous en avez fini ici, non ? Maintenant que cette société secrète n'existe plus.

Elle hochait doucement la tête.

— Le besoin de reprendre des forces diminue chaque jour. Les membres qui n'assistaient pas à la cérémonie doivent déjà être affaiblis. Leur pouvoir va disparaître.

— Ils ne trouveront plus personne auprès de qui se régénérer ?

— Je ne pense pas. La connexion est coupée. Ça change tout. J'espère que c'est fini pour de bon.

— Alors vous rentrez au pays ?

Il se détourna. Il prenait un air désinvolte, mais Cassie voyait bien que c'était une façade.

— Je ne crois pas, répondit-elle. Du moins pas encore. Il me reste un trimestre d'étude. Je pense que je vais rester.

Charlie était soudain tout sourire.

— Admettez-le, chérie ! Vous ne supportez pas l'idée de me quitter.

— Oh, je vous en prie ! répondit-elle en riant. Non, je me disais juste que… Je ne sais pas ce que je vais faire après. Je me suis longtemps focalisée sur ma mère, sur tout ça, sans vraiment m'intéresser à mon avenir.

— Et maintenant ?

— Maintenant, je pense que je vais trouver.

Elle serra dans sa main celle de Charlie. Ils montèrent sur le trottoir et se mêlèrent à la foule des passants. Des touristes, des promeneurs, des étudiants pressés. Les cloches sonnèrent au-dessus de leurs têtes. Les tours de l'université étincelaient dans le ciel.

C'était le printemps à Oxford, et tout était en fleurs.

Note de l'auteur

Ce livre est un mélange de faits historiques et de fiction. Il décrit un Oxford tantôt réel, tantôt imaginaire, inspiré par mon propre passage à l'université. Sir Walter Raleigh a bel et bien existé mais pas le collège qui porte ici son nom. Je l'ai situé en lieu et place de Magdalen College, au bord de la rivière Cherwell. Raleigh était un contemporain de Shakespeare, et il est connu pour ses liens avec d'autres penseurs importants de son époque. L'existence d'une « École de la Nuit » n'a jamais été prouvée. Shakespeare y fait allusion dans *Peines d'amour perdues*, mais cette mention a donné lieu à de nombreuses interprétations ; elle a été commentée par des spécialistes et des historiens qui connaissent cette période beaucoup mieux que moi.

Remerciements

Un très grand merci à tous ceux qui ont permis à ce livre d'exister. Il s'agit d'un vrai travail d'équipe. À Richard Abate qui m'a guidée avec un enthousiasme infatigable. À Gary Ungar et à Rebecca Friedman. Merci à la formidable équipe de la maison William Morrow : Katherine Nintzel, Marguerite Weisman, Jessie Edwards, Molly Waxman et Stephanie Vallejo.

Un grand merci à mes condisciples de Magdalen qui n'ont pas hésité à me transmettre leurs vieux devoirs, histoire de me rafraîchir la mémoire sur les programmes. Merci également à l'équipe enseignante ; aux docteurs Christopher Brooke, Lizzie Fricker et Krister Bykvist, entre autres, qui ont fait de mon passage à Oxford une expérience mémorable – et riche d'inspirations.

Merci enfin à mes amis et à ma famille. Ils m'ont offert soutien et enthousiasme : Elisabeth Donnelly, Brandy Colbert, Lane Shadgett et Elizabeth Little. À ma mère, Ann : merci pour tout, comme toujours.

Cet ouvrage a été composé et mis en page
par PCA, 44400 Rezé

Imprimé en France par CPI
en janvier 2018
N° d'impression : 3025839

POCKET – 12, avenue d'Italie – 75627 Paris Cedex 13